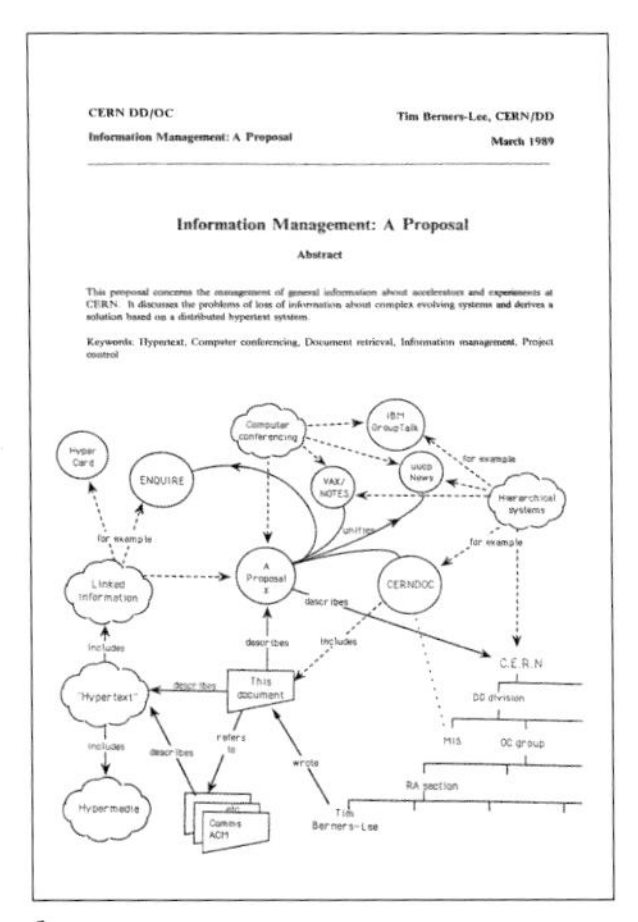

CERN DD/OC
Information Management: A Proposal

Tim Berners-Lee, CERN/DD
March 1989

Information Management: A Proposal

Abstract

This proposal concerns the management of general information about accelerators and experiments at CERN. It discusses the problems of loss of information about complex evolving systems and derives a solution based on a distributed hypertext system.

Keywords: Hypertext, Computer conferencing, Document retrieval, Information management, Project control

1

1. 1989年にスイスの欧州合同原子核研究機関（CERN）の英国人研究者、ティム・バーナーズ＝リー氏が提案した「Information Management : A Proposal」がワールドワイドウエブ（WWW）の基になった（CERNサイトより） **2.** マーク・アンドリーセン氏らが1993年に開発したモザイクは世界初の商用ブラウザとなり、インターネットの普及に大きく貢献した

2

マイクロソフト コーポレーション
ウィリアム H ゲイツ
William H Gates

3

3. 1995年11月23日0時「ウィンドウズ95」日本語版の発売にあわせ、パソコン店前に並ぶ人たち　**4.** 孫正義氏はビル・ゲイツ氏からの助言をもとにヤフーを「発見」。日本に持ち込んでインターネットの代表格と言える存在に育てた（1995年6月）

4

8

9

5

7

6

5. 藤田晋氏は24歳でサイバーエージェントを創業した。写真は創業2年目の1999年9月。この後、大きな挫折を経験する（1章） **6.** 経産省の官僚だった村上世彰氏は通称「村上ファンド」を率いて「物言う株主」として注目を集めた（2002年1月、1章ほか） **7.** IIJは解体寸前のビルでこの国にインターネットをもたらした（創業直後の1993年1月、2章） **8.** 日本にインターネットをもたらした鈴木幸一氏は46歳でIIJを起業したが、直後に試練が待っていた（2章） **9.** iモードはモバイル・インターネットの先駆者となる画期的なサービスだった（3章）

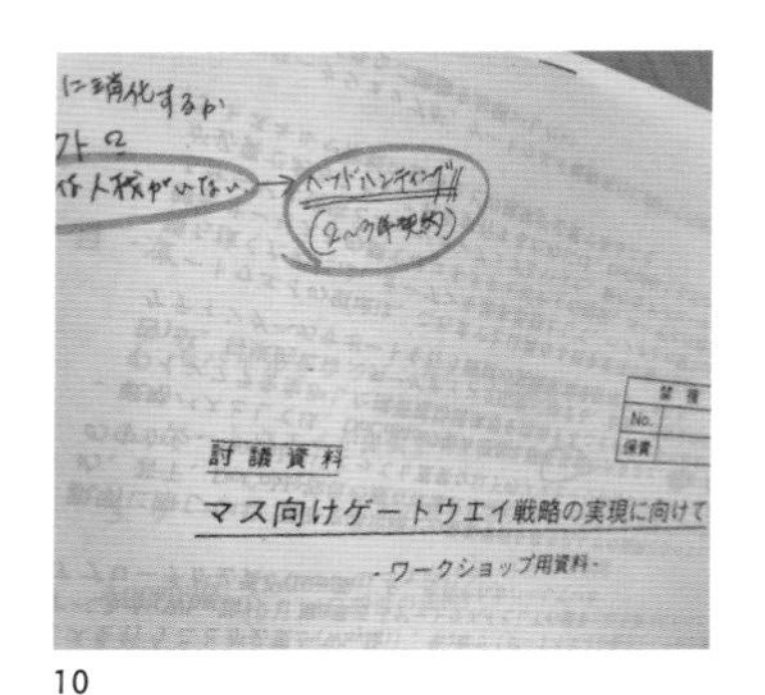

討議資料

マス向けゲートウエイ戦略の実現に向けて

-ワークショップ用資料-

10

10. iモード計画の発端となったマッキンゼーのプレゼン資料。NTTドコモ栃木支店長だった榎啓一氏が表紙に「人材がいない→ヘッドハンティング」と書き記している（3章）
11. 電脳隊はシリコンバレーで出会ったモバイル・インターネットの技術に活路を求めた（写真は「PIM」時代。後列左端が後にヤフー社長になる川邊健太郎氏、前列左端が後のヤフーCMO村上臣氏、前列左から3人目が「香港から来た男」松本真尚氏。4章）

11

12. ヤフーの「サトカン」こと佐藤完氏は、日本のインターネット史の様々なシーンで登場する（本間毅氏撮影、遺族提供。4章ほか）**13.** 1999年7月。楽天は勢いに乗るがこの時期から内部分裂は始まっていた（写真中央が三木谷浩史氏、5章）

13

14

14. 楽天の新春カンファレンスでは、ヤッホーブルーイングによる仮装が恒例となった。スノーボードを持つ右の男性がヤッホー社長の井手直行氏。この時が初の仮装で、三木谷氏の表情がやや引きつっている（2008年、5章）　15. 楽天の創業直後。オフィスに回線を敷く三木谷氏

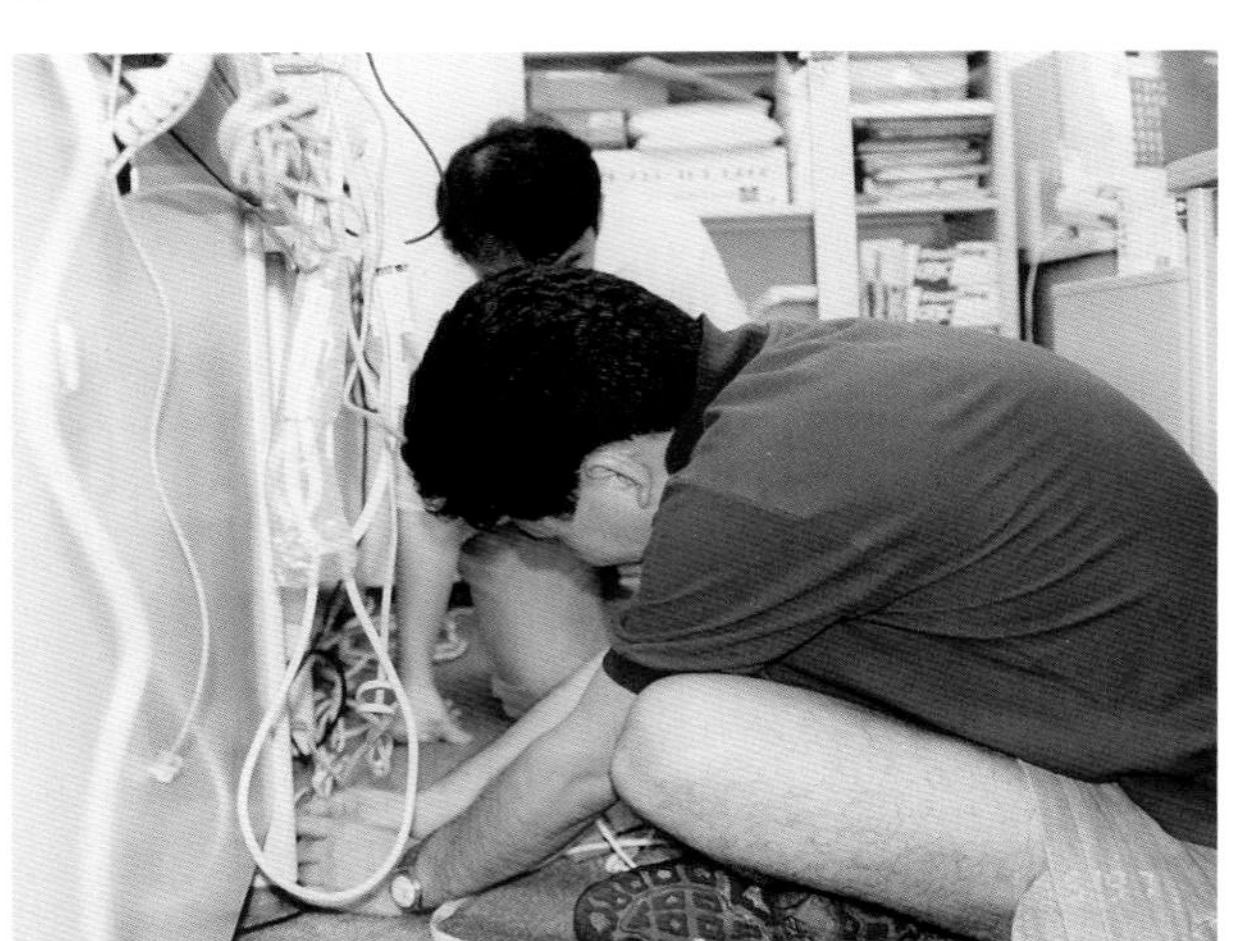

15

ネット興亡記

①開拓者たち

杉本貴司

日経ビジネス人文庫

はじめに

この国にインターネットが到来して30年近く。突如としてやって来た情報革命という巨大な胎動に魅せられ、数々の名もなき若者たちが名乗りを上げた。

時は平成の世の幕開けと重なる――。バブル経済が崩壊し、失われた30年が始まった。日本人が奇跡の復興を誇りに思い、ジャパン・アズ・ナンバーワンと言われた頃の自信を失いかけた時代に到来したのが、インターネットという社会を一変させ得るテクノロジーだった。

本書で描くのは、そんな混沌とした時代のうねりのなかで始まった新産業創生の物語である。栄光をつかみスポットライトを浴びる者たちを、世間は「時代の寵児（ちょうじ）」ともてはやし、あるいは、「IT長者」や「成金」と心の中でさげすんだ。

だが、多くの人たちは知らない。

そこにあったのは未開の荒野を切り開く者にしか分からない壮絶なドラマだということを。パソコンやスマホの画面の中で毎日のように見かけるサービスは、そんな隠されたストーリーを何も語らない。

栄光、挫折、裏切り、欲望、志、失望、失敗、そして明日への希望……。

数え切れない感情が交錯するなかで、ある者は去り、ある者は踏みとどまった。本書ではインターネットという新産業創世記に隠されたドラマに迫る。

本書は2018年7月から日本経済新聞電子版と日経産業新聞で連載した「ネット興亡記」をベースにまとめたものだ。連載はスタート当初から大きな反響をいただき、電子版では全52回にわたって掲載することができた。

それでも当時から決めていたのが、書籍化する際は加筆・修正ではなく連載をベースにゼロから書き下ろすということだった。伝えたいこと、知ってもらいたいことが、日経電子版のスペースからあふれ出そうな思いで書いていたからだ。その結果、膨大なページ数になってしまった。

本書には数多くの「志士」が登場する。あたかも幕末の志士たちが無名時代に出会い、天下国家の論をぶつけ合ったように、インターネットの担い手たちも驚くほど互いに影響を与え合う出会いを経験している。

それは偶然ではない。志が志を呼び寄せる磁力を発するのだと思う。本書では、そんな生のドラマを臨場感を持って再現するため、文中では大変恐縮ながら敬称を省略するスタイルを取らせていただいた。

前口上はここまでにしよう。

インターネット産業を彩る数々のドラマに、しばらくお付き合いいただきたい。

ネット興亡記　①開拓者たち　目次

ネット興亡記　②敗れざる者たち　目次

写真について
以下の口絵を除き、写真はすべて日本経済新聞社、著者撮影、各企業の提供によるものです。
Science Photo Library／アフロ（口絵2）、共同通信（口絵3）、東洋経済／アフロ（口絵4、5、6、9）

第1章

「いつか全員黙らせたくて」——藤田晋、若き日の屈辱

サイバーエージェントを巡り、思惑は交錯した

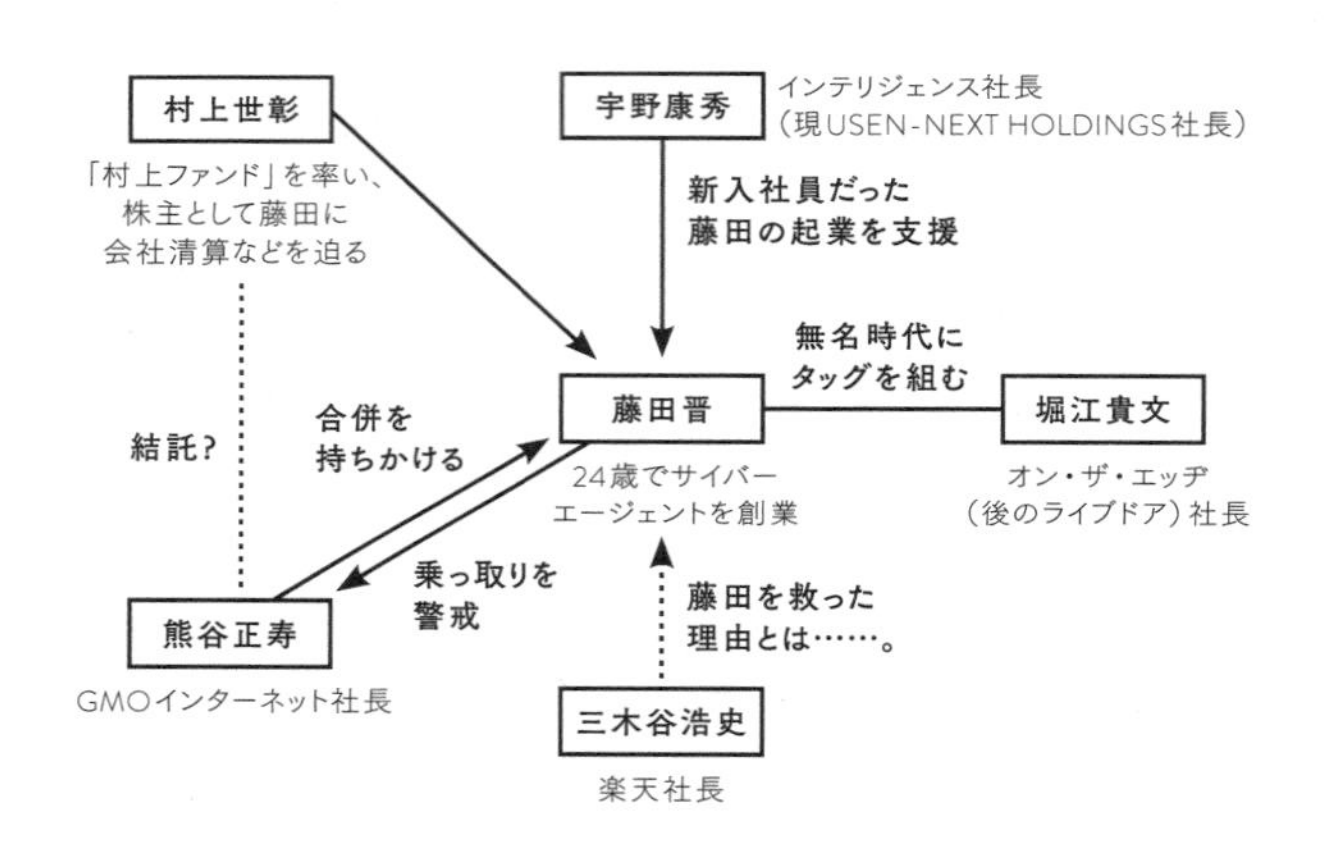

資本構成の変化で買収の危機に

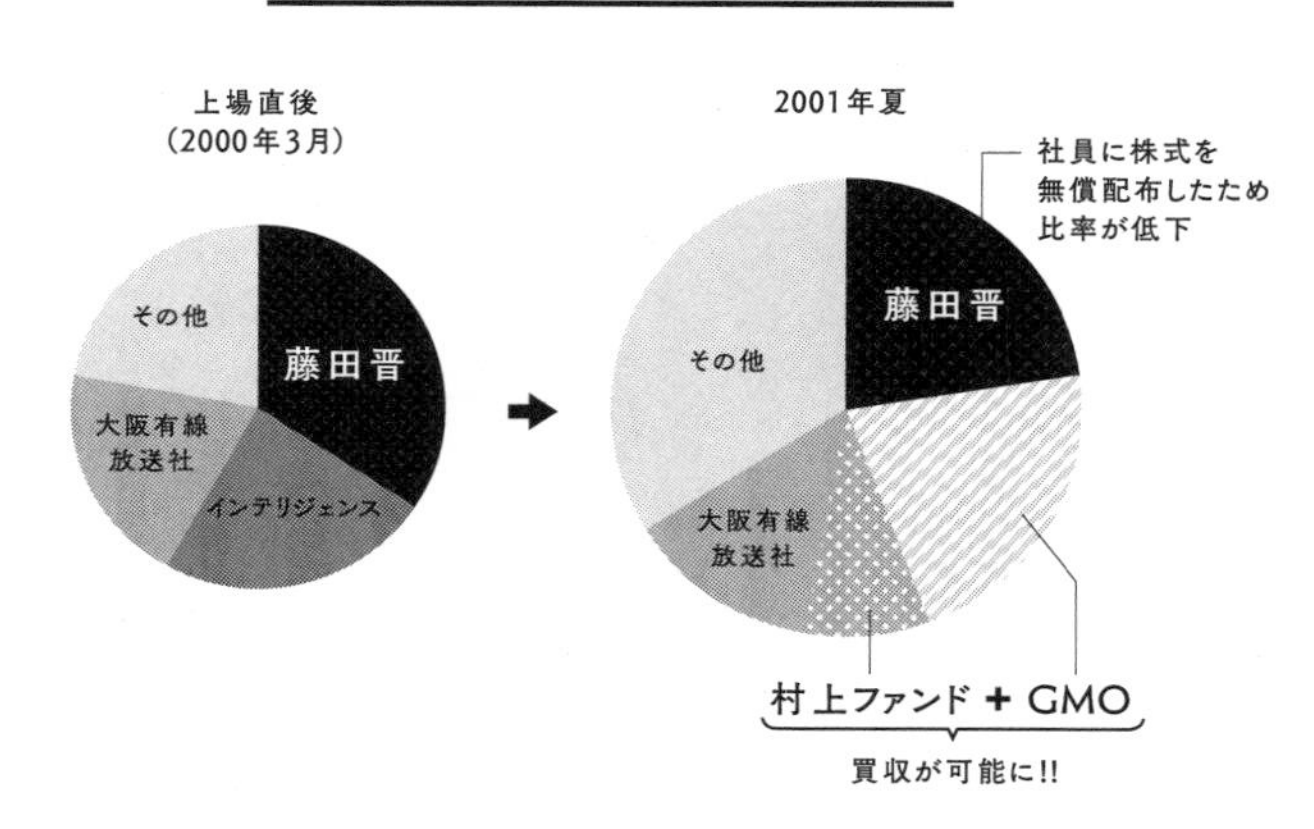

再会

横浜・中華街の外れの路地にある「萬来亭」は、どこの下町でも見かけそうなこぢんまりとした上海料理の店だが、店の隣で作る自家製麺などを目当てに多くのリピーターが訪れる人気店だ。

2010年3月末の夜。サイバーエージェント社長の藤田晋（ふじたすすむ）はこの店で、懐かしい人物と再会していた。横浜に本社を置くソフトウエア関連会社、ヒューマンクレスト社長の渡辺義孝だ。

会うのは12年ぶりだが、名物の上海焼きそばを食べながらの会話は昔となんら変わらない。渡辺は藤田にとって恩人とも言える人物だった。麻雀漬けの毎日から抜け出して起業家を目指そうとした大学生の頃、藤田が門をたたいたのがオックスプランニングセンターという、創業して4年目の広告代理店だった。

渡辺はオックスプランニングの創業メンバーの一人で当時の肩書は専務。「日経新聞を読んでいない奴はビジネスマンとして認めない」と言われた藤田は、アルバイトながら大学にも行かずにスーツを身にまとって営業に駆け回るようになる。そんな藤田に、渡辺はとりわけ目をかけていた。

この日のことを藤田は当時、『渋谷ではたらく社長のアメブロ』という自ら綴るブログの中で、こんなふうに紹介している。

「12年ぶりに再会した専務は変わらず話が面白く、この後BARに移動して政治、経済、仕事、家庭、映画、美食と、多岐に渡って夜更けまで話しこみました。話しが合う人とは何年あっても話が合うんだと実感しました」

藤田にとっては感慨深い再会。ヒューマンクレストを起業して創業社長となった渡辺を、今もオックスプランニングにいた当時のように「専務」と呼ぶ。筆者の取材にもこの日の再会を「まるで昔にタイムスリップしたような感じでした」と振り返った。

ただ、二人の口からはついに、あの夜の出来事の話は出なかった。12年前のこと。起業を決意した社会人1年目の藤田は、恩人の渡辺を裏切ったのだ。

渡辺を裏切って起こしたサイバーエージェントで、藤田は日本のインターネット産業を代表する起業家と呼ばれるようになった。その後も渡辺には何度か会いたいと伝えたが、かたくなに拒絶されていた。

そして12年の時が流れた。二人が顔を合わせるのは、藤田による「裏切り」以来だった。その日のことを意識しないと言えば嘘になるだろう。だが、言葉にする必要はなかった。

藤田はブログでこう回想している。

「創業時に読んだ何かの本で、『志を持って突き進んだとき、そのために失ったものは、大概は後からでも取り戻せる』と書いてあったのを読んで、自分自身を励まして、いつかまた専務と再会できると信じていましたが、実現しました。（中略）こうして一緒に酒が飲めるのがうれしかったです」

インターネット起業家の第一世代として名を馳せ、時にはIT長者と呼ばれて世間から多分に嫉妬心を含んだ羨望のまなざしを向けられてきた藤田晋。だが、その船出は「21世紀を代表する会社をつくる」という志を何度もへし折られそうになる波乱に満ちた物語だった。

インターネットの夜明けは、日本が戦後の復興からめざましい経済成長を遂げ、バブル崩壊によって自信を失った時期と重なる。そんな時代に生まれた新産業の創世記を彩る数々のスター経営者たち。だが、彼ら彼女らの多くは、決して天才ではない。

目覚めはたいてい、ちょっとした違和感だった。それを黙ってやり過ごすことなく真正面から見つめ、自分が何をなすべきかを問い続け、行動に移してきた「どこにでもいる若者たち」を、我々は後になって安易に天才と呼ぶ。

かつて作家の芥川龍之介は天才を称してこんな表現を使った。

「天才とは僅（わず）かに我我と一歩を隔てたもののことである。ただこの一歩を理解するには百里の半ばを九十九里とする超数学を知らなければならぬ」

我々と一歩を隔てた天才たちはいかにして超数学の壁を乗り越えてきたのか。本書ではそんな壁に挑んだ数々の挑戦者たちが登場する。インターネット産業の黎明期に現れた藤田晋もまた、我々とわずかに一歩を隔てた者であり、超数学の壁を乗り越えるために人知れぬ苦難を味わってきた。

幼き日の不安

藤田晋は1973年に福井県鯖江市に生まれ、父が働くカネボウの社宅で育った。第二次ベビーブームの頃に生まれた、いわゆる団塊ジュニアの世代だ。ちょうど生まれた年に高度経済成長の時代は幕を閉じ、物心がつく頃になると「一億総中流」が当たり前に語られるようになっていた。

藤田が小学校に入学する前年の1979年に経済企画庁が発行した『国民生活白書』は序文で次のように説明している。

「我が国は所得や金融資産の分配において先進工業国の中で最も平等化された国の一つであり、（中略）中流意識が国民の間に浸透すると、個人が相互の違いに敏感になり、より一層の平等を求める傾向が強まっている」

戦争に敗れて焼け野原から再出発した日本は、多くの国民が人並みに豊かな暮らしを実感できる社会となりつつあった。ざっと半世紀前のこと。格差社会という闇が広がりつつある現代とは、時代を流れる空気感が違っていたであろうことが、この一文からも伝わってくる。

だが、大企業の社宅で育った藤田少年は、そんな「平等の時代」に強烈な違和感を持っていた。サイバーエージェントの創業期までを記した自著『渋谷ではたらく社長の告白』で、社宅での少年時代をこんなふうに回想している。

「この壁の向こうにも、同じ間取りの似たような空間が広がっている。その隣にも、上にも下にもそれは続いている。朝になれば子供たちは同じ学校に向かい、同じような時間に似たような背広姿の父親たちが出て行き、母親は洗濯物を干しにベランダへ出る。そんな繰り返しの中に取り込まれそうな気がして、私は自分が言いようのない不安に包まれるのを感じていました」

平凡な家庭で過ごす平凡な毎日。そこでは、誰もが同じような時間を過ごし、同じように敷かれたレールの上を歩いて行く。違いがあるとすれば、それが速いか遅いか、あるいは人よりちょっとだけ遠くに行けるかどうか。

「そんな人生でいいのか。平凡な人生は嫌だって思っていました。なんでもいいから何者かになりたい。そんな風に思うようになりました」

少年の頃に社宅の片隅で感じた強烈な違和感が、後の起業家の原点だった。

どこにでもいるフツーのサラリーマンにはなりたくない。そのために、ここから抜け出したい——。そんなことを考えるようになった藤田少年の夢は、高校に進むと作家からミュージシャンへと変わる。だが、自分にはいまいち音楽のセンスがないと感じるようになると、バンド仲間の同級生にこう告げた。

「俺は将来、レコード会社をつくってお前をデビューさせてやるよ」

夢が起業になったわけだ。ちなみにこの同級生は後にギタリストとして本当にメジャーデビューを果たしている。「まあ、口からでまかせですよ。東京に行ったらすっかり忘れてしまったんですけどね」。当時のことを聞くと、藤田はこう続けた。

「でも、それ（起業の夢）を思い出す出来事があったのです」

青山学院大学に合格し、鯖江を抜け出して東京に行くという最初の目標を達成した藤田青年は、しかし、麻雀にはまってしまった。今では「日本で一番麻雀が強い経営者」とも言われ、プロ麻雀リーグ「Mリーグ」のチェアマンも務めるが、雀荘で働くようになった学生時代は、鯖江で口にした起業の夢も頭の中から消えてしまっていた。

気がつけば単位を取り損ねて大学2年生で留年が決定。ようやく3年生に進級すると雀荘があった神奈川県の厚木から、青学大のキャンパスは都内に移る。同級生より1年遅れで都心に出てきた藤田は、二子玉川のバーでアルバイトをするようになった。

そこで出会った先輩バーテンダーの「ケイゴさん」が、何度も藤田を問い詰めた。

「俺は日本一のバーテンになるためにここで働いている。お前はどうするんだ」

藤田の目を射貫くような視線が、本気で問いかけていることを物語る。

「一度や二度じゃなく本当に毎晩毎晩、繰り返し同じことを聞かれました。もう、パワハラじゃないかと思うくらいでしたけど、そこから（人生が）動き始めました」

執拗に問い詰められた藤田の頭にふと、かつての夢がよみがえる。藤田はこの先輩バーテンダーにつぶやいた。

「俺は将来、会社をつくりたいんですよ」

客がひけて静まりかえった薄暗いバーのカウンターに立つ藤田。少年時代に抱いた、あの言いようのない不安が、蒸し返してくる。

社宅の薄い壁を隔ててどこまでも続くように思える同じような日常の繰り返し。同じような服を着て同じように会社に向かう。そして、同じようにあしたを迎える――。無限に続くように思える毎日のループから、俺は抜け出したかったはずだろう。

それなのに、自分の姿を省みれば、毎日雀荘に通ってばかり。ようやく麻雀から足が遠のいたと思えば、今度は目的もなくバーで時間を過ごしている。それでいいのか――。

「夢があるなら行動しろ。そうじゃなければこの店に就職しろ」

「いや、そう言われても……」

先輩バーテンダーから迫られ、ようやく藤田は動き始めた。この時、この二子玉川のバーでアルバイトをしていなければ、後の起業家・藤田晋はなかったのかもしれない。

「東京に来ていつの間にか、自分がどこに向かいたいのか、方向性が分からなくなっていたんです。（起業の夢を）忘れていたんですよ。でも、あれで思い出しました」

東京に出て来れば夢はおのずと広がるはずだ。胸の内のどこかでそんな淡い思いを抱えて地方からやって来た。東京という大都会で今も毎年のように大量に再生産される、どこにでもいる若者の一人が、この頃の藤田だった。だが、ひょんなことから、この若者は静かな一歩を踏み出したのだった。

「まずはスーツを着て仕事をしないと……」。形から入ろうとした藤田はアルバイト誌「フロム・エー」を手に取った。そこで見つけたのがオックスプランニングセンターという生まれたばかりの小さな会社だった。20歳の夏のことだ。

起業家修業

「起業家修業」の場として選んだオックスプランニングで出会ったのが渡辺だった。まだどこかぎこちないスーツ姿。その胸ポケットに社会人と全く同じ名刺をしまい営業に駆け回る藤田に、渡辺は社会人としてのイロハをたたき込んでいく。

藤田がむしろ感銘を受けたのは営業マンとしての心構えだけでなく、オススメの映画や本など雑談になった時に渡辺の口から出てくる話の数々だったという。12年ぶりに中華街で再会した時に「昔にタイムスリップしたよう」と振り返ったのは当時、10歳上の大人から受けた刺激の数々を思い出してのことだ。

オックスプランニングで仕事の面白さを学んだ藤田は同い年より1年遅れて就職活動の時期を迎える。

時は1996年。

バブルが崩壊し、日本に金融不安の足音が忍び寄っていた時代だ。大企業が軒並み新卒採用を絞る、いわゆる就職氷河期にあたる。ただ、起業家志望の藤田にとって大企業はもとより眼中にない。

どこか修業にふさわしいベンチャーはないか――。

藤田が最初に目を付けたのが当時、新進気鋭のインターネット広告会社として注目されていたハイパーネットだった。ただ、新卒者は採用しておらず、あえなく断念する。

もしこの時、藤田がハイパーネットに採用されていたら、サイバーエージェントの誕生はなかっただろう。少なくとも今とは違った会社になっていたはずだ。あるいは、ある人物の目にとまってNTTドコモでモバイル・インターネット時代の幕を開けるという大仕事に没頭していたかもしれない。空想の話でしかないが、ハイパーネットとドコモの話は第3章で後述する。

藤田が選んだのはオックスプランニングのライバル会社であるインテリジェンスだった。オックスプランニングは渡辺を含むリクルートに同期入社した3人が創業した会社だが、インテリジェンスもまた、リクルート社員の4人が設立した会社だった。

社長の宇野康秀はリクルートコスモス出身で、オックスプランニングの渡辺たちの同期にあたる。インテリジェンスと宇野の物語は第12章で詳しく触れるためここでは省略するが、たまたま参加したインテリジェンスの会社説明会で、色黒の精悍な顔つきに大きな目をらんらんと輝かせて「いずれリクルートを抜く」と豪語する当時32歳の宇野の姿に感化され、藤田はこのライバル会社を就職先に選んだ。

宇野を含む4人のインテリジェンス共同創業者の一人である島田亨は、採用面接で出会った藤田とのやりとりを今も鮮明に覚えているという。

それもそのはずで、実は島田のもとにはリクルート時代の同期でもあるオックスプランニング社長の三浦厳嗣から事前に連絡が入っていたのだ。飛びきり優秀な学生が、腕試しもかねてライバル社のインテリジェンスの採用試験を受けに行くというのだ。

興味津々の島田は面接会場に現れた藤田に聞いた。

「うちに来たら何をしたいですか」

ありきたりな質問に、藤田はこう答えた。

「私は社長に会える仕事じゃなければやりたくありません。そうでなければインテリジェンスには入りません」

当時のインテリジェンスは企業への人材紹介のほかに人材派遣業も手掛けていた。似て非なる事業に、藤田はこだわった。「人材紹介部門でなければ入社したくありません」と断言するのだ。

「配属先までは約束できないけど。でもなぜ？」

藤田の答えは明確だった。

「人材紹介部門なら色々な会社の社長と会えますが、人材派遣ならクライアントは人事部長か総務部長になるからです」

インテリジェンスはまだまだ小さなベンチャーだ。社長に会えるといっても、クライアントは日本を代表するような大企業ではなく同じようなベンチャーになる。それが、藤田の希望にピタリと合致するのだという。中途採用で幹部級を仲介する「人材紹介」に対して、当時の人材派遣業はパートなどのあっせんが主な仕事となる。採用に関わるクライアントの層も自然と違ってくるはずだというわけだ。

いずれ起業家を目指すからには、仕事を通じて現役のベンチャー社長に会えるだけ会ってなんでも学んでやろうという算段だ。

この後、インテリジェンスでもサイバーエージェントでも営業で頭角を現した藤田だが、経営者としての現在の語り口はイケイケのやり手営業マンという印象とはちょっと異なる。取材や記者会見では、あまり感情を表情に出すことなく一言ずつ慎重に言葉を選びながら淡々と話すため、むしろ朴訥（ぼくとつ）なイメージを受けることが多い。

この時の採用面接でも文字にすればいかにもハナっ柱の強い学生という印象を与えるだろうが、実際に面接官を務めた島田が受けた印象は違った。「こちらが『えっ』と思うようなことをすごくゆったりと話すのです。ただ、自分の考えはシャープに伝えてきました」。

島田は採用するとは明言しなかったが、このやりとりを通じて「絶対に採用しようと決めました」と振り返る。

裏切り

こうしてオックスプランニングのライバル会社に入社した藤田は、とにかく猛烈に働いて新人ながらあっという間にトップ営業マンの仲間入りを果たす。粗利益ベースながら一人で5000万円の稼ぎを会社にもたらしたというから相当な働きだったのだろう。

ただ、「いずれ起業家に」という野望はすぐに実現すべき目標へと変わっていく。そして藤田は入社1年目が終わろうとしていた1997年12月25日、クリスマスの夜に行動を起こした。藤田はアルバイト時代に憧れたオックスプランニングの渡辺を食事に誘った。和食店のカウンターに座ると、藤田は渡辺に語りかけた。

「専務、一緒に会社を作りませんか」

渡辺を社長に据えて、藤田とオックスプランニング時代のアルバイト仲間の2人が取締役となるという案だった。自分が社長になることより信頼も尊敬もできて明らかに自分より経験がある渡辺とともに起業する道を選んだのだ。

ちょうどオックスプランニングの経営が曲がり角にさしかかっていたこともあり、熱心に口説く藤田の話に、渡辺は耳を傾けた。

渡辺を社長とする起業計画は話が進み、年明けの1998年1月、インテリジェンスの始業日に藤田は退職を申し出る。期待の新人の退職願いに対し、当時の上司は引き留めにかかったが藤田の意思は強かった。

だが、ここで事態が一転した。社長の宇野が藤田に直接電話をかけてきたのだ。

宇野はインテリジェンスを振り出しにこの後も大きく3つの会社を経営しているが、社長室は決まって社員たちから丸見えのガラス張りにしている。この時もやはりガラス張りの部屋に通された新入社員の藤田に、宇野は思いもよらないことを話しかけた。

「起業には反対しない。良いと思うよ。でも、俺にも提案させてくれないか」

「なんでしょうか」

「渡辺君とやるのではなく、君が社長をやれ」

藤田が新会社の社長に就くことを条件に、インテリジェンスが出資して当面の資金繰りを支援するという。しかも宇野はこうも付け加えた。

「俺は経営に口出しするつもりは一切ない。あと、いずれインテリジェンスの持ち分を下げて藤田君の会社にする」

24歳の新入社員に対して、破格の条件と言っていいだろう。でも、なぜそこまでしてくれるのか、何かウラがあるんじゃないか……。

インテリジェンスという小さな会社にあって、宇野は社長ながら身近な存在と言えた。社長というより兄貴分。そして誰よりハードワーカーであることは、がむしゃらに働いているつもりの藤田がよく知っていた。誰よりも早く青山のオフィスに出社したと思ったら、ガラス張りの社長室の中で宇野が床に突っ伏していたこともある。

藤田は今も「経営者として宇野さんから学んだことはもう、ほとんどですよ」と話す。ただ、この時ばかりは宇野の真意が分からない。なぜそんな破格の扱いをしてくれるのか、あまりにおいしい話に戸惑う藤田に、宇野が語りかけた言葉をはっきりと覚えている。

「大事なのはカネじゃない。本当に大事なのは志を共有できるかどうかなんだ」

宇野がたたみかけてくる。

「約束する。俺を信じろ」

悩み抜いた藤田は宇野の話に乗った。だが、それは渡辺を社長に据えるという約束を反故(ほ)

故にすることを意味する。

「僕の方から専務に話を持ちかけたのに、僕はハシゴを外してしまったのです……」

この時の決心を藤田に聞くと、しばし考えた上でこう言い、「裏切り」という言葉を使った。

「ここから抜け出したい」と思い続けた少年時代。雀荘で忘れかけていた起業家への志。その夢を思い出した二子玉川のバーでの出来事。恩人である渡辺との出会い。目の前に突然やってきた、願ってもないチャンス。そして裏切り――。

宇野の提案通りに藤田が社長となりインテリジェンスの支援を受けて起業する意思を伝えられると、渡辺は簡潔にこう話した。

「じゃあ、この話はすべて白紙に戻そう」

藤田はひときわ目をかけてくれた恩人を、裏切ったのだ。

二人はこの時から疎遠になる。

「どんな手を使っても成功してやる」

「あの時に腹が固まったんです」

当時のいきさつを聞くと、藤田はこう言いながら後にサイバーエージェントで手掛けることになるアベマTVのドラマをたとえに出した。2018年4月から放映された『会社は学校じゃねぇんだよ』。仲間とともに起業した若者の夢と苦難の道のりを描いた連続ドラマだが、藤田が「腹が固まった」と言って、当時の自分の姿と重ね合わせたのが、第2話のワンシーンだった。

起業したもののカネがない主人公の鉄平が、投資家たちが集まるバーに現れる。居合わせた客たちを押しのけて鉄平は自社のプレゼンを始めた。

その横暴な振る舞いに、思わず眉をひそめた大物投資家が、おもむろに床にパスタを放り投げた。鉄平に、それを食べろと言う。嫌な思いをさせられた客たちを納得させるためにそうしろと言うのだ。すると鉄平は周囲の冷やかな視線を顧みずに床に手をつき、一心不乱にパスタにかぶりつく。「うめぇ！」。そう、うそぶきながら目を輝かせるのだ。

「今風にアレンジしているけど、あれって当時の僕なんですよ。汚れたパスタを食えと言われたら食べる。裸になれと言われればいつでも素っ裸になります。どんな手を使ってでも成功してやる。どんな手を使ってでも成功しなければならない。あの時、そう、腹に決めたんです」

自ら「裏切り」と言う通り、恩人に対して人の道に外れたことをしてしまった。それでもつかみたいものが、藤田にはあったからだ。

「起業家として絶対に成功してやる」

その決意は今も変わらない。

たった一度だけ、会社を投げ出してしまおうとまで思ってしまったあの時、この後にやってくるどん底の時を除けば――。

宇野の支援を得て起業することになった藤田。だが、実はこの時点ではまだ何をするのかは決めていなかった。ただ、学生時代から鍛えた営業には自信があった。

「あの時点で僕には妙な自信があった。名もなき新しい会社でも1カ月もすれば食っていけるようになるだろうと。起業といってもそんなに難しいものじゃないだろうという感じでした。まあ、(起業を目指す)今の若い人たちにはマネしてもらいたくないですけどね」

常に頭の中にあったのがインターネットだった。

大学生の頃に一時期、パソコン通信のチャットにはまったことがあるもののコンピューターの技術には疎い。それでも、インターネットが誰の手にも届くものになりつつあった1998年の当時、いつでも誰とでもつながることのできるこの新たなツールには無限の可能性を感じていた。

自分の強みの営業と、これから大きく成長するはずのインターネット——。この2つを掛け合わせて何かできないか。このアイデアを形にしたのが、藤田を支援した宇野だった。

「さっきトイレでいいこと思いついたんだけどさぁ」

こう言って宇野が話したのが、インターネット業界専門の営業代理店というビジネスだった。宇野が言うには、インターネット業界のベンチャーは技術屋出身が多く、営業は苦手な会社が多い。そもそも営業に労力を割く余裕がないという会社の方が多いだろう。それなら、そういったIT企業のサービスの売り込みを肩代わりすればどうか、というわけだ。

実は人材サービスのインテリジェンスを経営していた宇野も、この頃からある出会いがきっかけでインターネットに関心を持つようになり、この後、自らもインターネットの世界へと飛び込み、波瀾万丈の道を歩むことになる。そのことは第12章で詳しく述べたい。

ともかく、やることは決まった。新会社にはインテリジェンスが70％を出資することになった。事業が軌道に乗ればインテリジェンスは出資比率を引き下げて藤田をオーナー社長にする、という約束だった。

当初、藤田が「インターネットのマルチベンダー、大塚商会のような会社」と表現した新会社。だが、オックスプランニングの渡辺を裏切った藤田には仲間がいない。そこで声をかけたのがインテリジェンスに同期入社していた日高裕介だった。同じ営業マンながら日高は社内ですでに「落ちこぼれ」の評判。日高と一緒に独立したいと聞かされた宇野も、思わず「あいつで大丈夫か」と心配したほどだった。

驚いたのは日高だった。「(藤田から)一緒にやろうよと誘われて、あまり深く考えずに『それ、いいね』なんて返しましたが、そもそも、なんで俺なんだろう、俺じゃないでしょと思いましたよ」と振り返る。

藤田と日高はインテリジェンスの内定者研修で意気投合していた。ただ、学生時代にアルバイトでさえ3カ月と持ったためしがないという日高は、社会人になってもやる気はゼロだった。インテリジェンスに入社して大阪に配属されると、担当したのが藤田が採用面接で拒否していた人材派遣業の営業だった。一日200件ほどの飛び込み営業を課せられて心が折れた。

「それだけ営業してまともに話せるのは5件から10件くらい。『俺がやってることに何か意味があるのか』と思っちゃったんですよね」。そうなるとやる気が出てこない。

「仕事の価値を理解できずにひたすらだらだらとやっていました。あの頃の僕は、ビジネスマンとして底辺でした。やる気はないし努力は全くしない。なんと言っても、すぐにサボるしね（笑）」

一方、学生時代にオックスプランニングで渡辺から鍛えられた藤田は同期でトップの営業成績を残し、飲み会にはウエスタンブーツにハット姿で現れる。そんなキラキラ男が日高を選んだ理由は「気が合うから」だった。

二人で考えた「インターネットの大塚商会」の正式な社名はサイバーエージェントに決

まった。実は藤田の腹案はエレクトリック・エージェントだった。当時、名経営者の名をほしいままにしていたジャック・ウェルチのもとで息を吹き返していた米ゼネラル・エレクトリック（GE）にあやかろうとしたものだが、日高が名付けたサイバーエージェントで落ち着いた。藤田がハンドルを握る車中での二人の会話で命名されたこの新会社がこの後、新進気鋭のITベンチャーとして注目されることになる。

「いつかフジタテレビを」

サイバーエージェント創業を目前に控えた1998年3月の休日、藤田が当時付き合っていた彼女とドライブに出かけたエピソードは、自著の『ジャパニーズ・ドリーム』や『渋谷ではたらく社長の告白』などで繰り返し触れられている。

愛車のジープ・チェロキーを駆って首都高を走り、晴海埠頭から、完成したばかりのお台場のフジテレビを見つめて藤田はこう豪語したという。

「俺はいつか、あのフジテレビの隣にもっとでかいフジタテレビをつくるんだ」

彼女には「ださーい」と笑い飛ばされた。旗揚げの時を迎えた24歳の青年の夢物語。だが、藤田はこの日から20年近く後の2016年、アベマTVで本当に「フジタテレビ」を実現させることになる。

「あの時はたまたま目の前にあった（フジテレビくらいの）大きい会社をつくってやるという意味でしかなくて、（ネットテレビ参入は）特にリアリティーがあったわけじゃないです。それでも目の前のことをどんどんやっていったら本当に実現した。まあ、言霊（ことだま）みたいなものですかね」

ＩＴ企業の営業代行というやや地味な仕事から着手したサイバーエージェントだが、ネットテレビへとつながるメディア事業には藤田の並々ならぬこだわりがあった。ただ、それがこの後にやってくる危機の引き金となっていくのだが……。

時代はインターネットバブルと呼ばれる熱狂の時代へとさしかかろうとしていた。

藤田がサイバーエージェントを起こした1998年は、日本のみならずアジア全域が経済の混乱期を迎えた年でもある。この前年の7月に変動相場制に移行したタイの通貨バーツが急落すると、事態はあっという間にアジア通貨危機へと発展していった。日本でも11月に山一証券が破綻するなど金融不安が押し寄せ、日本経済はいよいよ平成不況へと突入していく。

そんな時代のなかで産声を上げたインターネット産業は、世間からはまだまだ海の物とも山の物とも知れないといった見方をされつつも、この国の経済にとって数少ない明るい材料と言えた。実際、この時点から2年間、インターネット関連の新興企業というだけでカネが集まり上場企業の株価はみるみるつり上がっていく。

象徴的なのがこの時期のインターネットのガリバーだったヤフーだろう。1997年に株式を一株200万円で店頭公開すると瞬く間に投資マネーを呼び込み、2000年1月に日本で初めて株価が1億円を突破した。親会社のソフトバンクなども、やはり株価が急騰していく。

異常とも言えるインターネット銘柄の人気ぶりは、しかし、やはりバブルであり、実態を伴わない蜃気楼（しんきろう）のような現象だった。米国で一足先にネット関連銘柄の売りが相次ぐと、あっという間に日本にも飛び火してヤフーやソフトバンクの株価は、それまでの熱気が嘘のように急落していった。いわゆるネットバブルの崩壊である。

インターネット産業の夜明けの時代に差し込んだ光と影——。藤田のサイバーエージェントが船出したのはまさにジェットコースターが坂道を上り始め、まだ明日の成功を確信させる前の時代のことだった。

「週110時間労働」を掲げて猛烈に動き始めた藤田と日高。庇護(ひご)者である宇野の紹介で舞い込んだ案件を皮切りに得意先を広げていった。社会人経験がたった1年の二人がつくったベンチャーだけあっておカネの管理などには手が回らず、残高が20万円を切ったり、うっかり会社の固定電話を止められたりといった、いかにも手作りのベンチャーらしいトラブルに四苦八苦しながらも「インターネットの大塚商会」のビジネスは、思いのほか早くから軌道に乗っていった。

ただ、藤田には起業した当初から営業の代理店では先がないとの考えがあった。自社でサービスを作らないと、胸に誓った「21世紀を代表する会社」への道はいつまでたっても開けないと考えていたのだ。

創業から1年ほどがたった時のことだ。外回りから帰ってきた相棒の日高がいつになく興奮した様子で報告してきた。

「社長、すごいのを見つけたよ！　これは早く契約した方がいいよ」

日高はサイバーエージェント創業の時から藤田との約束で、藤田を呼び捨てではなく

「社長」と呼ぶようにしている。

日高が持ち帰った案件に、藤田は思わず眉をひそめた。

「ちょっと怪しいな。そんなの本当に売れるのか？」

日高が見つけてきたのは、クリック保証型広告のバリュークリックという会社だった。日高はその営業を肩代わりする仕事を取り付けてきたのだ。ユーザーがクリックした分だけ料金が発生し、一定のクリック数になるまで広告バナーを掲載し続けるため「クリック保証型」と呼ばれる。そのシステムを売りさばくというものだが、藤田はいざ研究してみると日高が言う通り、「これはいけそうだ」と考えを改めた。

すると、藤田は周囲が思いもしないことを言い出した。クライアントであるバリュークリックのサービスをそっくりそのままマネしてしまおうというのだ。しかも、バリュークリックより少しだけ安く売って顧客を奪ってしまおうという。

許される行為ではないだろう。

当たり前のように、バリュークリックからも抗議を受けた。藤田は「悪魔に魂を売ってでも」とまで思い詰め、手っ取り早く成功をつかめるビジネスを模索していたと言う。

「あらゆる手を使ってでも成功したいと思っていました。今なら得ない。今ならそんな大人げないことはしないですよ。でも、当時は信義則とかそんな心の余裕はなかったんです。僕たちは明日にも終わってしまうかもしれない小さな会社。だから代理店をやりながらいつも狙っていた。自分たちにもできるサービスはないか、と」

とはいえ、藤田たちにはクリック保証型の広告システムを作る技術力がない。そこで藤田が思い出したのがインテリジェンス時代のクライアントの一社だった。IEシステムというネット上での採用者管理システムを作っていたその会社は、オン・ザ・エッヂというちょっと変わった名前だった。藤田は営業マンとしてその会社のシステムを売ってはいたが、実際にオフィスに足を運んだことはなかった。

そこでオン・ザ・エッヂのホームページから面談を申し込むと、すぐにアポイントが入った。社長の堀江貴文が会うというのだった。

堀江貴文との出会い

六本木3丁目の怪しい雰囲気が漂う歓楽街に、その古びた雑居ビルはあった。エレベーターに乗り、オフィスに通されるとなぜかバーカウンターがある。目の前の首都高を大型トラックが走り去るとわずかに床が揺れる。

「あ、どうも、堀江です」

そう言って出てきたのが小太りで茶髪にロンゲの堀江だった。目を合わせず、終始きょろきょろして挙動不審に見えたが、藤田がインテリジェンスでIEシステムを売っていたことを告げると途端に冗舌になった。

「ああ、なんかやたらと売ってくれる人がいるなと思っていたんですけど、あなたでしたか」

それから堀江が堰を切ったように話し始めた。インターネットはこれからどう世界を変えるのか、日本の市場はどうなるのか。

実は堀江は藤田から届いたメールを一読して会うのを躊躇していたという。メールの文面が「なんとも素人っぽかったから」だという。自著でも「僕はもうすでにかなり忙しかったので、いつもならそんなメールは無視するところなのだが、その時はなぜか会ってみてもいいかと思ったのである。ある意味、魔が差したのか」と振り返っている。

この最初の面談の最後になって、藤田が思い出したように聞いた。

「あの、それで、このシステム作れますか？」

「ああ、楽勝っスよ」

きょとんとした藤田は「変な人だな」と思ったが、堀江のプログラマーとしての腕は確かだという評判は耳にしていた。「この変人集団には期待できるかなと思いました」と振り返る。

「じゃ、来週までにお願いします」

「えっ、マジで。むちゃくちゃ言いますね」

「お願いしますよ。もう受注しちゃってるんですよ」

「えぇ……」

懇願する藤田にあきれながらも、堀江は実際にバリュークリックのコピーを完璧に作り上げてしまった。サイバーエージェントより1年早く創業していたオン・ザ・エッヂはすでに優秀なエンジニアを抱えていたが、この時に作った「サイバークリック」は藤田の要望で堀江自らがプログラミングしたものだ。

堀江はサイバーエージェントにも度々訪れるようになる。長髪をなびかせながらバイクに乗る堀江の姿を、藤田は今もよく覚えているという。

それ以来、藤田と堀江は「売ります」「作ります」の関係で絶妙なパートナーとなる。1

つ年上の堀江とは今でも盟友だが、藤田は「その時は単純に補完関係でした。互いにタイプが真逆なので。堀江さんとはベースでは波長が合うと思うんですが、例えば学校で同じクラスになっても絶対に友達にはならないタイプですね（笑）。仕事の話をしていても、すぐに宇宙に話が飛ぶしホントに変人だな、と思いました」と言う。

学生時代からしゃれたバーで働き、渋谷でナンパに繰り出した藤田に対して、当時の堀江はどこからどう見てもオタクといった風貌だった。

もっとも、堀江に言わせれば当時の藤田は「プログラムにもシステムにもほとんど知識がないけれど野心と行動力にあふれ、ビジネスに鼻が利く男」に見えたという。

余談になるが、堀江は自著『我が闘争』で、学生時代は女性にはからっきしモテなかったと赤裸々に告白している。第2外国語にスペイン語を選んだのは、東京大学の中では比較的、女子学生の履修者が多かったから。だが、いざ授業に出ても周囲の女子と「まったく話ができなかった」のだという。

「自分から話しかけることができないばかりか、なにかの用事で向こうから話しかけられたとしても、オロオロと挙動不審に陥ってしまい、まともに返事すらできない」

そんな学生時代に念願かなってできた初めての彼女と一緒に作ったのがオン・ザ・エッ

ヂだった。

営業マンと技術屋、イケメンとオタク、野心家と変人――。

この時からほんの1～2年後には一緒くたに「時代の寵児(ちょうじ)」、あるいは「IT長者」などと呼ばれるようになった水と油のような二人は、互いの長所と短所を補い合う絶妙のタッグを組んだ。堀江が作り藤田が売ったサイバークリックはヒット商品となり、堀江にとっても藤田にとってもその後の成功の足掛かりとなった。

2000年3月、サイバーエージェントは東証マザーズに上場する。創業からわずか2年。26歳での上場は世間の耳目を集めた。上場のタイミングに合わせて藤田が書いた『ジャパニーズ・ドリーム』には、こんな一節がある。

「私たちはよく、〝ブームの波にうまく乗った〟といわれますが、私自身はブームの高まりをしっかりと見極め、自分の舵取りの中でうまくこの盛り上がりを会社の成長に利用してきたつもりです。(中略)この100年に一度といわれるチャンスをガッチリ摑むことができた」

まさにインターネットバブルが絶頂に達したタイミングでの上場劇。翌月にはオン・ザ・

エッヂの堀江貴文や、三木谷浩史が率いる楽天が続いている。

ちなみにサイバーエージェントの直前には、電子メールサービスのクレイフィッシュが同じ東証マザーズと米ナスダックに同時上場している。創業者の松島庸は藤田と同い年だ。「最年少上場」にこだわった藤田は、ほんの少しの差で後れを取ったのだが、当時のクレイフィッシュは実質的に光通信の子会社だった。

この時点ですでに宇野は約束通りに出資比率を引き下げ、藤田をオーナー社長にしている。従って、どこの会社の色も付いていない独立系のベンチャーとしては藤田のサイバーエージェントが最年少ということになり、留飲を下げたが、ちょうどこの時を境にして、藤田は最年少上場がどうのなどとは言っていられない事態に追い込まれることになる。

時代の寵児として表舞台に躍り出た藤田を取り巻く状況は、急激に逆回転を始めていたのだ。

逆風

ある日の来客の唐突な提案に、藤田は二の句が継げなかった。

「サイバーさんの社長。私が代わりましょうか？」

一方的に社長交代を告げてきたのは、ライバル会社のセプテーニを創業した七村守だった。七村はリクルート出身で1990年にセプテーニの前身となる会社を創設。サイバーエージェントが上場した2000年にインターネット広告に進出して競合関係となっていた。

それにしても、ライバル会社に対して「社長を代わってやる」というのはまさに前代未聞であり、藤田にとっては驚きとともに屈辱でしかない。ただ、思い当たるフシがないわけでもなかった。

インターネットバブルの崩壊と足並みをそろえるかのように上場したサイバーエージェントは、一株1500万円で公開すると、その後はみるみる株価を下げていた。株式を分割した影響を除いて単純計算しても、その後1年ほどでざっと10分の1ほどに急落したのだ。

七村が訪れる少し前には、ある証券アナリストがサイバーエージェントに対して「経験豊富な人材に社長を代えるべきだ」とするリポートを出していた。それを読んだ七村が藤田の前に現れたわけだ。藤田は「今では失礼な話だなと思いますけど、その時は僕も自信を失っていました」と言う。

株安を招いた一因が、藤田が描いていた成長戦略にあった。サイバーエージェントは2000年3月の上場時に225億円を調達していた。それに対して2000年9月通期の売上高は約27億円。未上場だった1999年度から6倍に急増しているが、同時に営業赤字の額も3400万円から約14億円へと急激に膨らんでいた。

赤字を前提に資金を先行投資に回す戦略は、上場前から何度も投資家たちに説明していたはずだが、実際に赤字が膨らみインターネットバブル崩壊という逆風にさらされると、途端に見向きもされなくなっていた。その元凶と目されたのが、赤字を垂れ流し続けるメディア事業だった。

この頃からヤフーや2ちゃんねるなどの掲示板には藤田への誹謗中傷が続々と書き込まれるようになった。

「福井に帰れ」

「社長辞めろ」

「この詐欺師」

果ては殺害予告まで書き込まれ、それを心配した母親が電話してきたこともあった。こうなると疑心暗鬼に陥ってしまう。

赤字が株安の理由ならいつでも黒字にできるところを見せてやろうと2001年4〜6月期に四半期ベースで初の黒字を達成する。だが株価への手応えは全くなし。市場から見放されたかと思えば、今度は社内である役員をターゲットにしたクーデターまがいの事件が発生する。

「当時の僕には会社を経営する力があるのかどうかさえ分からなかった。誰もが、その力がないと思っていた。自分でも証明することができない。僕はメンタルが相当強い方だと思いますけど、あそこまで言われたりすると追い込まれていくんです」

インターネットバブルの崩壊は多くのＩＴ経営者に試練を与え、その結果、多くの者が表舞台から姿を消した。

2001年5月14日付の日本経済新聞では「ネットベンチャーの実像」と題した記事で、新興企業の多くが破綻へと追いやられている様子を詳報している。ネット競売のザク・ドット・コムやイー・ボンド証券といった新興企業が相次ぎ破綻したことが報じられた。

さらに記事の中では、帝国データバンク関係者が「ネットベンチャーの多くは手形を使わないので法的な倒産として表面化しにくいが、経営者の夜逃げといった形で水面下で破綻する例が増えている」と指摘している。

つい1年前には藤田と最年少上場を争ったクレイフィッシュの松島庸も、あっけなく表舞台から姿を消した。クレイフィッシュは販売面を光通信に委ねていたが、光通信に架空契約問題が発覚したため提携を解消した。すると松島は、実質的に親会社だった光通信と対立して追放されてしまったのだ。松島は著書『追われ者』で、当時のことを自嘲気味にこう綴っている。

「生存への様々な可能性というものが、浮かんでは消え、最終的には全部、消えた。結局、クレイフィッシュは光通信の手中に落ち、私は全てを失うことになる」

「屈強な護衛艦を従えて、その護衛艦への信頼からたくさんの財宝を積み込んだ船が、出航してみたら、護衛艦が実は海賊だったというような状態だ。船長の私は間抜けにも、最初から途中で壊れるように時限爆弾がセットされていた。エンジンは、そんなことに気づかず、観衆の声援に見送られて、ご機嫌で海へと乗り出してしまう」

かつてのライバルのあっけない結末を見届けた藤田もまた、追い詰められていた。「どんなことがあってもキレたら終わりだ」と心に誓うが、ここに来て事態は急展開する。

松島がクレイフィッシュを追われた翌月の2001年6月8日、日本経済新聞が朝刊で「サイバーエージェント、村上氏が第4位株主、6・1％保有、減資求める公算」と伝えたのだ。

日本ではなじみのなかった「物言う株主」として注目され始めていた元通産官僚の村上世彰が立ち上げたM＆Aコンサルティング、通称「村上ファンド」がサイバーエージェントの株を市場で買い集めているというのだった。

当然、藤田も村上側の動きは察知している。自らの庇護者である宇野康秀が村上とは旧知の仲だったこともあり、宇野からの紹介で村上に会いに行くことにした。どん底の株価で投資してくれるのはありがたいが、果たして物言う株主はどう出るのだろうか。

村上ファンド現る

初めて会う村上は、藤田の目にスキのない人物と映った。あいさつもそこそこに、村上はサイバーエージェントに投資した理由を説明し始めた。当時のサイバーエージェントには現金と有価証券を足して180億円の資金が残っていた。上場して225億円を調達したものの、市場環境が冷え込むなかで使い道がなかったのだ。村上は率直にこう告げた。

「調達した資金を使う計画がないなら一度株主に返したらどうですか。つまり、一度会社を清算してやり直してはどうか、ということです」

当時のサイバーエージェントの時価総額は90億円ほど。買収してしまえば、買収資金の2倍ほどのお釣りが付いてくる計算だ。投資家としては、こんなにボロい商売はないだろう。

もっとも、村上にはサイバーエージェントを買収する意図はない。調達した資金をどう使ってサイバーエージェントの企業価値を高めていくのか、自信喪失気味の藤田に聞いても、要領を得た返事は得られない。

「3年待ってください」

藤田は曖昧な返事を繰り返すが、それでは話にならない。

資本効率が悪いどころのレベルではなく、企業価値を高める策がないのなら有り余った資金を株主に返上すべきだ、というのが村上の考えだ。村上はサイバーエージェントに対していくつかの策を提案した。減資によって生じた剰余金を株主に返す「有償減資」を軸に検討していたが、その中には一緒にＭＢＯして非上場化する案も含まれていた。

一見すると非情な要求だが、藤田自身も、当時の要求については「村上さんが言っていることは概ね正しいと思います」と今も認めている。そこには投資家としての村上の哲学が込められていた。

実は村上は筆者の取材にも「ＩＴは僕の苦手分野。ＩＴで未来がどう変わるのか、正直言って僕には分からない」と率直に認めている。「そういう意味では、僕は時代遅れの投資家なんだよなぁ」とも。

では、なぜ気鋭の新興ＩＴ企業と目されていたサイバーエージェントに投資したのか。直接金融で資金を集める必要性も見いだせないのに上場しているのはおかしいと考えるからだった。

そもそも村上が通産官僚から投資家に転じたのは、官僚時代に取り組んだコーポレート・ガバナンスを日本企業に浸透させたい、という思いがあったからだ。従って村上が投資するのは、株主から集めた資金がちゃんと使われていないという点で、ガバナンスに疑義が持たれても仕方がないと考えられるような上場企業だ。

資本の非効率は株価に反映される。本来の実力と比べて割安になるということだ。そんな会社に株主として参加し、機能不全を正すことでその会社が本来評価されるべき株価に高めることでリターンを得る。

要するに、上場企業としてあるべき経営をしていないだろうと分析する会社の姿を株主として正すことで、市場での価値を高めるということだ。企業の成長を見込んだ「グロース投資」ではなく、割安な銘柄に投資する「バリュー投資」と言い換えられる。これが、過去に村上が手掛けた投資に一貫する法則だ。

割安の根源であるコーポレート・ガバナンスの不備を正すために「物を言う」。当時のサイバーエージェントもまた、上場によって市場から巨額の資金を得た割に時価総額が低いと、村上は考えたわけで、テクノロジーの進化に投資したわけではなかった。

村上の哲学は理解できる。だが、藤田にも譲れないものがあった。

いずれは「21世紀を代表する会社をつくる」と誓ったはずだった。インターネット企業の営業代行ではその高みに立つことができないということは理解している。藤田は新しく立ち上げるメディア事業にその未来を託そうとしていたが、軌道に乗せる道筋が立たない。手元にため込んだカネは、メディア事業のために取っておきたいと言うが、村上はそれまで待てない。

この点、村上は後に著書『生涯投資家』で「IT企業への投資にあたっては、待つことが重要だと感じる」と述べている。当時は「不要」と切り捨てたサイバーエージェントのメディア事業も、苦難の末に黒字化して収益の柱となったことにも触れている。

「彼らには、赤字の向こうに待つ未来が見えるのだろう」と後年になって理解を示しているが、筆者がそのことを問うと「あの時は藤田君が（メディア事業で）『将来こんなことができるようになりますよ』と言っていたけど、僕は『ホンマかいな』と疑っていたよ」と苦笑していた。

いずれにせよ、自信喪失の若き起業家と、海千山千の物言う株主の対峙は膠着（こうちゃく）状態となる。ただ、事態はそれほど単純な構図ではなかった。

ここで藤田の未来を左右する重要な人物が登場する。インターキュー（現GMOインターネット）を創業した熊谷正寿だ。

村上はサイバーエージェントに投資して第4位株主に浮上した。では、当時のサイバーエージェントの大株主はどうなっていたのか。ある時、『会社四季報』を眺めていた藤田は、ハッと気づいた。

藤田の持ち株はこの頃、34％強から23％弱に低下していた。理由は後述する。そこに熊谷が率いるＧＭＯが、下位株主から一気に21・4％と急迫していた。次に有線ブロードネットワークスと村上ファンドがそれぞれ10％前後で続く。

藤田＝23％弱

ＧＭＯ＝21・4％

有線ブロードと村上ファンド＝約10％

この数字のどこに落とし穴があるのか――。ＧＭＯと、村上ファンドか有線ブロードが結託すればＧＭＯが藤田を上回る筆頭株主となり、出資比率を株主総会で拒否権を発動できる33・4％以上とすることができるのだ。つまり、ＧＭＯがその気になればサイバーエージェントを実質的に乗っ取ることができる。

藤田には上場前に用意していたワラント（新株引受権）があるため自分の持ち株を増やすことができるが、契約上、10月1日までは行使できないことが分かった。それまで3カ月余り。

藤田はサイバーエージェントの経営権を巡る買収ゲームが静かに始まっていることを悟った。熊谷が以前からサイバーエージェントに並々ならぬ関心を示していることを知っていたからだ。

痛恨のミス

　思えば、熊谷には初めて会った時からラブコールを送られていた。

　話は創業から半年がたった1998年10月に遡る。ある人物からの紹介で、藤田は初めて熊谷と会った。場所は六本木の高級料理店「瀬里奈」のバーだった。

　熊谷は薄暗い店内でノートパソコンを取り出すと、おもむろにサイバーエージェントへの出資を持ちかけた。

　狙いは当時、熊谷が掲げていた「メールメディアのナンバー1戦略」にあった。熊谷はメールマガジンの草分け的存在であるまぐまぐと組んでメール広告に力を入れていた。そこに参入してきたのが「サイバークリック」でタッグを組んだ藤田と堀江だった。二人はクリック保証型広告のサイバークリックの仕組みを応用してクリック保証型メール広告の「クリックインカム」（後のメルマ！）を仕掛けてきた。

「藤田君がナンバー1を目指していることは君のブログを読んで知っている。僕も同じ志だ」

突然の資本提携の話に驚きを隠せない藤田。明確な返事は避けたが、パチンコ店で出玉を調整する釘師からのし上がった熊谷はすでにインターネット界隈では兄貴分として知られた存在だった。出資話を受けるつもりで宇野に相談すると、宇野は妙なことを言った。

「これはアドバイスとして聞いてほしいんだけど、いい女はなかなか体を許さないだろう。だからいい女に見えるんだよ」

藤田は最初、言葉の意味が飲み込めなかったというが「21世紀を代表する会社を目指すなら安売りはするな」という意味だろうと解釈した。それで一度は熊谷からの出資話は流れていたが、熊谷が諦めることはなかった。

「今もそうですが、イケてる起業家を探して会いに行くのが僕の趣味だった。藤田君は明らかにイケていた。事業家の勘です。同じにおいがしたんですよ」

サイバーエージェントとの提携を狙い続けていた熊谷。そこに舞い込んだのがサイバーエージェント株売却の話だった。話を持ち込んだのはインテリジェンスだった。宇野が創業し、藤田が新入社員として鍛えられた人材サービスの会社だ。ここは説明が必要だろう。

実はこの頃には宇野はインテリジェンスの経営からは実質的に離れていた。父親がガンで余命3カ月を宣告され、父が経営する大阪有線放送を継ぐ必要があったからだ。宇野はインテリジェンスの会長として残ってはいたが代表権は返上しており、この後は大阪有線で電柱の違法使用問題への対応にかかりっきりとなっていた。インテリジェンスの経営にはほとんど関わらない状況になっていたのだ。

藤田がサイバーエージェントを起業する際に後ろ盾となったのがインテリジェンス社長時代の宇野だった。インテリジェンスは当初、70%分を出資していたがサイバーエージェントが上場する前に保有株を一部、藤田に売って藤田が34%強を保有する筆頭株主となっていた。

その後も大株主の一つだったが、宇野が大阪有線に移ると、インテリジェンス社長となったのが創業メンバーの一人である鎌田和彦だった。鎌田はサイバーエージェントに関心を持つ熊谷に、2000年11月と2001年4月の2度に分けて保有するサイバーエージェント株の合計15・9%を売却していた。熊谷はサイバーエージェントの株式を光通信やオン・ザ・エッヂからも買い取り、21・4%にまで出資比率を高めていたのだ。

それだけなら、仮に熊谷がサイバーエージェントの買収に動いても対抗することはできる。だが、藤田はこの直前に決定的なミスを犯してしまっていた。自らの出資比率を34％強から23％弱まで落としてしまっていたのだ。この点には因縁があった。

「せめて社員に株を配ったら？」

藤田にこうささやいたのは、村上だった。有償減資などの形で株主に使わない資金を返せと迫る村上に対して、藤田は一向に首を縦に振らない。「それなら」と社員への還元を提案したのだ。

この提案に、藤田はうなずいた。

「あまり疑問に思わずに（提案に）乗りました」

藤田は自分が持つ株のうち35％分を社員に無償で配った。株価が低迷する当時の価値でも7億円分だ。

当時は「社員の心まで離れていっている気がした」と言う藤田にとって、士気を高めたい一心だった。結果的に、藤田個人の保有比率は熊谷のGMOとほぼ同程度にまで下がってしまう。

これが藤田を追い詰めることになったのだ。村上ファンドの保有株が熊谷に渡れば事実上、経営権を握られてしまうからだ。

村上からすればこの時の提案は少しでも資金を企業価値向上のために有効に使えという株主としての提案にすぎなかったと言うが、藤田はこの提案に乗ったことで自ら窮地を招いた格好になってしまった。

そして、やはりと言うべきか、熊谷は藤田に急接近してきた。

「藤田君、一緒にやろう。合併したら君が社長をやればいいから」

その言葉を藤田は、熊谷からの事実上の買収提案と受け取った。

だが、やはり「はい」とは言えない。

「21世紀を代表する会社をつくる」

その野望はまだ始まったばかりのはずだ。でも、どうやって会社を守ればいいのか、どうやったら俺はこの窮地をやり過ごせるのか……。

実は熊谷にはサイバーエージェントを強引に買収する考えはなかった。あくまで藤田が了解するまでは株の買い増しをしないつもりだったと言う。

実際、村上からサイバーエージェント株を買って筆頭株主となるかどうか、事前に藤田に打診していた。藤田は「それはやめてほしい」と言う。

筆者の取材に対して、熊谷はこう答えている。

「それは、仲間になってほしかったからです。彼は（合併は）嫌だと言っている。僕は藤田君とは何度も会食して彼のことは高く評価していた。だから味方につけようと思っていたのです。もちろん株を買うことはできたけど、シンプルに自分がされて嫌なことはしなかった」

さらに言えば、熊谷がサイバーエージェントの株を買い集めた中で最も大きな割合を占めたのは、他ならぬインテリジェンスから買い取った分だ。宇野が一線を退いた後に、後任社長となった鎌田が打診してきたが、宇野も取締役会で了承しているはずだ。ならば、宇野もGMOとの合併に反対する立場にないだろうというのが、熊谷の見立てだった。

あとは藤田が首を縦に振るかどうか――。熊谷はあくまで資本の論理ではなく、藤田が自ら握手してくるのを待ち続けていた。

追い込まれた時代の寵児

ただし、藤田の目に映る景色は違った。

百戦錬磨の熊谷や村上の真意は計り知れない。藤田は後に自著で一連の出来事を、「買収ゲーム」と表現していることからも、いつ強引に買収されるか分からないという恐怖感を抱え続けていたことがうかがえる。

藤田とともにサイバーエージェントを創業した相棒の日高裕介も、「当時、熊谷さんはうちを買うことを前提のように話していました」と証言する。

藤田は日高にさえ追い詰められた状況を打ち明けなかった。だが、苦楽をともにした相棒はすぐに異変に気づいていた。

インテリジェンス時代は同期の中で圧倒的な営業成績を残し、飲み会にはハットにウエスタンブーツで現れるキラキラ男。大阪でやる気を失っていた自分を誘ってサイバーエージェントを起業してからというもの、その輝きはさらに増していた。そんな男が、みるみる追い込まれていく。

見た目にも変調は明らかだった。酒浸りになった藤田は9キロも体重を落としていた。華麗に咲く花がしおれるように、力をなくしていく。

「藤田は弱音を吐かないし、僕たちには（弱い自分を）絶対に見せない。でも、あの時は明らかにバイタルが弱っていました。もう、ほおがこけて会議中なんかもボケッとするんですよ。放っておくと消え入りそうでした」

藤田と村上と熊谷――。

それぞれの思惑が交錯したまま、ここで一度、動きが止まる。腰の刀に手をかけたまま、互いの動きに神経をとがらせる。誰かが鯉口を切れば、電光石火の斬り合いになる。その時、果たして最後に立っていられるだろうか――。少なくとも藤田にとっては、そんな鬼気迫る場面に立たされているように思えた。

正確に言えば、動きがないわけではない。この時期、藤田は村上と熊谷のもとを何度も訪れることになる。村上からは「株主に還元せよ」と繰り返し迫られる。言うまでもなく村上は投資家だ。企業価値を高めるためとの理由で、あるいは経営者としての藤田の力量に見切りを付けてサイバーエージェントの株を熊谷に売らないという保証はない。むしろ大いにあり得るシナリオと考えるべきだろう。

一方の熊谷とは、まずは事業面で提携することになった。ただ、しきりにこう問いただされた。「僕も株主なんだから言わせてもらうけど、もっと事業のシナジーを生まないと。

僕だって自分の株主から怒られるんだから」。シナジーを生むためにと言ってちらつかせるのが、サイバーエージェントとの合併で、実質的な買収だった。

熊谷の提案はサイバーエージェントの大株主として当然の要求だろう。藤田は何も言い返せない。

そして普段は紳士的な振る舞いの熊谷が、この頃には電話口で声を荒らげることもあった。藤田にとってそれは黄信号が限りなく赤に変わりつつあることを意味していた。

この当時、藤田が二人のほかに何度も相談に訪れたのが、かつての後ろ盾である宇野だった。宇野は父親から引き継いだ大阪有線を電柱の違法使用問題から立て直し、有線ブロードネットワークス（後のＵＳＥＮ）と改称して東京・永田町の首相官邸隣にある山王パークタワーに本拠を移していた。

「お前がしっかりしないでどうするんだ」

あれだけ向こうっ気の強かったはずの愛弟子はすっかり自信をなくし、しょげかえっている。

「でも、熊谷さんも村上さんも僕より何枚も上手なんです……」

「お前の会社なんていらねぇよ」

村上には全く手を引く気配がない。それどころか村上ファンドの部下がサイバーエージェントのオフィスに乗り込んできては、バンバンと机をたたいて目に見える株主還元の道筋を示せと迫ってくる。

熊谷からは相変わらず連日のように合併のラブコールが届く。

株価はピクリとも上向かない。

最年少上場なんて目指した結果が、この体たらくか……。

「もう、本当に俺じゃない誰かが社長をやった方がいいんじゃないか……」

ライバル会社であるセプテーニの七村守から言われた社長交代には正直ムッとしたが、あながち間違いじゃなかったのかもしれない。少なくとも反論できる状況ではない。

思いあまった藤田は、かつての志を投げ捨ててしまおうというところまで追い込まれた。

「21世紀を代表する会社をつくる」。そう誓い合った相棒の日高にさえ相談せずに――。

２００1年9月。その日の夜のことを、藤田は今も映画のワンシーンのように鮮明に覚えている。

藤田が向かったのは山王パークタワーの13階。宇野が陣取る有線ブロードのオフィスだった。ガラス張りの社長室で藤田を出迎えた宇野は、愛弟子の変調にはすぐに気づいた。

「どうした、顔色が悪いな」

怪訝(けげん)に思った宇野が眉間にしわを寄せる。宇野が何かを考え込む時の癖なのだが、こうする時、普段から人一倍大きな宇野の目がギラリと光る。藤田は必死に涙をこらえていたという。宇野は何も言わずに眼光を向ける。

「もう、有線に買収されてもいいと……」

下を向きながらブツブツと消え入りそうな声でつぶやく藤田。宇野は有線に移ってからもサイバーエージェントに出資して大株主となっている。藤田が宇野に自分の持ち株を売れば、宇野のもとでサイバーエージェントを守ってもらうことができると考えたのだった。

サイバーエージェントには時価総額の2倍に達する現預金がある。宇野にとっても悪い話ではないはずだ。藤田とすれば、どうせ会社が誰かの手に落ちるなら大恩のある宇野に引き取ってもらいたいという思いだった。

ただ、目の前の宇野は表情ひとつ変えない。ブツブツと話し続けようとする藤田を制止するかのように口を開いた。

「お前の会社なんていらねぇよ」

下を向いていた藤田が、思わずハッと顔を上げた。宇野は大きな目でにらみ付けるように藤田を見据えてくる。

「いや、あの……」

藤田が言葉にできないでいると、宇野は短く続けた。

「お前、そんな気持ちでやってたのかよ」

ぐうの音も出ない。その後のやりとりを、藤田はよく覚えていない。後に当時の心境を聞いても「頭が真っ白になってしまって……」としか言いようがないという。これが宇野流の叱咤激励だなどとは、考える余裕もなかった。それはこの後に知ることになるのだが。

山王パークタワーを後にして外堀通りをさまようように歩きだした時に見た景色だけは、妙にはっきりと覚えている。暗闇の中をクルマが通り抜け、ビジネスマンが足早に歩いている。なぜか、音が消えているのに、不思議と自分の足音だけが響いているのだった。

楽天を動かしたフィクサー

事態が急展開を見せたのは、それからほんの数日後のことだった。どういうわけか、楽天の三木谷浩史がサイバーエージェントに興味を持っているというのだ。出資してもいいと考えているという。

ただ、腑に落ちない。

藤田が三木谷に会ったのは、たったの一度だけだ。この危機の2年ほど前の1999年12月。雑誌『日経ベンチャー』主催のベンチャー・オブ・ザ・イヤーの表彰式での控室で、あいさつ程度の会話を交わしただけだった。

（なぜ、あの三木谷さんが……）

藤田の知らないところで、自分を冷たく突き放した宇野が動いていたのだ。

「井上先生、相談があります。僕の弟分でサイバーエージェントという会社をやっている藤田という奴がいるんですが、どうにも困っているんです。相談に乗ってあげてもらえませんか」

宇野がそう言って相談した「井上先生」と呼ぶ男は、元弁護士で経営コンサルタント会社を経営する井上智治だった。井上はインターネット界隈では知る人ぞ知るフィクサー的な存在と言っていいだろう。永田町の一等地に持つオフィスを根城に、財界や政界に深いネットワークを持つ。

楽天によるDLJ証券の買収、タカラとトミーの合併、CSKによるコスモ証券買収、USENのエイベックスへの出資——。井上が深く関わったディールは他にも数え上げればキリがない。さらに人と人とを結び付ける働きは途方もない数に上るだろう。

その中でもとりわけ三木谷とは親しく、信頼は絶大だ。この時から数年後に三木谷はJリーグとプロ野球に立て続けに参入するが、いずれも井上が三木谷に持ちかけた案件であり、井上も三木谷の要請でプロ野球団やパ・リーグの要職を歴任している。

三木谷とは楽天を創業する以前からの仲だった。もともと井上は、レンタルビデオのTSUTAYAを営むカルチュア・コンビニエンス・クラブ（CCC）創業者の増田宗昭と長い付き合いで、増田が1990年代半ばに米衛星放送ディレクTVの日本上陸を企てた際にも井上は資金調達の相談を受けていた。この時、日本興業銀行の担当者が三木谷だった。井上は、この時の三木谷の働きぶりに目を見張ったという。

「打ち合わせのため朝イチで三木谷さんの事務所に行くと寝袋から出てきた。汗臭かったね。彼はとてもサラリーマンで収まるような人じゃないと思いました。早く興銀を辞めて独立しなさいよと勧めていました。実際に興銀を辞めると一緒にM&Aのアドバイザーをやろうと誘ったのですが、彼は楽天を立ち上げたのです」

楽天市場は1997年5月にスタートしたが、当初、インターネット上の「市場」に参加してくれたのはわずか13店舗だった。しばらくは苦難の時期が続き、井上はことあるごとに「そろそろECサイトはやめて一緒にM&Aアドバイザーをやろう」と何度も誘ったという。

「それでも、彼はあきらめることはしなかった」

三木谷は決まってこう返したという。

「井上先生、石の上にも三年って言うじゃないですか。やれるところまでやってみます。それでダメだったら考えますから」

結果はここで述べるまでもない。楽天で大成功してからも三木谷は井上のことは一目置き続けてきた。

井上と宇野とは大阪有線の先代である父・宇野元忠の代からの付き合いだが、直接引き合わせたのはマイクロソフト日本法人社長の成毛眞だった。井上は、宇野が有線を継いだ際に直面した電柱の不法使用問題でも相談相手となっていた。

宇野が救った理由

話をサイバーエージェントと藤田の運命に戻そう。

宇野の依頼で藤田の面倒を見ることになった井上は一連の込み入った事情を聞くと、藤田には短く告げた。

「君はもう前に出てこなくていいから。あとは私が引き取ります」

つまり、もう余計なことはするなということだ。

井上は、村上とは通産省時代からの知り合いだ。村上ファンドを立ち上げる時にもアドバイスした仲だった。

熊谷とも古い付き合いだった。熊谷は17歳で高校を中退し、父が経営するパチンコ店の釘師から這い上がった苦労人だ。傾いた団地で暮らし、夢を追いかけて独立した。やがてインターネットと出会い、一代でGMOを築き上げた。井上はまだ20代の熊谷が階段を上り始めた頃から、折に触れて相談相手となっていた。

つまり、井上はここまでに登場するキーマンの全員と深いつながりを持っていたわけだ。サイバーエージェントを巡る「買収ゲーム」に突然現れた辣腕交渉人。それまでの膠着(こうちゃく)状態が嘘だったかのようにパズルを解いていった。

熊谷は、藤田が独立独歩でやっていきたいという強い意志を持っていることを再確認した。サイバーエージェントと共同出資で立ち上げたメール広告会社を株式交換で引き取れるなら、手を退くことで折り合った。そもそもサイバーエージェントに目を付けた理由である「メールメディアでナンバー1戦略」の目的を果たせるからだ。

では、GMOが持つ株はどうすればいいのか。

井上が相談を持ちかけたのが三木谷だった。GMOが持つサイバーエージェント株の一部を買い取り、三木谷自身もサイバーエージェントの社外取締役に就くことを了承した。

村上もこれ以上、株を持つ意味は薄いと判断した。結局、サイバーエージェント自身が村上の保有株を買い取ることで合意したのだが、村上のもとには井上だけでなく宇野も足を運んでいた。宇野は村上に頭を下げてこう言ったという。

「こんな株価になったことは藤田君にも責任があると思います。ただ、これまでの付き合いに免じて、このあたりで手を緩めてやってもらえないでしょうか」

村上が2017年に出版した自伝『生涯投資家』で明らかにしたのだが、藤田もこの本を手に取るまでは水面下で宇野が動いていたことを知らなかったと言う。「お前の会社なんていらねぇよ」と藤田を冷たく突き放しながら、宇野は見えないところで奔走していたのだった。


なぜ宇野は藤田を助けたのか――。

GMOにサイバーエージェントの株を売ったのは他ならぬ宇野が創業したインテリジェンスであることはすでに触れた。この当時、宇野は父から懇願されて大阪有線放送社の社長に転じていたが、インテリジェンスの会長職にはとどまっていた。

実はこの時、インテリジェンスも上場したばかりで、投資家から株価が低迷するサイバーエージェントの株を売るように強烈なプレッシャーを受けていたのだった。宇野からインテリジェンス社長のバトンを託された鎌田和彦から「サイバーエージェント株を売りたい」と相談されていたという。

「投資家側の論理は否定できないと思いました。それで（売却は）致し方ないと思ったのですが、まさかあんな事態になるとは……。だから、私に責任があると思ったのです」

ただ、藤田を救った理由は資本の論理だけではない。

正直、藤田からサイバーエージェントを買い取ってほしいと言われた時、買収することも頭をよぎったという。

「率直に言ってサイバーエージェントはキャッシュがたくさんあって魅力的な会社でした。私も上場会社の社長。合理的に考えれば買うべきだとは思いました」

ただ、そもそも宇野が藤田の起業を支援したのは、インテリジェンス時代にいつも若者たちにいつかはインテリジェンスを飛び出して己の腕で勝負してみろとハッパをかけていたからだ。

「いいか、君たちの中から将来、ビル・ゲイツやスティーブ・ジョブズが出るかもしれないんだからな」

その期待に応えた若者が藤田だった。

「彼は誰よりも朝早くに会社に来て、みんなが来る頃にはもう営業に行っていた。口で語るより行動で力をつけていく姿を見ていました。起業したいと言う人は多かったが、彼は覚悟が違った。夢ではなく明確な目標でした」

その姿を見ていたから、「君が社長をやれ」と言ってサイバーエージェントの創業に力を貸したのだ。だから、「お前の会社なんていらねぇよ」と突き放しながらも、内心の思いは違った。

「彼が真摯に私に相談してくれたことはすごくうれしかったですね。だから、その思いにちゃんと応えないといけないと思ったのです」

和解の夜の屈辱

すっかり蚊帳（かや）の外に置かれていた藤田にお呼びがかかったのは、すべてが決着してからだった。

ある日、楽天とサイバーエージェントが提携すればどんな相乗効果が出るか、三木谷にプレゼンせよという。もちろん「大人」たちの間ではすべて合意済みだが、詳しくは知らされていない。

ベンチャー・オブ・ザ・イヤーの授賞式以来となった三木谷との再会。藤田が「ECとネット広告はいずれも成長するためシナジー効果が高い」という、ありていと言えばありていな話をすると、三木谷があっさりと告げた。

「話は聞いている。俺は出資するつもりだ」

その言葉を聞いた藤田は「ああ、助かったと思いました。もう、それだけでした」と振り返る。三木谷は「ベンチャーがたたかれているから助けないとね」と付け加えたが、サイバーを救う真意は分からない。それでも「あの頃はうちの評判は悪かったから、目をつぶって投資できる人じゃないとできなかったと思います」と振り返る藤田は、三木谷の支援を黙って受け入れた。

こうしてサイバーエージェントの命運を巡って繰り広げられた熱い夏は終わった。

藤田の危機には後日談がある。すべてが決着した後に村上が「和解の会」を申し入れてきたのだ。場所は渋谷のセルリアンタワー東急ホテルにある「数寄屋　金田中」。能舞台を眺める数寄屋造りで有名な高級料亭に、役者がそろった。藤田に村上、三木谷、熊谷。裏で救済に動いた宇野と井上も同席した。

この場でも経営論を戦わせる先輩陣の会話に、藤田は全くついていけなかった。

「あの時はもう自信喪失です。でも、当時の僕はまだ28歳。そんなもんですよ。（今考えれば）むちゃ言うなよと言いたいくらいですよ」

店は一日一組の貸し切り。次々に運ばれる趣向を凝らした料理の、味がしない。

（10年以内に必ず追いついてみせる）

胸の中で、リベンジを誓うのが精いっぱいだった。

この屈辱の和解の宴席から起業家・藤田晋は再出発する。

「今となっては20代ではあり得ない経験をさせてもらった。経営者として大きく成長できた。それに、あれより大変なことでなければもう、なんでもないと思えるようになりました。そう考えれば（買収騒動は）無駄ではなかったと言いたいですね」

嵐が去った後、藤田は六本木ヒルズレジデンスに引っ越した。高層マンションの隣人にあいさつに行くと出てきたのはなんと、因縁の村上だった。

村上との間にわだかまりはなかったのか——。そう問う筆者に、藤田はこう答えた。

「村上さんは株さえなければいい人なんですよね（笑）。根っからの資本家で、僕とは死んでも価値観が合わない。でも家では子煩悩なパパなんです」

藤田はなにかと理由を付けては隣宅に通い、ワインを飲みながら村上の経営論に耳を傾けるようになった。あの日、会社を投げ出そうとさえ思った若者は、因縁の相手からも学べるものは学んでやれというずぶとさを身につけていたのだ。

いつか全員黙らせたくて

相棒の日高裕介とたった2人で船出してからちょうど10年たった2008年3月18日(ちなみに、「サイバーの日」である)、藤田は自らのブログにこんなことを書き記した。やや長いので抜粋する。


1998年、24歳の時に希望を胸にゼロから会社をスタート。

人生をかけて、命をかけてやっているつもりでした。

それでも取引先には足元を見られて。同僚や知り合いには鼻で笑われて。銀行には客として扱ってもらえなかった。

不利な条件を飲まされて悔しかったこと。未熟なベンチャーだからできなかったこと。

年齢が若いから信用してもらえなかったこと。知らないから騙されそうになったことも何度もあって。

不安と焦りで眠れない夜もあった。

責任の大きさに気づかされて、プレッシャーに押しつぶされそうになった。

金のためにやっている訳ではないのに、金を批判され。名声名誉のためでもないのに、陰口をたたかれて。前に進もうとするととられるあげ足。成功するたびに増えていく妬みや嫉妬、少しの本当を混ぜながら嘘をつかれたり、

悔しくて、見返したくて、いつか全員黙らせたくて。

（止め）


今はもう、こんな感情はないという。この日からさらに10年後に書いた起業20周年の日のブログには、むしろ順調に成長してきたことへの危機感を淡々と綴っている。

「ローマ帝国で言えば『パクス・ロマーナ』のような時代でしょうか。しかし、この平和がいつまでも続く可能性の方が低い」

言いたいのは、目指す高みはまだまだ先にある、ということなのだろう。

「ここから抜け出したい」と思い続けた少年時代。夢に目覚めた二子玉川のバー。恩人を裏切ってしまった後悔の念。希望。孤独。そしてすべてを投げ出そうとしてしまった夜――。

インターネットの誕生は多くの若者に希望とチャンスをもたらした。それを手にした者もいれば失った者もいる。

時代の寵児ともてはやされていた、まさにそんな時、藤田晋もまた人知れず一度は心が折れていた。それでもギリギリのところで踏みとどまった。この逆境を乗り越えた後も、数々の試練に直面したが「21世紀を代表する会社をつくる」という志はもう、揺るがない。

そしてここまでの物語に登場した男たち。宇野康秀、熊谷正寿、村上世彰、三木谷浩史――。彼らもまたこの後、それぞれに試練に直面することになる。

第2章

インターネットをもたらした男
――知られざる霞ヶ関との苦闘

インターネット産業は常に米国がリードしてきた

1960年代前半	米国	現在のインターネットの起源とされるARPANETの構想が持ち上がる
69年	米国	ARPANETで最初の通信がなされる。3文字目の送信でシステムが停止した
90年	欧州	スイスの欧州合同原子核研究機関（CERN）がワールドワイドウェブ（WWW）による史上初のウェブページを公開
	米国	米国でUUNETがネットワーク接続サービスを開始
92年	日本	12月に「インターネットイニシアティブ企画」が設立。当初は認可が下りず、サービス開始のメドが立たなかった
93年	米国	米イリノイ大学の国立スーパーコンピュータ応用研究所（NCSA）が初のウェブ閲覧ソフト（ブラウザー）「モザイク」を公開
	米国	米クリントン政権で、アル・ゴア副大統領が全米を超高速回線で結ぶ「情報スーパーハイウエー構想」を打ち出す
94年	日本	IIJが日本初となる商用インターネット接続サービスを開始
95年	米国	マイクロソフトが「インターネットエクスプローラー」を搭載した「ウィンドウズ95」を発売し、インターネットが爆発的な成長を始める
96年	日本	ソフトバンクと米ヤフーが「ヤフー・ジャパン」を設立。日本での代表的なサービスとなる

日本のインターネットはいつ、どこで、誰が始めたのだろうか。

一部の研究者のものだったインターネットが誰の手にでも届くものになった道のりを紐解くと、ある人物の苦悩と葛藤の物語があった。

鈴木幸一——。

日本で初となるインターネットの商用接続事業を始めたインターネットイニシアティブ（IIJ）の創業者だ。この国にインターネットを広げた立役者と言い換えてもいいだろう。

鈴木は、今では政財官の各界に広範なネットワークを持つ財界人としても知られる存在だ。都内の高層マンションにある鈴木の自宅には今も各界の要人が足を運ぶ。

筆者も何度かこの部屋に招き入れてもらったことがある。壁一面に並べられた膨大な蔵書は経営論の類いより芸術、歴史、科学、音楽、哲学といった方面に、この人の関心が向けられていることを物語る。

70歳を超えてすでに髪は白く、薄い。絵に描いたような好々爺（こうこうや）といった柔らかな笑みを浮かべるかと思えば、時折、メガネの奥の眼をギロリと光らせる。さりげなく流れるクラシック音楽に耳を傾けながら紫煙をくゆらせる鈴木の姿は、インターネット業界につきまとうどこか軽妙なイメージとは全く正反対の重厚な知識人の雰囲気を漂わせている。

「あの頃は生きていくのに必死というか、もう焦りばっかりでしたよ」

そう言いながら、鈴木がこの国のインターネット時代の幕開けの舞台裏を語り始めた。

「日本にインターネットを広げる時です」

それは1992年夏の暑い日のことだった。

旧知の二人が東京・虎ノ門にある鈴木の個人事務所にやってきた。アスキーのソフトウエア開発部長だった深瀬弘恭と、慶應義塾大学の助教授になっていた村井純だった。二人は鈴木に年来の構想をぶつけた。

「鈴木さん、今こそ日本にインターネットを広げる時です。やりましょうよ。商用インターネットの会社を」

深瀬はUNIXというコンピューターOSの日本への導入に貢献したことで知られるエンジニアだ。

一方の村井は、今では「日本のインターネットの父」と呼ばれる。1984年に東京工業大学、東京大学、慶應義塾大学を結ぶ「JUNET」というネットワークを築き、やはり大学間をつなぐ専用回線のWIDEプロジェクトを発足させた。

これが日本におけるインターネットの起源とされる。ただし、この時点では一部の学者のためのもので、我々が想像するような、誰もが手軽にアクセスできるインターネットと呼ぶにはほど遠いものだった。

それをいよいよ誰の手にも届くものにするため、インターネットのビジネスを起こそうと、二人は鈴木に持ちかけたのだった。

鈴木は日本能率協会を経て経営コンサルタントとして独立し、投資家としても活動していた。二人の来訪を受ける直前までオフィスで昼寝していた鈴木は面食らうが、インターネットと聞いて血が沸き立つような思いを隠しきれないでいた。

話は鈴木が早稲田大学の学生だった頃に遡る。1969年の正月のことだ。22歳の鈴木は畳の上で腹ばいになりながら米国の雑誌『ローリング・ストーン』のページをめくっていた。当時は翻訳の仕事で小銭を稼いでいたため、英字誌を読む機会が多かったという。その中の一文に、鈴木の目がくぎ付けとなった。

「コンピューターとは、すなわちメディアである」

当時はコンピューターといえば大型計算機のことを意味していた。だが、そのコンピューターが次々とつながっていき、巨大なネットワークを築く。そんな未来が、もうそこまで来ているというのだ。「これからとてつもない時代がやってくる」。若き鈴木にとって、それは言葉に尽くしがたい衝撃だったという。

この記事はコンピューター科学者でパソコンのマウスの開発者としても知られるダグラス・エンゲルバートの講演をまとめたものだったが、強く感銘を受けた鈴木は後にエンゲルバートに会いに行ったほどだ。

もともとコンピューターに関心がなかったわけではない。米国の著名言語学者、ノーム・チョムスキーの著書に惹かれて言語学を学ぶうちに、人間が話す自然言語とは異なる体系を持つ人工言語であるプログラミングに興味を持つようになっていたからだ。

そして、「コンピューターはメディアだ」というエンゲルバートの主張は、鈴木が雑誌をむさぼり読んだ1969年のうちに米国で実現への第一歩を踏み出した。現代のインターネットの起源と呼ばれるARPANET(アーパネット)が産声を上げたのだった。

始まりは2文字

　インターネットがもたらした情報革命は、人類が機械を手に入れた産業革命に匹敵する出来事だと言えるだろう。産業革命の初期に水蒸気という力を得た人類は、化石燃料や電気、そして原子力という、より強力な力を求めて機械文明を発展させてきた。自動車や飛行機、家電といった便利な機械の出現が我々の生活を豊かにしてきたことは言うまでもない。産業革命から連綿と続く機械の進化は我々に、いわば物理の世界の恩恵をもたらした。人間の体に例えれば筋肉の拡張と言えるだろう。例えばクルマは足で走るのとは比べものにならないほどの移動の自由を、我々に与えた。

　これに対して情報革命は頭脳の拡張を人類にもたらした、と言えば大げさだろうか。極端に言えば、情報革命は物理法則による支配から人類を解き放ってきたのだ。飛行機で半日かけて移動する東京とニューヨークの間を今、我々はインターネットで瞬時につなぐことができる。

　ただし、その第一歩はたったの2文字だった。

1969年10月29日、カリフォルニア大学ロサンゼルス校とスタンフォード研究所の間で、アーパネットを使った文字の伝送実験が行われた。

距離にして500キロほど。「LOGIN」という文字を、研究者たちが1文字ずつ打ち込んでいった。データを小分けにするパケット交換という現代でも使われるデータ通信の原理が取り入れられていた。ちなみに文字を受け取る側はエンゲルバートの研究室だった。

まず「L」を打つと電話で互いに確認する。問題なし。次に「O」を打つ。これも受信側で確認できた。ところが「G」を打ったとたんにシステムは止まった。たったこれだけの作業で当時の最新鋭コンピューターの処理能力を超えてしまったのだ。人類が初めて経験したインターネットは、わずか2文字を伝えるのが精いっぱいだった。

日夜とどまることなく膨大なデータがネット上を行き交う現代から考えれば笑い話のようなレベルだが、アーパネットには当時の米国が誇る叡智が注ぎ込まれていた。この計画を始めたARPAとは米国防総省の高等研究計画局の略称だ。1957年にソ連が人類初となる人工衛星の打ち上げに成功し、科学技術の力で米国の先を行くことを世界に示したいわゆる「スプートニク・ショック」からの挽回を期して、時の米大統領であるアイゼンハワーが肝煎りで作り上げた、当代最高の頭脳集団の手による実験が、これだったのである。

もう少しだけ余談を続けたい。五角形の本拠ビルから「ペンタゴン（五角形）」と呼ばれる米国防総省によるプロジェクトに端を発したことから、アーパネットとインターネットには、その発祥が軍事技術であるとの印象がつきまとう。米有力雑誌がインターネットは核戦争を想定して作られた通信手段だとする記事を掲載して論争に発展したこともある。

実際は学術研究の色彩が強かったようだが、アーパネットは時代がいよいよインターネットの夜明けを迎える直前の１９９０年にひっそりと役目を終えている。

そしてアーパネットの終焉と入れ替わるように、現在のインターネットの形を決定付ける発明がスイスでなされた。素粒子の研究機関である欧州合同原子核研究機関（ＣＥＲＮ）で、英国人研究者のティム・バーナーズ＝リーが開発したワールドワイドウェブ（ＷＷＷ）だ。１９９０年12月20日に世界初のウェブサイトが公開された。ＣＥＲＮは１９９３年4月30日にＷＷＷを世界中に無償で提供し、誰もが使えるようにした。

ここから世界はインターネットと共存することになったのだ。

「傍観者でいいのか」

話を鈴木と2人の訪問者に戻そう。深瀬と村井は、インターネット接続事業の会社を立ち上げ、その経営を鈴木に託したいと言う。

「このままでは取り返しがつかないくらい米国に遅れてしまう」

深瀬は鈴木に訴えかけた。すでに米国ではUUNET（ユーユーネット）というインターネットのサービスが始まっていた。いずれ想像もつかないようなイノベーションが、インターネットという舞台で起きるだろう。それを、日本は指をくわえて見ていていいのかと力説する。

この当時、鈴木は自らの認識をこう表現している。

「インターネットが20世紀最大の技術革新であり、もう少し言えばグーテンベルクの印刷技術以来、この世界を根底から変革する可能性を秘めていると信じる傍観者のひとりだった」

そのまま「傍観者」を決め込むべきか、それとも事業家として打って出るべきか――。

だが、いざ事業化となれば大いなる疑問が2つあった。

「資金はどうするの？」

「それなら東電と話がついています」

深瀬が言うには、東京電力から10億円ほどの資金を得る算段がついているという。それが本当なら、これ以上に心強いパートナーはいない。もう一つの疑問はどうか。

「では、役所の方は？　そっちの方は、そんなに簡単じゃないでしょ」

インターネットは通信だ。事業化するには、この国の通信行政をつかさどる郵政省（現総務省）から認可を得る必要がある。深瀬によると、それも問題なさそうだという。

三人の話はそのまま居酒屋に場所を変えて延々と続いた。この国のインターネットの先陣を切るのは、俺たちだ——。酒が入ると、どうしても壮大なロマンへと、胸が高鳴る。

鈴木はついに口にしてしまった。

「じゃ、事業が軌道に乗るまではやりましょう」

それで鈴木の運命が変わった。

それから数カ月が過ぎたその年の12月3日。鈴木はがらんどうになったビルの窓から、冷たい雨を絶え間なく落とし続ける灰色の空をぼうっと眺めていた。

この日は日本初の商用インターネットを手掛ける「インターネットイニシアティブ企画(後にインターネットイニシアティブ＝IIJに改名)」の発足を祝い、ささやかなパーティーが開かれていた。

IIJに集まってきたのは46歳の鈴木を除けば、20代半ばの若者ばかり。インターネットの「イニシアティブ(主導権)」を取ろうという意気込みではせ参じた者たちばかりだった。皆、血気盛んだ。

ただ、鈴木の目にはこれから「インターネットの主導権」を担うべき者が醸し出すような覇気はなかった。鈴木が置かれた状況は目の前の光景が無言のうちに物語っていた。

船出を祝うパーティーの卓上に並んだのは宅配ピザに缶ビールと、極めて質素なものだった。

なんといっても異様なのは、パーティーの会場であるオフィスだった。当時の写真が筆者の前にある。だだっ広いフロアの一角に色や大きさが不ぞろいの机が並んでいる。あとは無機質な柱と床が広がるだけ。

窓にはブラインドがない。通りから丸見えになるため、ガラスにはセロハンが貼られている。それでも強烈な西日が差すため、日傘を机に置いている者までいる。

実は、このビルはすでに取り壊しが決まっており、解体作業が始まるまでの間なら、「敷金なし、一坪1万円」という破格の条件で鈴木が借り受けたものだった。IIJが入る1階はショールームが撤去されてから空きスペースとなっていた場所だった。机など事務用品は他のテナントが撤退する際に譲り受けたものだ。

要するに、IIJは船出のその日からカネがなく、明日をも知れない状態にまで追い込まれていたのだ。


余談になるが、この日から9年後に、一人の青年が絶望の中でこの場所を訪れていた。若き日の藤田晋だ。会社を巡る駆け引きで追い詰められ、サイバーエージェントを手放そうと思い詰めて相談した宇野康秀から、「お前の会社なんていらねぇよ」と冷たく言い放たれたのは、このビルが解体されて現在の山王パークタワーとなってからのことだ。

解体を待つおんぼろビルの一角から、果たして本当に日本のインターネットの夜明けをもたらす大仕事など、できるものなのだろうか——。曇り空を見上げる鈴木の頭には松任谷由実が歌う「冷たい雨」のフレーズが流れていた。

「冷たい雨にうたれて　街をさまよったの……」

まさに鈴木の胸中を代弁していた。「この国にインターネットを」という深瀬と村井の熱意に押されて起業を決めた鈴木だったが、すぐにあの時の「二つの疑問」が、やはり現実のものだったのだと理解させられていたからだ。

悪魔の証明

「いや、そんな話はしていないはずですが」

東電の副社長に面会を求めて、深瀬たちが言っていた「10億円の資金」の真意を聞くと、素っ気ない返事が返ってきた。よくよく聞いてみると東電が手のひらを返したのではなく、深瀬たちの早とちりだったようだ。そして、もう一つの疑問である「役所からの認可」はより切実に鈴木を苦しめることになる。

インターネット回線を全国に敷くには「特別第二種電気通信事業者」としての登録を郵政大臣から認めてもらう必要がある。制度上の詳細は省くが、インターネットには国境がない。それを手掛けるのなら、国際通信に当たるというのが役所の見解だった。元来、電話とは全く異質のテクノロジーであるはずのインターネットが電話の制度に落とし込まれて解釈されたわけだ。

グラハム・ベルが米国で電話機を発明したのが1876年。日本にはそれから14年後に持ち込まれ、東京―横浜間で開通した。それから100年余りもの間、「通信＝電話」という常識が、霞が関にも財界にも植え付けられていたのだ。

郵政省との折衝は難航した。というより、最初から議論が全くかみ合わない。

「通信は公益事業です。IIJが絶対につぶれないという証明をしてください」

「そんなの、どうやって証明しろと？」

「例えば3年間、全く契約が取れないってこともあり得るでしょう」

「そんなことはあり得ない……」

前例のない事業だから何が起こるか分からないだろうというわけだ。

鈴木が突きつけられたのは、まさに「悪魔の証明」だった。証明しようがない難題を突きつけられ、そこで議論は立ちゆかなくなる。

「そもそも、そんなことは法律には書かれていませんが」

鈴木が食い下がっても取り付く島もない。

「法律ではなく内規です」

こう言われては二の句が継げない。インターネットという新しい通信をなんの実績もないＩＩＪに委ねようという考えは、官僚たちには毛頭ない。少なくとも鈴木の目にはそう映った。

ここからズルズルと時間とカネだけを浪費し始めた。１８００万円の資本金は２カ月で底を突き、金策に追われる日々が始まった。だが、郵政省の認可が下りないＩＩＪに対して、銀行もおいそれとは融資に応じてくれない。時代はちょうどバブル崩壊の暗雲が垂れこめるまっただ中にあった。

「そんなワケの分からないものにカネは出せないですよ」

ある時、銀行からのにべもない言葉に、鈴木のいらだちが沸点に達した。

「そんなもの、おたくの不動産融資と比べたらゴミみたいなものでしょ」

言うまでもなく、行き過ぎた不動産融資はバブルの鬼っ子である。こんな言い合いになっては融資の話が進むわけがない。

銀行がカネを貸さない会社を、本気で相手にする事業会社も現れない。鈴木が東電の次にパートナーとして目を付けたのが新日本製鉄だった。旧知の新日鉄社員の紹介である幹部に、インターネット回線の利用とＩＩＪへの出資を打診した。すると酒席に誘われ、こう言い放たれた。

「鈴木さん、インターネットなんて研究室で使うものでしょ。それを本当に事業で使うようなことになれば、私はフルチンで逆立ちして銀座を歩いてみせますよ」

冗談とも本気とも取れるセリフに、思わず顔が引きつっていることが自分でも分かる。なお、後日談になるが、この幹部はＩＩＪがインターネット接続を事業化すると真っ先にその可能性に気づき、全社規模で導入した。だが、この時点では取り付く島もない、といった様子だった。

迫る自己破産

認可が下りないからカネを引き出せない。カネがなければ「ＩＩＪがつぶれない証明」などできるわけがない——。負のループにはまり込んだ鈴木にとって、日本のインターネットの幕を切って落とそうと集まった若者と語らう時間だけが、せめてもの救いだった。飲みに出るのは決まって「駒忠」だ。まずは若い社員が山盛りの焼きうどんで食欲を満たすと「養老乃瀧」へと河岸を変える。そのまま鈴木の自宅になだれ込むことも度々だった。社員たちが集うと床に段ボール箱を置いて、柿の種をつまみにとことん飲む。

「いいか、僕らは100年続いた電話に取って代わるんだぞ！ NTTからその座を奪おうとしているんだぞ！」

酒をあおりながら気炎を上げても、資金難は隠しようがなくなってきた。鈴木はコンサル業や個人投資でためた自らの貯金を切り崩すようになっていた。茶封筒に入れて社員に手渡す給与を、毎月のように減らさざるを得ない。食費を切り詰めようと、飯ごうを持参してオフィスで米を炊く社員まで現れる始末だった。

この時期、鈴木は解体寸前のビルの別室にこもることが多くなった。ビルのオーナーが卓球台を譲ってくれたのだ。社員たちから身を隠すように、そして内心の焦りを見透かされないようにと、無心でピンポン球を打ったという。

ちなみにこの卓球台は今もIIJが保管している。「あれだけは捨てられないよ」と言う鈴木。当時の苦しい思いを忘れないためだ。それほどこの時、危機はもう目の前に迫っていた。

その日、大みそかを翌日に控えた街の騒々しさは、全く耳に入ってこなかった。東京・大手町のホテルを後にした鈴木はさまようように歩き始め、気づけば4キロ余り離れた上野駅にたどり着いていた。オフィスとは真逆の方向だ。

「50歳手前でついに自己破産か……」

放心状態だったが、最悪の事態が迫っていることだけは、はっきりと自覚していた。

1993年12月30日のことだ。IIJを設立してすでに1年余りが過ぎていたが負のループにはまったままで、ただただ時間と資金を浪費する日々を過ごしていた。

この日、万策が尽きた鈴木は都銀に勤める友人にすがり付く思いでホテルで待ち合わせした。だが、その友人は融資の話を切り出させまいと次々と話題を変えながら一方的にしゃべり続けた。脈無しだと、すぐに理解できた。

「じゃ、年が明けたらまた新年会でも」

そう言って友人は足早に退散してしまった。あっけない幕切れだった。そこからふらふらと歩き始め、気づいた頃には上野駅にいたのだった。

「でかい夢が、大きなビジネスが目の前にあるのに、なぜ誰も分からないんだ」

「郵政省を訴えます」

鈴木はついに腹をくくった。

年が明けるとすぐに友人の大蔵官僚、太田省三（後に東京金融取引所社長）のツテで郵政省幹部と会食することになった。その席上で、鈴木は最後通告を突きつけた。

「このままの状態が続くようでしたら、僕は郵政省を提訴します。遅くとも明後日までに返事をください」

おとそ気分が残る酒席が、一瞬で凍りついた。もう後には引けない。「実際に裁判なんてやったらよけいに長引くから現実的じゃないんだけどね。それくらい言わないともう許せないという気持ちだったね」。そう振り返る鈴木の気迫が伝わったのか、事態はあっさりと動き始めた。

郵政省がこだわった「ＩＩＪがつぶれない証明」の内容を、ようやく具体的に伝えてきたのだ。それが「3億円の財務基盤の保証」だった。鈴木が内容を再確認すると銀行からの融資保証でも問題ないと言う。「悪魔の証明」がついに解けたのだった。

　それから1カ月余り、鈴木は銀行に通い詰めて「3億円の保証」を確保した。突破口となったのが住友銀行の一ツ橋支店だった。

　この当時、米国帰りの副支店長が「これからはインターネットの時代だ」とIIJに融資を持ちかけた。だが、郵政省の認可が下りないため本店の審査が通らずに断念せざるを得なかった。ただ、その後も交流が続き、副支店長の尽力で常務の小野寺満芳との面会が実現した。

　面会の予定時間は20分。ここが勝負だ――。

「インターネットというのは、今、どのくらいの人が使っているのか」

「研究者を中心に1000人ほどです。でも10年後には最低でも3000万人になりますよ」

「ほう、3万倍か……、そこまでのホラはなかなか聞けないな」。そう言うと小野寺はこう、言葉をつないだ。

「私にはインターネットのことは分からないけど、あなたの顔は失敗する顔じゃないね」

　小野寺は自分の理解を超えることは相手の顔で決めるのだと、説明してみせた。

「では、少しだけお付き合いすることにしますか」

こんな縁で鈴木は住銀から1億円の融資保証を得た。すると富士銀行と三和銀行も続き、郵政省が求める「3億円の保証」を手に入れた。


1994年2月28日、ついにその日がやって来た。郵政省がＩＩＪを「特別第二種電気通信事業者」として認めるとの連絡が入ったのだ。

この日、鈴木はなじみのバーで一人、ウイスキーのグラスを傾けていた。「けっこう高い酒を出してもらってね。それがうまかったことだけ覚えているよ」。会社に戻ると鈴木は、待ちわびた社員に、照れくさそうに宣言した。

「これでやっと、つぶれなくてすむな」

3月1日、ＩＩＪは日本で初となる商用インターネット接続事業者となった。鈴木は郵政省に翻弄された「空白の1年3カ月」の話になると今も憤りを隠さない。ただ、当の本人でさえ確信を持てなかったあの雨の日の船出から、ついにインターネット時代の夜明けをたぐり寄せたのだった。

がらんどうのオフィスが入るビルが解体されたのは、それから数カ月後のことだった。

第　3　章

iモード戦記
――サラリーマンたちのモバイル革命

iモード戦記――サラリーマンたちのモバイル革命

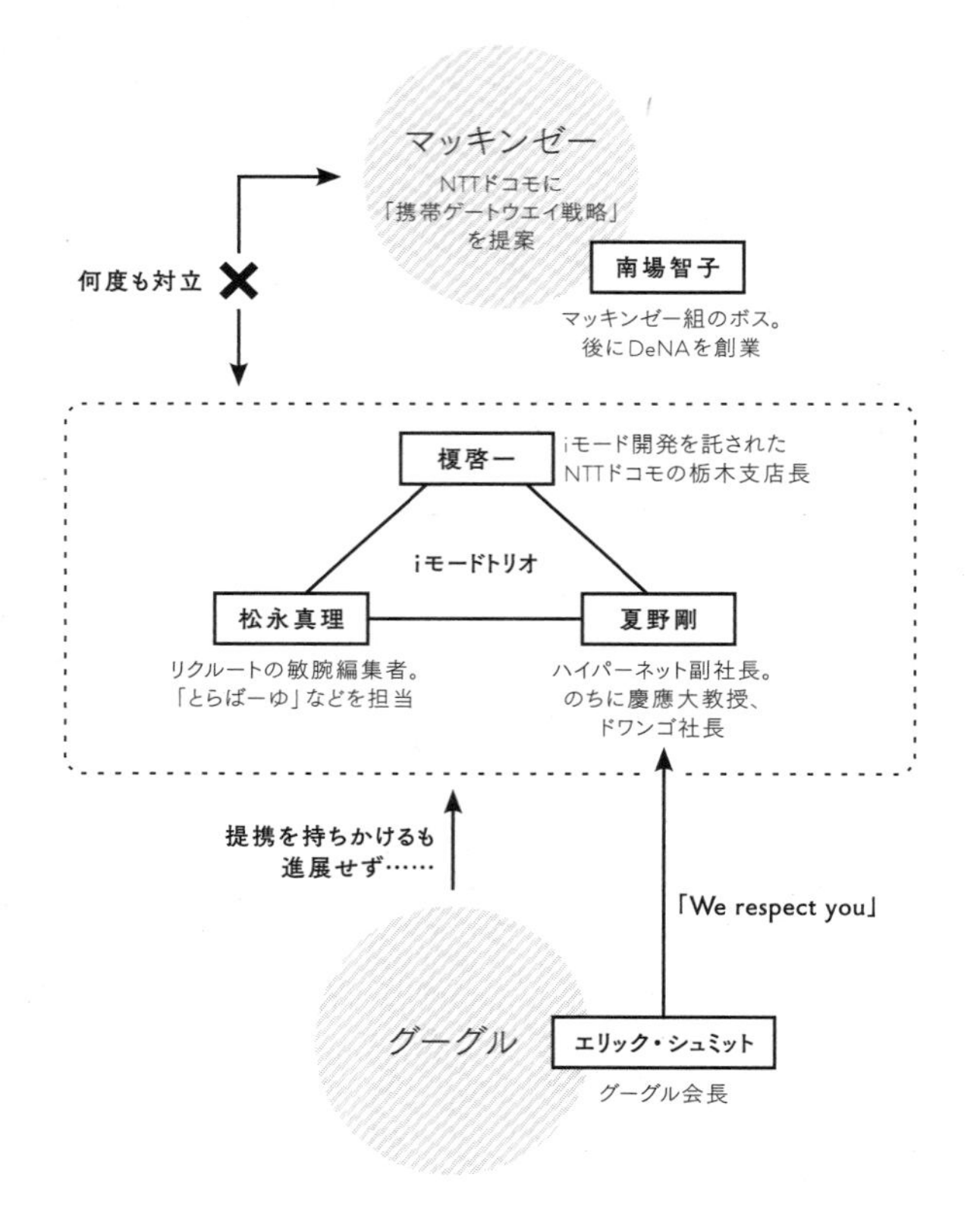

スイスのダボスは、アルプス山脈の北側に位置する小さな街だ。かつて氷河が削り取った鋭い峰の数々に囲まれた谷あいの街。季節を問わず保養地として知られるが、普段は静かなこの街は、毎年1月になると慌ただしくなる。世界経済フォーラムの年次総会、通称「ダボス会議」が開かれるからだ。

雪深い小さな街に、各国の首脳や財界人、著名学者が集結する。日本の歴代首相や米大統領も毎年のように足を運ぶ。ゲストの数はざっと3000人。そこに招かれることは各界で超一流と認められた証しでもある。

慶應義塾大学特別招聘教授として2009年のダボス会議に招かれた夏野剛（なつのたけし）は、その地でかつて救世主とあおいだ男と再会した。米マイクロソフト創業者のビル・ゲイツだ。

ダボス会議の期間中は世界中から集まってくる報道陣には非公開の「プライベート・ミーティング」と呼ばれる会合がいくつも開かれる。その中の一つに、米シスコシステムズを世界的な企業に育てたジョン・チェンバースが司会を務めるパネルディスカッションがあった。

そこに登壇したゲイツは、インターネット広告のあり方に話が及ぶと「やっぱり広告というのはユーザーにとって煩わしい存在だと思う」と切って捨てた。それを聞いた夏野は、思わず12年前のシーンを回想していた。

「そういえば、あの時もビルはそんなことを言ってたっけ……」

ビル・ゲイツが見込んだベンチャー

当時の夏野の肩書は気鋭のベンチャー企業、ハイパーネットの副社長だった。1996年12月、ゲイツはハイパーネット創業者で社長の板倉雄一郎に会談を持ちかけてきた。

持ち時間は10分。要件は分からない。ただ、ゲイツの関心が板倉が立ち上げたばかりの画期的なネット接続サービスにあることは間違いなかった。

「ゲイツが来日するから板倉に会いたい」との連絡が突然、入った。実際のところは「会いたい」というより「会ってやる」という体だった。マイクロソフト側は一方的に面会の場所と日時を告げてきたのだった。

後に板倉が記してベストセラーとなった自伝的な著書『社長失格』の中で、当時の心境をこう振り返っている。

「ビルが見込んだベンチャーの運命は二つに一つ、買収されるかつぶされるかである」

果たしてゲイツはどちらのカードを突きつけてくるのか——。不安は消えないが、ゲイツは言わずと知れたIT業界の覇者だ。板倉にとって、会わないという選択肢はなかった。

当時はまだインターネットの黎明期で、ネットを使う日本人は10人に1人もいなかった。そんな状況で板倉は、画期的なサービスを世に送り出していた。

ユーザーがインターネットを見る時に画面の端に縦に長細い広告画面「ホットカフェ」を表示すれば接続料はタダにする。その代わりにユーザーの属性や居住地などの個人データを提供してもらう。そのデータを元に広告主である企業が、狙いを定めた広告を出せるようにする。現在はインターネットで広く使われる「ターゲティング広告」を先取りしたシステムである。

板倉の狙いは、広告の精度を高めるために不可欠となる個人データの蓄積にあった。他社に先駆けてそのビッグデータを握ることが、インターネット産業を勝ち抜くためのカギであると見抜いていたわけだ。

フェイスブックやグーグル、アリババ集団といった現代の「テックジャイアント」の必勝パターンを、20年以上も前に実践していた。時代を先取りしたハイパーネットはサービス開始からわずか半年で20万人のユーザーを獲得し、快調な出足を見せていた。

第1章で触れた通り、学生時代に藤田晋が「ベンチャー企業に就職しよう」と思い立ち、真っ先に応募したのがこの頃のハイパーネットだった。もっとも、「新卒採用はしていない」とつれなく門前払いを食らったため、藤田はインテリジェンスの門をたたいてそこで起業のチャンスをつかむことになるのだが。

いずれにせよ、ゲイツの狙いはおおかた板倉がハイパーシステムと名付けたこの広告モデルだろう。

英語が不得意だった板倉に代わってゲイツへの説明役を買って出たのが、副社長の夏野だった。ゲイツの到着を待つプレゼンの直前に板倉が「俺は“Nice meet you”だけしゃべろうか」と言うと、すかさず夏野に「それを言うなら“Nice to meet you”ですよ」と突っ込まれたことを、板倉は後に振り返っている。

夏野は大学を卒業して最初に就職した東京ガスから派遣されたMBA留学でインターネットビジネスの将来性を確信し、帰国すると板倉から誘われてハイパーネットに転じていた。板倉は知り合いのバンカーを通じて初対面の夏野を六本木の高級クラブに呼び出し、ハイパーネットを全国に広める夢を語った。米国でインターネット企業が次々と産声を上げる姿を見てきた夏野は東京ガスの幹部候補生という地位を捨てて、生まれたばかりのハイパーネットに賭けることにした。

「アメリカでの体験は衝撃でした。『もう、俺はインターネットの世界で生きていくしかない』とさえ思うようになっていましたね」

夏野の不安

極度の緊張の中で始まったITの覇者との会談は、ゲイツによる質問攻めが続いた。持ち時間の10分はあっという間に過ぎ、話は1時間に及んだ。直接対峙した夏野には、ゲイツがハイパーシステムを徹底的に研究していることが分かったという。感触は悪くはない。ただ一点だけ、気がかりなことがあった。

後日、板倉はマイクロソフト日本法人社長の成毛眞から買収の意向を伝えられた。

「おめでとう！」

成毛からマイクロソフトによるハイパーネット買収の一報を聞きつけたインターキュー（現GMOインターネット）社長の熊谷正寿は、なじみの六本木のクラブに板倉と夏野を呼び出して祝勝会を開いた。

「すごいね！　これで大金持ちじゃん！」

現金での買収なのか株式交換なのか。どういう形式を取るにせよバイアウトに応じれば板倉たちの懐には、おそらく使い切れないほどの大金が入ってくるはずだ。

なにより、約1年前に発売した「ウィンドウズ95」でインターネットの覇権を握りつつあるマイクロソフトの後押しを得れば、自ら編み出したハイパーシステムを世界に広げるのも夢ではない――。次々とヘネシーが満たされるグラスを傾けながら、威勢の良い会話が薄暗いクラブで飛び交った。

だが、その場に居合わせた夏野には、拭いきれない違和感があった。

通訳不在のゲイツとの会談の内容を最も理解していたのが、他でもない夏野だった。広告収入に頼るビジネスモデルに対してゲイツが明らかに疑念を抱いていることを、夏野は感じていたのだ。「この話、そんなにうまくいくのかな……」。ヘネシーの祝杯が、どうも腹の中に収まらない。

夏野の不安は的中する。ゲイツからはなんの音沙汰もなかった。今と違ってまだまだ層が薄い当時のインターネット広告のひ弱さをゲイツは見抜いたのだろう。今になって、12年後のダボス会議での発言から考えれば、ゲイツが広告そのものをユーザーにとって邪魔な存在だと考えているフシさえ見て取れた。

肩すかしを食ったハイパーネット。時を同じくして日本を金融不安が襲っていた。ハイパーネットのメーンバンクの住友銀行も不良資産の算定に躍起になり始めた。ホットカフェの利用者の伸びが30万人ほどで止まると、住銀は貸し渋りに転じ、他行も追従した。

これでハイパーネットは一転して危機に陥った。「もう、こうなったらカネを持ってこれるやつが一番偉いんだよ」。次第に経営会議は板倉による資金繰りの話に終始するようになっていく。

夏野ら経営陣は金策に奔走するが妙手はなく、徐々に追い込まれていった。給与の遅配が常態化し、誰の目にも再建が難しくなっていた1997年5月、夏野の運命を変える一本の電話が入った。液晶画面に映る名前を見て夏野は首をかしげた。

「真理さん……、なんの用だろう」

ケータイを手に、どんよりとした空気の会議室を抜け出した夏野の耳に、懐かしい声が飛び込んできた。いつも通りの快活な響きの声だった。

「今度、NTTドコモに行くことになったんだけどさ」

電話の主は、リクルートで雑誌「とらばーゆ」の編集長として鳴らした松永真理だった。夏野は学生時代にリクルートでアルバイトをした経験がある。夏野が配属されていたのが、当時は『就職ジャーナル』の編集長だった松永がいる部署だった。

夏野の記憶に残る松永は根っからのエディターだ。雑誌の世界にどっぷりとつかっていたあのやり手の編集長がなぜケータイ会社なのか——。夏野の疑問に、松永は手短に伝えた。

「その手があったか！」

「私にもまだなんだかよく分かんないんだけどさぁ。ケータイとネットをつなげる仕事をするのよ」

それだけで夏野には、ドコモが何をやろうとしているのかが理解できた。

「ああ……、その手があったか！」

夏野はその場で、思わず絶叫していた。薄い壁を隔てた会議室で聞き耳を立てているであろう同僚の存在も、気にならなかった。

夏野は松永の誘いに乗ってドコモに舞台を移し、モバイル・インターネット時代の幕を開ける大仕事に着手する。松永が後に「iモード事件」と呼ぶことになる挑戦は、つぶれかけのベンチャーの副社長と敏腕編集者という全く異なる道を歩んできた2人の人生が再び交差したところから始まった。

それは、早過ぎたデータの革命児・ハイパーネットが東京地裁に自己破産を申請する半年前のことだった。

20世紀の終わりにNTTドコモが突然起こした「iモード事件」。そこにはレガシーに固執してしまいがちな大企業がイノベーションに挑む際のヒントが隠されている。そして日本の大企業ならではの内向きの論理がせっかく起こしたイノベーションを殺してしまう実態も浮き彫りになってくるという点で、iモードを巡る物語は極めて示唆に富む。

1997年1月6日。NTTドコモの栃木支店に42枚のFAXが届いた。差出人は東京本社の法人営業部とある。

FAXの受取人に指名された栃木支店長の榎啓一が手に取ると、表紙には「マス向けゲートウエイ戦略の実現に向けて」と書かれていた。前年12月20日にマッキンゼー・アンド・カンパニーの幹部がドコモ社長の大星公二らにプレゼンした際の資料だった。

その資料のコピーが今、筆者の手元にある。

ドコモ社内ではiモードの原点と語り継がれている文書だ。ただ、その中身は携帯電話とインターネットをつなぐ構想の概念図が描かれているものの、ほとんどのページはパソコンの事例を列挙しているだけだ。

だが、これがモバイル・インターネット時代の幕を開ける画期的なサービスとなる。それを実現させた立役者の一人となる榎は、言ってみれば日本の会社組織のどこにでもいる中間管理職にすぎない。

だが、榎はこの時、自分の運命が動き始めた予感がしていた。

榎はもともと日本電信電話公社（現ＮＴＴ）で「ケーブル屋」と言われる有線分野のエンジニアだった。１９９２年にドコモの前身となるＮＴＴ移動通信網ができた際に、全く畑違いのこの新会社への異動を命じられた。

「たまたま気難しい先輩がいて、その人の面倒を見るために僕も移動通信網に移ることになったんです」

周囲からは左遷と受け止められたが、榎は「まあ、僕は天性気楽で別に出世とかは興味がなかったし全然平気でしたけどね」と言う。

当時の日本にはまだ、携帯電話を持つ人はほとんどいない。新会社に集められたのは電電公社時代に「無線屋」と呼ばれる傍流的な扱いを受けた人ばかり。そこに放り込まれたケーブル屋の榎に、携帯電話とインターネットをつなぐ新構想が託されたのは意外な人選だったと言えるだろう。

だが、榎は42ページの資料を読み込むうちに成功を確信したという。

当時はポケベルが女子高生の間で大ブームだった。栃木支店では貧弱な設備が能力オーバーとなる事態が相次ぎ、全国で初めてサービス停止に追い込まれていた。当然、支店長の榎は社内で批判の矢面に立たされた。ただ、見方を変えればこの「失態」は、若者の間でそれだけ新しい「モバイル」の使い方が広がっていることを裏付けていると考えた。

自宅に帰ると、当時は高校生だった榎の娘も「ベル友」とのやり取りに夢中だ。中学生の息子はゲームに熱中している。

「これを全部、ケータイでできれば……」

榎はマッキンゼーが提唱しているゲートウエイ構想を「情報が取れるケータイ」と解釈したが、その用途にはポケベルやゲームも含まれるはずだ。「これはきっと若い子たちが食いつくぞ。僕はそう思いました」。大ヒットの予兆は身近に存在していたのだ。

ボリュームからバリューへ

ＦＡＸを受け取った翌日、榎は東京本社の社長室に呼び出された。社長室に入ると、大星が資料に目を落としている。ドコモ社内で「人事トレーン表」と呼ばれる人事異動の台帳だった。栃木支店から異動を命じられるのは間違いない。

前日に極秘のはずのゲートウエイ戦略の資料を受け取っているのだから、携帯電話とインターネットをつなぐこの新ビジネスを託されるのだろう。まだ海の物とも山の物とも分からないが面白そうだ——。そんなことを考えていた榎に、トレーン表から顔を上げた大星は予想外のことを告げた。

「榎君、君の次の仕事はこれだ」

そう言って大星が指さしたトレーン表の箇所には、ＦＡＸの送り元だった法人営業部長と書いてあった。

（あれ、法人営業部なの？　ゲートウエイじゃないのか？）

榎が戸惑っていると大星が付け加えた。

「この新商品の開発もやってくれ」

法人営業部長とゲートウェイ戦略の責任者の、二足のわらじを履けというわけだ。後になって分かったことだが、大星はどうやらゲートウェイ戦略、つまり「携帯電話＋インターネット」の新ビジネスは一般の消費者向けではなく法人向けのBtoBビジネスと想定していたようだ。

榎が気になるのはゼロから始めるゲートウェイの方だった。

「ところで社長、こちらの仕事に部下はいるのでしょうか？」

榎がFAXを手に恐る恐る聞いた。

「いない。社内公募で集めろ」

そう言われても社内にネットのコンテンツを扱えそうな人材は思いあたらない。

「社外から採ってもいいですか」

「オッケー」

こうやって始まったドコモの「携帯ゲートウェイ」が、後にモバイル時代の始まりを告げるiモードとなる。

当時はまだ携帯電話の普及が始まったばかりで、黙っていても売れる時代だ。だが、大星には危機感があった。ちょうどこの年の11月にNTTの固定電話の加入者数はピークを迎えて減少に転じることになる。ならば、いずれ携帯電話も同じ道をたどるはずだ。

時代の変遷を先読みした大星は「ボリュームからバリューへ」を掲げた。いずれ携帯電話も飽和状態となり、いつかやってくる音声通話頼みからの脱却という課題への布石が、ゲートウエイ戦略だった。

携帯市場には新規参入組が続々と登場していたが、この時点でドコモの携帯電話国内シエアは5割を超す圧倒的なガリバーだ。明確なライバルがいないにもかかわらずモバイル時代の先手を打ったことは、慧眼と言えるだろう。

ただ、そこには高いハードルがあった。

携帯電話とインターネットを融合させる新ビジネスを担える人材をどこから採ってくるか——。榎がこう考えて、社長にもすぐに直談判を済ませたことは、二人の会話の中でさらりと触れたが、特筆すべき発想である。

先輩からの助言でもあったのだが、大星との面談に臨むにあたって榎が手にしていたゲートウエイ戦略のFAXの表紙には「人材がいない↓ヘッドハンティング（2～3年契約）」と手書きされていた。

リーダーか管理職か

当時はまだ「オープンイノベーション」という言葉が日本の企業社会に定着するはるか以前のことだ。特にNTTのような巨大組織のことである。

NTTは日本の通信技術の総本山を自認する企業グループであり、実際その実力を備えている。グループ全体で5000人を超える研究者を抱え、土管や土木といったやや地味なインフラ系の技術から次世代の超高速通信やAI、量子コンピューターなどおよそITに関するものならなんでもござれといった観がある。

当然のように自社技術へのこだわりが強く、特に1990年代のこの時代は自力での研究や開発こそが技術のブラックボックス化につながり、ひいてはグループ全体の競争力を高める、というのが当然の考え方として捉えられていた。

榎はもともとケーブル屋である。NTTの中にあって、特に榎が入社した電電公社時代は保守本流だった。これに対してドコモの礎を築いたのは、電電公社時代には傍流と見なされていた無線屋たちだ。早い段階から傍流組に放り込まれたからこそ、榎はNTTに根付いた自前主義にこだわるという発想がなかったのかもしれない。

NTTの頭脳集団をアテにせず、躊躇なく外部に知恵を求めたからこそiモードという画期的なサービスが生まれた。さらに付け加えれば、本書では数々の起業家が登場するが、iモードはサラリーマンたちが起こしたイノベーションだ。そういう意味でもiモード戦記は、ビジネスパーソンにとって示唆に富む物語だと、筆者は考える。

その第一歩が、榎が選んだ「外に知恵を求める」という発想だ。そこには大企業でイノベーションを起こすヒントが隠されているが、重要なのは単純に外部から人をつれてくるだけではイノベーションは生まれないということだろう。彼らに活躍の場を与え、存分に力を発揮させて大企業が持つ底力と融合させることで初めて新しい何かを創造することができるのだ。

そのためにリーダーはどう振る舞うべきか——。「iモード事件」は後述する松永真理と夏野剛という異能たちの功績として語られることが多い。それは間違いなく事実なのだが、彼らが輝けるフィールドを与えることで、後に「猛獣使い」と呼ばれた榎の働きも、彼らにひけを取らない。

異能の集団を率いるリーダーとなるのか。それとも、どこにでもいる平凡な中間管理職の立場に甘んじるのか――。榎は47歳にして会社員人生の岐路に立たされていた。

携帯電話とインターネットをつなぐゲートウエイ戦略を誰と進めるか――。

榎はまず、大星が言っていた社内公募から手を付けた。ただ、当時はすでに携帯電話が普及期に入り、飛ぶように売れていた時代だ。まだ海の物とも山の物とも分からない「携帯＋インターネット」の新ビジネスに関心を示す社員は少なかった。

手を挙げたのはたったの24人だった。A4用紙1枚の小論文と面接でそこから10人程度に絞ったが、平均年齢は27歳。その中から5人の若手を採用した。あとはゲートウエイを提案したマッキンゼーから派遣された2人と、サーバー系を担当するためNECから出向してもらった1人だ。

こうして榎のもとに集まった8人組。そこに外部からどんな人材を迎えるべきか。

榎はゲートウエイを成功させるにはリーダーになれる存在が必要だと考えた。さらに、この新ビジネスの核となるのはコンテンツだと見抜いていた。栃木の自宅で子供たちが夢中になっていたのは機械ではない。ポケベルのメッセージやゲームといったコンテンツの方だ。

コンテンツに明るくリーダーの素養も兼ね備えた人材こそ、外部からヘッドハンティングすべきだ。とはいえ、榎はメディアやゲームといったコンテンツの世界に詳しいわけではない。榎が頼ったのは、意外な人物だった。

かつての勤務地である熊本で兄貴分と頼った橋本雅史という男だった。

橋本は地元・熊本で印刷会社を経営しているが、とにかく顔が広い。熊本を地盤とする細川護熙とも親しく、1992年に細川が日本新党を旗揚げした際にも尽力した人物だった。

榎が熊本に転勤したのは電電公社が民営化されてNTTとなった1985年のことだ。当時、NTTに営業に来た地元の若手経営者の一人が橋本だった。酒は苦手でビール1杯で顔が赤くなってしまう榎だが、橋本とは妙にウマが合い、熊本の繁華街を飲み歩く仲になった。

この当時、35歳で部長だった榎に橋本がよく言ったのが「部下が悲しまないように仕事をしろ」だった。当時のNTTの人事制度には、霞が関の役人のようにキャリアとノンキャリアの違いがあった。これがたった一度の試験で決まる。1987年入社組の配属まで続いた制度だった。

キャリア採用の榎の下には年上の部下が大勢いる。彼らが榎より出世することはない。ならば彼らが納得するような働きをする責任が、榎にはあると言うのだ。現在の企業社会では考えづらい制度だが、こうした人生訓をさらりと言ってくれる橋本のことを、榎は仕事の付き合いを通り越した兄貴分として慕い、3年で熊本を離れた後も相談事があれば橋本に連絡していた。

ドコモにとらばーゆ

その兄貴分に「コンテンツに詳しい人を紹介してもらえないでしょうか」と頼んでから1カ月ほどすると、橋本から連絡が入った。3人の候補がいると言いつつ、橋本はこう付け加えた。

「NTTは男社会だから女性が良いと思う」

そうして紹介されたのが松永真理だった。リクルートで女性をターゲットにした求人誌「とらばーゆ」など主力誌の編集長を歴任してきた敏腕編集者だという。

1997年3月、西麻布にある老舗イタリアン・レストラン「キャンティ」で、松永と初めて会った時の会話を、榎はほとんど覚えていないと言う。「信頼する橋本さんの推薦だから」という理由で、会う前からスカウトしようと決めていたのだった。「真理さんは頭が良くて言葉の使い方が上手な魅力的な人だという印象でした。あとは覚えているのは、イワシのソテーがおいしかったことくらいですね」

「来ていただけますよね」

その日のうちに榎は、松永をドコモに誘った。その場では返事を避けた松永のもとに翌日、1枚の絵はがきが届いた。ゴッホのひまわりの絵に手書きで「協力してください」と添えられている。送り主はもちろん、榎だった。

この後、何度かやりとりが続き、松永はドコモに転職することを決めた。松永は後にベストセラーとなった『iモード事件』でこう振り返っている。

「『会社』に入るというより、私に声をかけてくれたドコモの榎啓一というひとりの人間と一緒に仕事をしてみたいと思い始めていた」

かつては「とらばーゆする」と言えば転職のことを意味したが、編集者として脂の乗ってきた42歳にして、まさかの通信会社への「とらばーゆ」だった。

iモード・トリオ

とはいえ、デジタルに疎い松永には援軍が必要だ。そこで思い出したのが、10年ほど前にリクルートで働いていた元アルバイトだった。学生ながら会社にパソコンを持ち込んで表計算ソフトを駆使していた夏野剛が、ハイパーネットという倒産寸前のベンチャー企業にいることは聞いていた。

松永からドコモに誘われた夏野は当初、ドコモとの提携を狙ったという。メーンバンクの住友銀行が資金回収を迫るようになり、いよいよハイパーネットの資金が途切れそうな時に聞いた「携帯電話とインターネットをつなげる」という新ビジネス。夏野は役員会でハイパーネット社長の板倉雄一郎に「これは仕事になるかもしれない。カネを引っ張れるかもしれない」と報告していた。

夏野は榎に、ハイパーネットによるコンサルティング契約を提示したが、榎は夏野に完全移籍を迫った。その力が必要だと実感したのは、夏野のプレゼンを聞いた時だった。この際に夏野がまとめた15枚の資料にはこんなことが記載されている。

「携帯電話の難点は相手の電話番号が分からない限り何もできないこと」から始まり、「ただし、そこにデータを載せれば、例えばレストランを調べて予約したり、電車や飛行機のチケットも予約できるようになる」と未来図を示している。さらに「企業の広告がユーザーにとって不要なものではなく必要なものになる」。つまり、ただ情報を流すだけではなく課金システムを確立すれば、ドコモは通信料金のほかにプラットフォーマーとしての収入源を創り出すこともできるというわけだ。

「非常にアグレッシブで、ビジネス全体の仕組みとかお金の流れをよく考えている人だなと思いましたね。しかも、技術の話もできる。この人には絶対に来てもらわないと困ると、その時に決めました」

榎は単刀直入に夏野に迫った。

「それで、ハイパーネットはいつ店じまいですか？　夏野さん、いつからドコモに来てもらえますか？」

一方の夏野もドコモが画策している「携帯電話＋インターネット」の構想に絶大な可能性を見いだしていた。

「これは逃してはいけないチャンスだと思いました」

夏野は1997年9月にドコモに転じる。夏野が松永からの電話を受けてから3カ月後。ハイパーネットが破綻する3カ月前のことだった。

「いやぁ、真理さんが来てくれたおかげで大きな芋が付いてきたよ」

榎が冗談半分に言うと、松永は「なんですか！　ということは私は芋じゃなくてツルですか。というか、芋ってどういうこと！」と返す。

地方帰りの中間管理職、雑誌の編集長、つぶれかけのベンチャーから来た男——。後に「iモード・トリオ」と呼ばれた三人はこうやって集まった。日本にモバイル・インターネットというイノベーションをもたらしたのは、大企業に集った異能たちの化学反応だった。


役者がそろったiモード部隊は「ゲートウェイビジネス部」として法人営業部から独立する。榎が部長だ。ささいなことだが、この時点でゲートウエイの「エ」が小さい文字になっている。オフィスもドコモ本社から少し離れて徒歩10分ほどの距離にある東京・神谷町のビルに移ることになった。

新しいビジネスの立ち上げに自ら手を挙げた若手が多く、榎は「まるで高校野球の合宿所のようだった」と言うが、外からやって来た松永の目にはそうは映らない。

「この堅苦しい雰囲気、どうにかならないかしら」

松永は入社当初から何度も榎にこぼしていた。やはり雑誌編集の現場と電電公社の流れをくむドコモとでは空気感が違うらしい。

神谷町に引っ越すと、松永は妙なことを言い始めた。iモードの成否がかかるのはコンテンツの出来だ。その担い手はドコモではなく外部のクリエイターたち。彼らとざっくばらんに話す場が欲しいと言う。榎が賛同すると、松永は目を輝かせた。

銀座のホテルにクリエイターたちを集める部屋を借りてみたが、もっといつでも気楽に話せる場所が必要だと言う。

「低いソファでビールでも飲みながら話せる場所を作れないですか」

榎が人事部と掛け合い、ビルの一室を借りることになった。

そこに、黒革の応接セットやマホガニー調の家具、ピカピカのグラスが次々と運び込まれてくる。自宅から高級酒を持ち込んだのが、入社2年目でiモード部隊にやって来た笹川貴生だった。政財界に深い人脈を誇った笹川良一の孫にあたる。

名付けて「クラブ真理」。

日が沈む頃にクリエイターたちが集まり、よもやま話が始まる。今や著名な放送作家となった小山薫堂もその一人だった。

「ルビコン川を渡った」

こうなると少し離れた本社からは何をやっているのか分からない集団、あるいは会社のカネで好き勝手やっている連中と映る。本社から漏れてくる「カネ食い虫」の声を、榎はなにくわぬ顔で聞き流した。

「それまでのサラリーマン人生で身につけたテクニックを総動員して、（本社からの）騒音を部下には聞こえないようにしていました」

「雑音」を聞き流すだけでなく、時にはリスクを取って経営層と対峙する必要にも迫られた。

ある時、役員の前でプレゼンすると「そうは言っても携帯の小さな画面で（インターネットを）使うのかね」と問い詰められた。榎は「今開発しているのはここにいる皆さんではなく、皆さんのお子さんやお孫さんたち（の世代）をターゲットにしているのですよ」

とけむに巻いたという。

少し後の話だが、iモードの導入に向けてドコモは全国のパケット通信網の整備に500億円を投じることになる。この段階では、どの程度のユーザーが得られるかは未知数だ。

投資を決める全国担当者会議の席上で、榎はある役員から「お前、責任を取れるんだな」と詰め寄られたことがあった。iモードは社長の大星の肝煎りとはいえ、社内的には反対派も多い。一部長に責任の言質を押しつけるのは、どこかで社内政治の力が働いている証拠とも言える。榎はその場で「私が責任を取ります」と言わざるを得ない。

本社から歩いて10分の「高校野球の合宿所」に戻ると、「ルビコン川を渡っちゃったから」と苦笑いする榎の姿を、夏野は今もよく覚えているという。

外部からやって来た夏野たちには分からないように振る舞っているつもりだったが、お役所的な減点法の文化が残るNTTグループにあって、やはり榎は他人には言えないプレッシャーを抱え込んでいたようだ。当時のことを聞くと、榎はこう答えた。

「僕は別にどうなっても良かったんですよ。(ゲートウェイ部の)みんなが楽しそうに仕事をしてくれていたから。でも正直、失敗したらどうなってしまうのかなとずっと考えていました。真理さんとか夏野さんはブランドがあるからいいけど、(プロジェクトが失敗したら)他の若い人たちがどうなっちゃうんだろうかと。その点はものすごい重圧でした。ただ、私もサラリーマン人生を賭けていました」

iモードのアイデアの多くはクラブ真理で誕生した。例えば、案内機能の「iコンシェル」はホテルの話をしていた時に思いついたものだ。

液晶画面のサイズを巡っては、議論が割れた。メーカー側は大きな液晶に難色を示す。そもそもどのメーカーからも乗り気でないことが伝わってきていた。当時は携帯電話機は作れば作っただけ売れる時代だ。わざわざiモードの専用機を作る必要がないから、当然と言えば当然だった。だがiモードの哲学は「コンテンツが王様」だ。そのコンテンツを表示する画面のサイズはiモードの成否に直結する。

メーカーを説得するために松永がひねり出したのが「カレンダー理論」だった。

横に8文字、縦に6行。月曜日から日曜日の7日で最大5週間のカレンダーを表示し、縦と横に1文字ずつの空きスペースを用意すべきだと言って説き伏せた。

iモードの名付け親も松永だった。この時のいきさつは『iモード事件』に詳しい。いかにも敏腕編集者らしい思考プロセスで付けられた名前のため、同書から引用して紹介したい。

同書によると、ニューヨークの展示会場で、天井からぶら下がった「e-business」というポスターを見たのがきっかけだった。それはＩＢＭのポスターで、特に目をひくような文字ではないはずだが、松永はこう考えたという。

「ＩＢＭというこれまで大文字のイメージの企業が、小文字のロゴを使うところに興味をそそられた。ハードと言った器械が大文字なら、ソフトといった情報は小文字になる」

小文字で気の利いたサービス名はないか。

「魔法のランプの『ランプ』はどうか」

「サンダーバードだとちょっと古いかな」

「『ピット君』なら必要な情報がチャチャっと手に入りそう」

「ドコモと語呂があう『ココモ』は？」

ああでもない、こうでもないと延々と続くこんな議論を聞かされた夏野は「もう、真理さんが勝手に決めてくださいよ」とさじを投げてしまったが、今になってあらためて当時の経緯を聞くとこう振り返った。

「真理さんは言葉のセンスとか感性がすごい。彼女が『なんかここが不快なのよ』と言うと、たいていそこに本当に問題が潜んでいる。気持ち悪いことを放っておけないのは編集者魂だと思います。iモードのネーミングの時もそう。もう、みんな疲れちゃって嫌になっていたのですが、真理さんだけは退かなかった」

編集者だからこそこだわる言葉の力。松永は『iモード事件』に次のように記している。そこには編集者として、この新しいサービスの命名にかける並々ならぬ思いが綴られている。

「言葉は、そこにあるはずなのに、よく見えないものに強烈な光を当ててくれる。言葉は『シンデレラ』の魔法使いが使った杖のような働きをする。言葉の衣装をまとうことで灰が落とされるのか、とても魅力的なものに生まれ変わるのだ。それはひとつの会社を生まれ変わらせるほどの力を持っている」

「そんな言葉をまた見つけなければ。混沌の海から、これという言葉を浮かび上がらせるのだ」

数々の言葉が浮かんでは消えていく。最終的に松永が「見つけた」のが「iモード」だった。

携帯電話を手にしながら「どんなマークならピンとくるか」と考えた時に思いついたのが「・i」だった。空港や街中のツーリスト・インフォメーションで見かける「・i」。それはインターネットのiにもなり、情報をインタラクティブ（双方向）でやり取りする・iでもあり、「私」の・iとも捉えられる。

そこにもうひとひねりないか――。ある朝、頭に浮かび上がったのが「モード」だったという。

こうして携帯ゲートウェイサービスという長い名前が、iモードというとてもシンプルで耳に残りやすいものに生まれ変わった。

「・iモードで証明してみせる」

繰り返しになるが、iモードの開発で一貫していたのが「コンテンツが王様」という考えだ。ユーザーは技術を買うのではなく、サービスを買う。この点で大きな議論となったのが、携帯電話でそのコンテンツを見るためのブラウザの選択だった。

当時、携帯向けのコンテンツを見るために提唱されていたのが、欧米の3大携帯メーカーが推奨していたWAP（ワイヤレス・アプリケーション・プロトコル）という方式だった。3大メーカーというのは、フィンランドのノキア、スウェーデンのエリクソン、米モトローラの3社である。

ドコモの社内でも「世界標準のWAPを採用すべし」との声が多かった。これには理由がある。当時の携帯電話は第2世代（2G）と呼ばれる段階にあったが、その中で日本はガラパゴス化していた。

日本の通信会社はNTTが開発したPDC方式を採用したのだが、海外ではGSMと呼ぶ方式が普及し、日本の携帯電話機は完全にローカル化し、世界から孤立してしまった。

そもそもNTTが海外展開を視野に入れていなかったことが要因だ。当時、世界の大手と比べても優れた性能を誇っていた日本のケータイが海外で思うように売れなかった敗因として指摘されることも多い。ちなみにNTTは2001年になって第3世代（3G）を世界で初めて商用化し、今度こそはとグローバル展開を狙ったが、海外進出案件はことごとく失敗してしまった。

第2世代携帯と同じ失敗を繰り返さないため、NTT社内では世界標準と目されていたWAPの採用を推す声が強かった。

だが、榎たちが選んだのが、パソコンベースのインターネットですでに広く使われているHTMLというプログラミング言語をそのまま使うというシンプルな方法だった。「どちらがより多くのコンテンツを集められるか」という極めて明確な選択基準に立って考えた結果だったという。コンテンツを作る側に立てば、すでにインターネット上で広く使っているHTMLの方が使い勝手が良いはず、というわけだ。

つまり榎たちは新しく始める「携帯電話＋インターネット」の競争軸は通信技術ではなくコンテンツだと見ていたわけだ。一般のユーザーからは見えづらい部分だが、iモードが成功した背景には、こんな発想の転換があった。

ところで、WAPの基本技術は米国のアンワイヤード・プラネットという会社が持っていた。ドコモが「携帯電話＋インターネット」の新サービスを開発していると聞いて、アンワイヤードのトップが売り込みに来たことがある。そこでアンワイヤード側が「我々はビジネス市場（BtoB）の制覇を目指している」と言ったという。

iモードの出発時点で社長の大星が想定していたのはビジネス利用だったが、榎たち実動部隊はすぐに一般消費者向けの「B to C」を目指すべきだと考えを変えた。この時、榎はアンワイヤードに、この新ビジネスの要点はB to Cであり、その考えが正しいことを「近い将来にiモードで証明してみせる」と大見えを切った。

WAPにはサーバー関連などの基本ソフトがアンワイヤードに押さえられており、ブラックボックス化されていたという問題も大きかった。ネットワークの構築やサービスの企画などでアンワイヤードに頼る部分が大きくなり、新しいコンテンツをどんどん追加していく際に支障になる可能性を危惧したことも、HTML採用のもう一つの理由だった。

マッキンゼーとの対立

では、肝心のコンテンツをどう集めるのか。これには夏野に秘策があった。夏野はまず、インターネットで使われるコンテンツを4つに分類してみせた。

「取引系」は銀行のネットバンキングなど

「エンターテインメント系」はゲームや占いなど

「生活情報系」は天気予報や街の情報など
「データベース系」は乗り換え案内やレストランのガイドなど

　iモードというインフラの上にどんなコンテンツを、どんな順番で乗せていくか。モバイル・インターネットの生態系（エコシステム）の設計を託された夏野には、こんな考えがあった。

「iモードをプラットフォーマーあるいはインフラと見た場合、やり方は都市開発と同じなんです。いくら良いサービスを作ってもそこに入るテナントが良くないと成功しない」

　この言葉が意味することを、夏野は著書『ア・ラ・iモード』でさらに詳しく次のように述べている。

「都市という生態系において、モバイル・インターネットのコンテンツに相当するのが店舗であり、ネットワークは鉄道や街路、ガス、電気、水道といったインフラに相当する」
「都市設計者が行うのは、自ら店舗やインフラを作って保有することではない。それは専門の業者が行えば良いことだ。設計者の役割は、ユーザーの視点に立ってコンテンツを充実させ、多くのユーザーを招き入れることである」

　インターネットのビジネスを都市開発と重ねる発想の原点には、夏野が歩んできたキャリアがある。

リクルートでアルバイトをしていた夏野は、編集者だった松永らの誘いを断り、東京ガスに就職する。「一度は日本のビッグビジネスを経験しておきたかった」というのが理由だ。夏野は新人時代に都市エネルギーの設計部門に配属され、先輩たちが方眼紙に手書きしていた概念図をコンピューターに落とし込んでいった。

キャリアの転換点となったのがペンシルベニア大学ウォートン校へのMBA留学だった。時はインターネットの夜明けの時期にあたる1994年。スイスにある欧州合同原子核研究機関（CERN）の英国人研究者ティム・バーナーズ＝リーが開発した「ワールド・ワイド・ウェブ（WWW）」が無料で公開されるようになった翌年にあたる。

ここで履修したインターネットと複雑系の授業に衝撃を受けた。「世界はインターネットで変わるんだとたたき込まれました。それから、『俺はインターネットの世界で生きていくしかない』と考えるようになったのです」

それからというもの、世の中の何をインターネットのビジネスに置き換えられるかを考え続けてきたという。

「工場の生産ラインにインターネットを持ち込んだらどうか」

「選挙にも使えるはずだ」

ひるがえって考えてみれば、東京ガスで経験した都市設計はインターネットのビジネスそのものだ。成否を分けるのはエコシステム、つまりコンテンツをどう呼び込み、配置するか。

この点、夏野には大きな教訓がある。MBA留学の後に飛び込んだハイパーネットでの失敗だった。広告と連動させたインターネットの無料接続というビジネスモデルは画期的だったが、そこで得られたデータを活用するエコシステムを築けていなかった。それこそがハイパーネットの敗因だった。この世界でイノベーションを起こすには、一企業ではなく他社とバリューチェーンを築くという発想で挑むべきだと考えるようになったのだという。

こういった視点でiモードの「4つの系統」を捉えた場合、夏野はまずは「取引系」の店舗を取り込むことが得策だと考えた。

最初のターゲットはすでに決めていた。銀行である。

取引への信用やセキュリティーが特に厳しい銀行をコンテンツ提供者に迎えれば、iモードへの信用感も高まり、他のコンテンツ提供者も付いてくるだろうと考えたからだ。

1997年の当時はいわゆる金融ビッグバンによる規制緩和が進み出したタイミングであり、多くの銀行がネットバンキングに関心を持ち始めていたことも追い風だった。

ただし、ここで問題が起きる。iモードの原点であるゲートウェイ構想の段階から深く関与してきたマッキンゼーとの対立だ。

「汚名返上させてください」

「コンテンツは当たりハズレのリスクが大きい。従ってパートナーは1社に絞らず広く均等に募るべきだ」というのがマッキンゼー側の主張だった。夏野もいずれオープン型にするという点では異論はないが、最初はパートナーを絞るべきだという考えを崩さなかった。

携帯電話でインターネットを見る習慣などないこの時代。まずは成功事例を築いてiモードが軌道に乗ってから広く参加を募るという、2段階方式で行こうというわけだ。

「最初にやるべきはネットバンキングだ。住友銀行に売り込みをかけよう」

夏野はハイパーネット時代から、メーンバンクである住銀がネットバンキングに力を入れていきそうだという感触をつかんでいた。ならば、「携帯電話＋インターネット」の導入は住銀にとっても渡りに船ではないか。それに、もし住銀がiモードに乗ってくれれば、当初のもくろみ通り、iモードへの信用が高まり、「取引系」だけでなく他の3つの系列のコンテンツ集めにも有利に働くはずだ。

そう説明してもマッキンゼーは反対に回る。

「それでは透明性に欠ける。業界別に説明会を開いて広く参加を募るべきだ。それにこちらが1社だけを選ぶと他の会社が乗ってこないでしょ」

「それでどうやってお金を取るの？　まだなんの形にもなっていないビジネスに、企業がそんなに簡単にカネを出すわけがないでしょ。集まってください、おカネを出してくださいで、ハイ、出しますという会社があると思いますか？」

「iモードにどうしても参加したいという会社にコンテンツを出してもらって料金を徴収すればいいでしょ。それでビッグマネーが入りますよ。どうしても必要なら逆にドコモがカネを払えばいい」

「そんな大上段なやり方が通用するかよ！」

こんな議論が毎週火曜日の午後4時の定例会議では延々と続き、平行線をたどる。夏野が最初のターゲットとして大手銀行にネットバンキングの提供を持ちかけようと提案した時も、地銀も含めてすべての銀行に招待状を出して説明会を開くよう迫る。

どちらの言い分にも一理あるような気がするが、夏野は待っていられない。取引系の第一ターゲットと目する住銀を落とさないと、iモードの成否を決めるコンテンツ集めそのものが停滞するからだ。

しびれを切らした夏野はスタンドプレーに出た。年の瀬も迫った1997年12月、ある人物のもとを訪れた。

「ハイパーネットではご迷惑をおかけしました」

夏野は頭を下げると、こう言った。

「今度は筋が良いと思います。汚名返上させてください」

夏野が語りかけた相手は、住友キャピタル証券副社長の國重惇史だった。後に楽天副会長となり三木谷浩史の番頭役と呼ばれるようになる人物だ。イトマン事件を中心に銀行の内幕を描いた『住友銀行秘史』の著者としても知られている。

國重は住友銀行の日本橋支店長時代にハイパーネットとの取引を始めた張本人だった。夏野が國重を訪問したのはちょうどハイパーネットが自己破産を申請した直後のことだった。

「住銀もどうせネットバンキングはやるんだから、ドコモに乗っかればいいんじゃない」

國重はこう答えると、住銀本店にドコモとの提携を提案してくれた。それから2週間後、住銀の副頭取がドコモ本社を訪れ、iモードのコンテンツ第1号となることを確約してくれた。こうしてiモードのコンテンツ集めが動き始めた。


マッキンゼーと対立したのは夏野だけではなかった。夏野が集めてきたコンテンツのまとめ役を託された松永もまた、激しく対立する、というより、松永の場合はマッキンゼーを毛嫌いしていたと言う方が正確かもしれない。

マッキンゼー組と松永の衝突は数えればキリがないが、現場の司令塔である榎がよく覚えているのが「複数編集長問題」だという。マッキンゼーはiモードのメニューリスト別に編集長を置くよう主張した。一人の編集長があらゆるコンテンツを見るよりリスクが小さいからだという。これに松永が反発した。iモードのコンテンツを取り仕切るのは自分だというプライドがある。

そもそも松永はマッキンゼーの常駐組が話すカタカナ語が気に入らない。

「本日のアジェンダはオンデマンド型サービスのフィージビリティを検討し……アベーラ

ブルなストラテジーを……」

「日本語で言えばいいのに、なぜわざわざカタカナ語？」。松永たちは彼らの言葉を「マッキン語」と名付けた。

この編集長問題では榎が「私は真理さんに賭けます」とマッキンゼー側に通告して決着した。

ただ、実は榎は当時を振り返って「マッキンゼーの人たちが言うことも理解できるし一理あると思うんです。でも、やるのは人間ですから。リスクを減らすためと言われても、それじゃ、やる気が出ないじゃないですか」と話す。このあたりは「猛獣使い」の腕の見せ所だろう。

ちなみにマッキンゼー側のトップは後にDeNAを創業する南場智子だった。ただ、南場はiモード部隊の現場に来ることはあまりなく、常駐組は部下が務めていた。その中で榎も「彼は優秀だった」と認める当時20代の若手が尾原和啓だった。

尾原はマッキンゼーでiモード立ち上げに関わった後、リクルートやKラボラトリー、サイバード、グーグル、楽天と10社超のインターネット会社を渡り歩き独立した。現在はテック業界のエバンジェリスト的な存在として広く知られている。

「まあ、嫌われ役というのもコンサルタントの仕事ですから。なかなかいい勉強でしたよ」

何かと古いしきたりが残るNTTグループの大企業の中で、全く異なるプロフェッショナリズムがぶつかり合って出来上がったのがiモードだった。

たった7人の記者会見

1998年11月19日、いよいよiモードを公開する日が来た。榎が大星から命じられた日から2年近くがたっていた。

だが、ここでちょっとした事件が起きる。ドコモの広報部は当時の慣例にならってNTTビルの中にある「葵クラブ」という記者クラブにレクチャーの形式で申し入れた。

筆者も2015年から通信担当キャップを務めたが、当時はすでに葵クラブはなくなっていた。駆け出しの頃に先輩の使いで入室したことがあるが、籍を置いているだけという社も多く記者クラブというより待合室のような部屋だったと記憶している。

発表者は榎と松永だった。企業側が大々的にアピールしたい案件なら、大きなイベントスペースかホテルの会場を借りて社長が登壇するのが通例だが、その場に居合わせた記者にとっては「よくある新サービスか新技術のレクチャーの類い」と考えたのだろう。しかもデモ機などはなく、リリース文を説明するだけ。

集まった記者は6人だった。記者発表が始まるともう1人が遅れて入ってきた。質疑応答はポツリポツリと手が挙がる程度で、ほとんどがWAPやHTMLに関する技術的な質問だった。翌日の日本経済新聞の朝刊ではベタ記事の扱いだった。

余談だが、筆者は日経新聞に入社して以来、ずっと産業関連の取材を続けている。政治記者や事件記者と違って産業担当だと記者クラブというものには、ほとんど縁がない。ニューヨークの国連本部内にある広大な記者クラブに所属したのを除けば、鉄鋼など素材業界関連の重工クラブというところにいたくらいだ。

実際のところ、このような記者クラブに持ち込まれる情報は公開情報であり、誰でもアクセスできるため、誤解を恐れずに言えば、記者の立場からすれば付加価値はない。

当時の葵クラブの記者にとっても、日々舞い込む発表案件の一つ程度の認識だったのだろう。それでも発表案件の価値を正しく理解して報じるのがプロの仕事だろうと言われればその通りなのだが、仮に筆者が当時、葵クラブでiモードのレクチャーを聞いても朝刊の1面で扱えたか（その価値を見抜けたか）どうか、正直言って全く自信がない。

話を戻そう。

収まりが付かないのが、この日のためにコーラルピンクのスーツまで新調していた松永だった。帰りのタクシーで榎にかみついた。

「なぜたったの7人なんですか！」

「葵クラブではいつもあんなもんなんですよ」

榎の素っ気ない返事が、怒りの火に油を注いだ。

「リベンジします」

松永は2度目の記者会見を開くように迫る。

翌1999年2月22日、今度は人気絶頂だった女優の広末涼子を呼んでホテルで大々的に発表する。大方の目当ては広末だったが、約500人の報道陣が詰めかけた。

ここから、iモードの快進撃が始まった。

iモードはインターネットを我々の手のひらの中にもたらした画期的なサービスだ。現代につながるモバイル・インターネットの時代を切り開いたと言ってもいいだろう。

栃木支店長から突然、「携帯ゲートウエイ戦略」の責任者を託された榎啓一。榎が個人的なツテをたどってヘッドハンティングした敏腕編集者の松永真理。その松永が潰れかけのベンチャーから呼び寄せた夏野剛。さらに「嫌われ役」の仕事を全うしたマッキンゼー組。

出会うはずのなかった異質のエネルギーがぶつかり合って出来上がったのがｉモードだった。そのインパクトはすさまじく、2006年初めには、ドコモは4568万人のユーザーを抱えるモバイル・インターネット接続事業者としてギネス認定を受けたほどだ。

「失われた時代」に突入してすっかり自信を失っていた日本の産業界を代表する大企業が生み出したイノベーション。産業史的な意味を考えれば、ｉモードは、その1年ほど前に発売されていたトヨタ自動車のハイブリッド車「プリウス」に匹敵するインパクトと言えるのではないだろうか。

ただし、プリウスが2009年発売の3代目モデルを大ヒットさせ、いよいよ電気で動くクルマを広く世の中に行き渡らせ始めた頃、誕生から10周年を迎えたｉモードはすでに忘れられた存在となっていた。アップルが2007年に米国で発売した「iPhone」がその翌年には日本にも上陸し、モバイル・インターネットのマシンと言えば、すなわちスマホのことであり、iモードを搭載する携帯電話は皮肉を込めてガラケーと呼ばれるようになっていた。

日本で生まれて爆発的にヒットしたiモードは、なぜ世界に羽ばたくことができなかったのか。そこには、大企業ならではの身内の論理が潜んでいた。

ドコモ・グーグル、幻の提携

「We respect you（あなたのことを尊敬しています）」

米グーグルCEOのエリック・シュミットは席に座るなり、こう切り出した。シュミットの目の前にはドコモ3代目社長の中村維夫が座っている。だが、その視線は中村の隣に座る男に向けられていた。

夏野剛だ。

シュミットは特に気にすることもなく、そのまま続けた。2006年のことだ。

「こんなにモバイル経由で日本からグーグル（の検索エンジン）にアクセスされるようになるとは思わなかった。我々は世界中を今の日本のような状況にしたい。協力してもらえないか」

さらりと言ってのけたが、重大なメッセージが2つ込められている。

1つはグーグルがモバイル・インターネットに打って出る意思を伝えたこと。グーグルはこの前年にアンディ・ルービンらが立ち上げた携帯用OSの「アンドロイド」を買収している。業界内では、アップルのiPhoneに対抗して「gPhone」を投入するのではないかという噂が流れていた。

実際は、ハード機器よりソフトウエアを先行させ、アンドロイドを世界に広めていくことになるのだが、初代アンドロイド搭載スマホの投入は2008年になる。この時点で、すでにグーグルはスマホに打って出ることを決めており、それをドコモに伝えていた。シュミットは「自分たちでOSを作ることにした」とも付け加えた。

そして2つ目のメッセージは、そのスマホ戦略でドコモに提携を打診したということだ。実現させるにはiモードのOSをアンドロイドに刷新する必要があるが、iモードを世界中に広げることができる、願ってもないチャンスだ。

「絶対にやるべきですよ。すぐに20人くらいはグーグルに送り込みましょうよ」

会談後に夏野は中村に迫ったが、特に反応がないまま時間だけが過ぎていく。結局、グーグルとの提携は幻に終わった。ドコモはグーグルなどが翌年に立ち上げた規格団体に名を連ねる程度の協力にとどまり、iモードの世界進出のチャンスは手のひらからするりとこぼれ落ちていった。

実は、夏野はシュミットの話しぶりに言い様のない不安を感じていたという。「尊敬している」の言葉が中村ではなく、夏野に向けられていたからだ。

この時点で夏野はiモードの立役者の一人として知られている。この前年には40歳の若さで執行役員に抜擢（ばってき）されていた。NTTグループにあってこれは異例中の異例である。

NTTグループでは何事にも入社年次が重視され、人事などではあたかも背番号のように入社年次が付いてくる。ちなみに呼び方は西暦ではなく和暦で、大学院修士修了の場合はご丁寧に2年分プラスする。

しかも、夏野は途中入社組だ。役員への抜擢は当時、グループ内で驚きの人事として捉えられていた。

その分、周囲からの嫉妬も感じないと言えば嘘になる。ドコモ社内には夏野ら・iモード組が幅を利かせるのを良く思わない幹部も増えていた。少なくとも、入社した頃から「外様」と言われてきた夏野には、そう思えた。

そして他ならぬ社長の中村も「反・iモード組」の一人に、夏野らの目には映っていたという。シュミットの「あなたを尊敬している」という言葉はリップサービスかもしれないが、中村は快くは思わないだろう。

「あの時は、俺じゃなくて中村さんの方を向いてくれよと思いましたよ」

夏野がそう振り返るのも無理はない。

もっとも、グーグルとの提携見送りは既定路線だったのかもしれない。会談後に提携を進めようと夏野が訴えても、社内では「OSを海外の会社に委ねるのか」という反論が相次いだ。

「OSなんかどうでもいいじゃないですか。会社のパソコンだってマイクロソフトでしょ」

こんな議論で時間を空費しているうちにグーグルとの話は途切れてしまった。

・iモードで勢いに乗ったドコモの社内には一時期、NTT本体からの独立機運まであった。だが、電電公社の流れをくむ官僚的な風潮が色濃く残るドコモでは、そんな快進撃は周囲からの嫉妬と反感を生み出すことになってしまった。

榎が率いるiモード開発部隊は本社から距離を置き、何かにつけて「カネ食い虫」と批判の対象にされていたことも尾を引いた。

そんな息苦しさに耐えかねたのか、功労者の一人である松永真理はiモードの成功を見届けると早々にドコモを去った。

中村が社長に就くと、榎啓一も2005年に子会社に出されてしまった。

「まあ仕方ないですよ。僕はしょっちゅう中村さんともケンカしていましたしねぇ。中村さんからは、『iモードのせいでドコモの社員がテングになった』とまで言われましたから」

しかも榎は「僕はエヌテッテイからの独立派でしたから。エヌテッテイがドコモの株を持っているというのは好きじゃなかった。まあ、煙たがられたのでしょうね」と明かす。榎らNTT移動通信網時代からのドコモの古参幹部はNTT本体のことを「エヌテッテイ」と呼んでいた。

榎はiモード組を取り巻く当時の状況について、こうも証言する。

「僕はなっちゃんには少なくとも1年、できれば3年は辞めないでほしいとお願いしたのです。僕がいなくなり、彼まで辞めてしまうと、下の人たちが意地悪されるかなと思ったので」

iモード部隊を夏野に託し、榎は関連会社の社長となったが、それは本意ではなかった。そのことを榎に問うと、「まあ、僕はもともと出世したいとか、なかったし」とだけ答えた。

そしてみんないなくなった

このあたりの事情には、もう少し説明が必要になるだろう。実はもともと中村はドコモの社長になるはずではなかった。2代目社長の立川敬二が後任に推したのは副社長の津田志郎だった。津田は立川や榎と同じ無線屋の出身で、1992年にNTT移動通信網ができた時からの生え抜きだ。一度は津田への社長禅譲が固まるが、これに難色を示したのがエヌテッテイ、つまりNTT本体だった。

理由は公には語られていないが、NTT本体とドコモの間に生じていた微妙なパワーバランスの狂いにあった。

大星が初代ドコモ社長に就いた頃、携帯電話はまだ赤字事業で、かろうじてポケベルでしのいでいたが、大星と2代目の立川のもとで携帯電話が一気に普及し、iモードというお化けサービスまで飛び出した。

携帯電話市場の黎明期を知る大星と立川はNTTに対して独立経営を標榜し、グループ内でかつては「左遷先」とまで言われたドコモを稼ぎ頭にまで育てあげた。時を同じくしてNTTの本業だった固定電話の加入者数は1997年11月をピークに減少に転じ始めていた。

立川が後を託そうとした津田もまた無線屋だ。ドコモ社内では榎のように「独立派」を自認する古参からも、津田への待望論が強かった。

一方で、立川時代にドコモは米AT&Tワイヤレスや英ハチソン3G、オランダKPNモバイルと、合計で1兆5000億円もの巨額の海外投資に失敗している。ドコモの独立経営路線に危機感を強めていたNTT本体社長の和田紀夫らが、手綱を締めようと津田への禅譲に待ったをかけたのだ。

NTTでは主要グループ各社のトップ人事は4月後半に内定する。監督官庁の総務省（当時は郵政省）や郵政族議員にも根回しして、了解を取り付けた上で正式決定するのだが、内々には2〜3月にほぼ固まる。2004年の当時も3月に立川が津田に社長交代を打診したとされるが、その後になって和田が差し戻した。当時の事情に詳しい関係者によると、津田が「独立派」にかつがれることを恐れたためだという。

結局、健康上の不安を理由に津田のドコモ社長昇格はなくなり、後任にはNTT本体で和田と同じく労務畑を長く務めた中村が選ばれた。

夏野が執行役員に昇格したのも、iモード組を一掃してしまうと「粛清」があまりに露骨で社内から新しいことにチャレンジする気風が失われることを危惧したため、ある意味でバランスを取った結果だとも言われている。もっとも、夏野自身は「いつまでもドコモにいるつもりはなかった」と言う。

榎は去り際に、夏野に対して「できれば3年は辞めないでほしい」と言ってiモード組を託していた。実際に夏野がドコモを去ったのはこの約束からちょうど3年後の2008年のことだが、夏野は「(ドコモを去ろうという考えが)決定的になったのは、あのグーグルの件です」と言う。

グーグルとの提携でスマホ時代に生き抜く糸口を手にしかけていたドコモ。だが、チャンスを見過ごした者を、時代の変化は待ってはくれない。前述した欧米の通信大手への出資を通じてiモードの普及を目指したが、「内弁慶」体質が染みついたドコモに主導権を取る力はなかった。すぐに米アップルやグーグル、韓国サムスン電子などが覇権を争うスマホ時代に突入し、iモードの名は次第に忘れられていった。

携帯電話の絶頂期に「ボリュームからバリューへ」を掲げ、大企業が自らの殻を破るように「外」に人材を求めて成し遂げたiモード事件。世界に羽ばたく芽を摘んだのが、大企業に染みついた内輪の論理だったことは、皮肉なことだ。

2019年9月、ドコモはすでにほとんどの人から忘れられていたiモードの新規受付を終了し、iモードはひっそりとその役目を終えた。

第4章

巨人ヤフーと若き革命児たちの物語

ヤフーには起業家が集まった

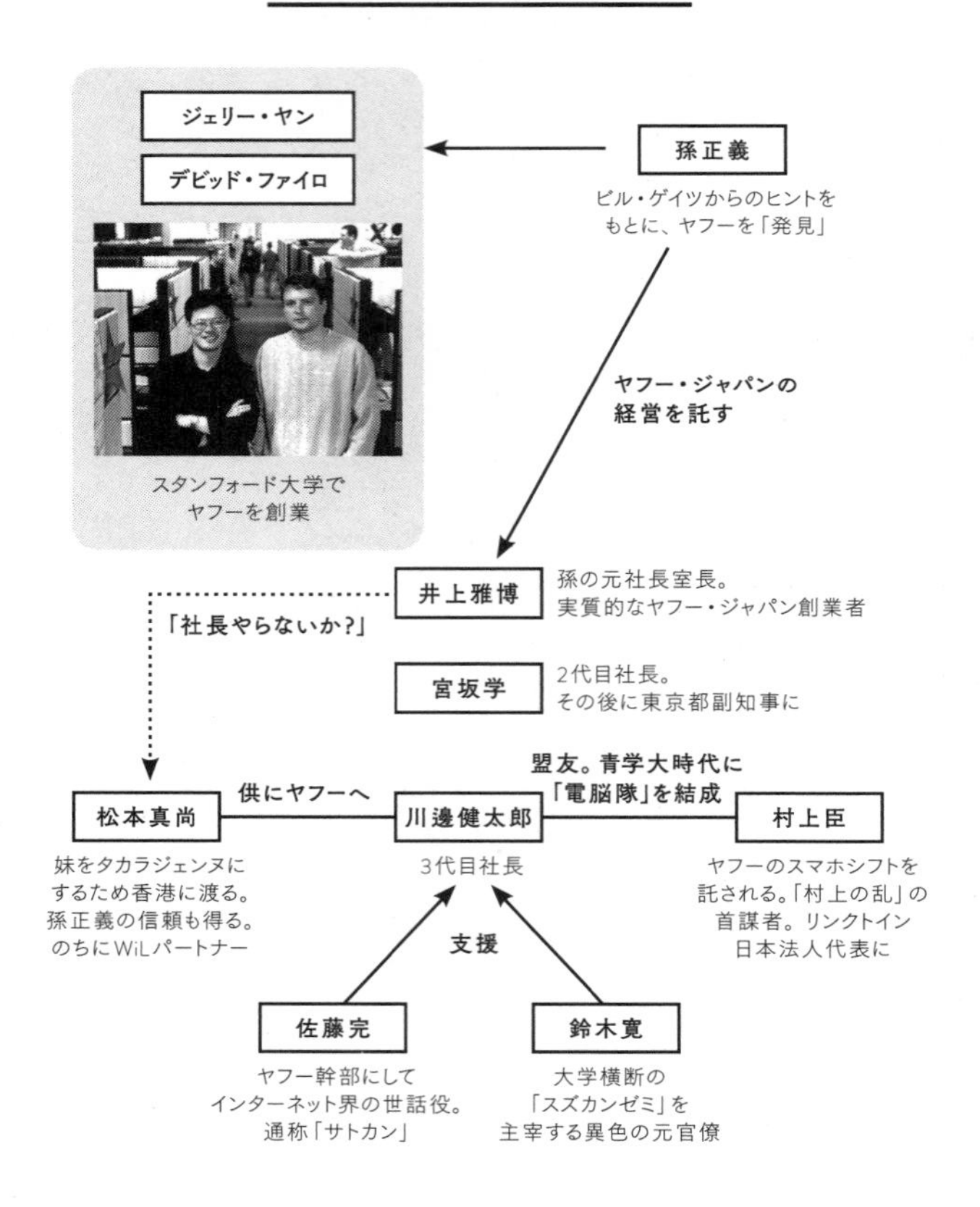

NTTドコモに集まった異才たちが切り開いたモバイル・インターネットの時代。ドコモのiモードはグローバル・スタンダードを狙えるチャンスをみすみす逸したが、当人たちが知ることのないところで、無名の若者たちが起業家として名乗りを上げる道を与えていた。

話はiモードの開発が始まる1年余り前にさかのぼる。

ウィンドウズの熱狂

1995年11月23日午前0時、東京・秋葉原。マイクロソフトの「ウィンドウズ95」日本語版が発売された瞬間の熱狂を、青山学院大学の3年生だった川邊健太郎は鮮明に覚えている。

冷たい小雨が降る真夜中の電気街には、5000人とも言われる人たちが集まっていた。日付が変わる瞬間、大型店の前でカウントダウンが始まる。

「スリー、ツー、ワン……」

店頭ではくす玉が割られて紙吹雪が舞い、花火も上がった。歓声が起きたかと思うと、その瞬間を待ちわびた人々がウィンドウズのパッケージを求めて店内に殺到していく。それは、一部のコンピューター好きたちのものだったインターネットが広く世の中に行き渡った歴史的な瞬間だった。

「それまでコンピューターでなにかをやりたいとか、インターネットをもっと深く知ろうとか、ホームページを作ってみようとか、その年の夏までうにうにとやっていたんですよ。それで、秋葉原の熱狂の渦の中に行って、これはやっぱりすごいことが起こっているんだなと。これから人とインターネットの距離がぐっと近づく時代が来るんだなと思いました」

その日の出来事を川邊は「熱狂の渦」という言葉で表現したが、その時、いつかこの日が来ることを予言していた人物がいたことを思い出したという。

川邊の祖父だ。

小学4年生のある日、祖父が川邊少年にパソコンを買い与えた。NECの「PC8001」だった。祖父はモータリゼーション社会の到来を見越して自動車学校やタクシー会社を創業して成功した人物だ。

「お前の時代にはコンピューターというのがクルマみたいになるから」

祖父はそう言い、パソコンを買い与えるだけでなく、夏休みに川邊少年をプログラミングのサマーキャンプに参加させた。当の川邊は、その後はゲームで遊んだりワープロとして使ったりする程度だったという。「プログラミングもいつの頃からかやらなくなっていました」

ただ、大学に進む頃になると、川邊のアンテナに引っかかる言葉が登場していた。川邊は高校3年の頃から日経新聞と朝日新聞を毎日読んで、気になる記事を切り抜いてスクラップを作ることを日課としていた。その際によく目にしていた「マルチメディア」という言葉を置き換えるかのように、いつしか「インターネット」という言葉が頻繁に使われるようになっていた。

「これはきっと何かあるんだろう」

そう思った川邊は、慶應義塾大学湘南藤沢キャンパス（ＳＦＣ）の大学院に通っていた幼なじみの兄に相談した。ＳＦＣでは学生たちを「未来からの留学生」と呼び、当時の日本としてはコンピューターを積極的に取り入れたカリキュラムで知られていた。

「うちにはモザイクっていうブラウザが入ってるパソコンがあって、インターネットは見放題だから、来てみたら？」

友達の兄が言うモザイクとは、１９９３年に米国イリノイ大学スーパーコンピューター応用研究所の若き研究者だったマーク・アンドリーセンらが開発したブラウザだ。ワールド・ワイド・ウェブ（WWW）をパソコンで見るために使う、世界初の商用ブラウザとされている。

モザイクは公開された1993年に、利用者数が毎週11％のペースで増え続けたという。まさにインターネット時代の扉を開いた発明だったが、アンドリーセンはこの時まだ21歳だった。続けざまに開発したネットスケープ・ナビゲーターは、ウィンドウズ95が搭載するインターネット・エクスプローラーと熾烈な競争を繰り広げることになる。アンドリーセンはインターネット産業史に残る天才として名を刻み、現在はシリコンバレーで活躍する著名投資家として知られている。

早速、友達の兄に連れられてSFCの大学院棟で、川邊が見たインターネットは衝撃だった。

「あれで僕の中のメディア観が変わりました」

「僕の体の半分はフジテレビと『少年ジャンプ』で造られていた」という川邊は、大学入学当初からメディア企業に就職しようと考えていた。だが、インターネットが登場したことで、目の前の景色が変わってしまった。

「今までは情報を発信したければ会社に入るしかなかった。でも、それが個人でもできるようになったんです。地球の裏側にだって届けられる。これはもう、コンピューターというものがそれまでとは全く違うものになったなと感じました」

生まれた頃からインターネットが身近にあった今の若い人たちには想像しがたい感覚かもしれない。ただ、インターネットの世界で起業した「第1世代」と呼ばれる1970年代生まれの多くの者が、多感な10代から20代にかけて同じような体験をしている。当時の川邊もまた、まさに時代の転換点に立っていることを強烈に意識した若者の一人だった。

そんな衝撃的なイノベーションを誰でも手軽に使えるようにしたのが、インターネット・エクスプローラーを搭載したウィンドウズ95だった。「熱狂の渦」というのは決して大げさな表現ではない。幼い頃に聞いた祖父の予言が、まさに現実になったのだから。

その熱狂を、目の前にあるチャンスを、逃さないためには今動くしかない——。川邊は青学大の仲間たちとともに任意団体として電脳隊を立ち上げた。ただ、コンピューターに詳しい仲間はほとんどいない。「始めて1カ月くらいで自分たちがとんでもなくバカだと気づきました（笑）」

ここから仲間を求める川邊の旅が始まった。数々の数奇な出会いを経て、川邊はこの時から23年後に、日本を代表するインターネット会社であるヤフーのトップへと上り詰めていくことになる。

電脳隊

青学大の外に仲間を求めようと考えた川邊の頭に浮かんだのが、あのモザイクというブラウザでインターネットに触れたＳＦＣだった。川邊が頼ったのは電脳隊のメンバーで青学大の1学年先輩だった。その先輩には、ＳＦＣに幼なじみがいるという。その幼なじみが「面白い奴がいる」と言って紹介したのが、田中祐介だった。

ＳＦＣの学生食堂で初めて会った互いの印象を、二人はよく覚えている。

二人は同学年だが、田中は大学2年の時からインターン生として三菱総合研究所の経営コンサルティング部門で働き、自分より10歳以上も年長のビジネスマンが集まるマルチメディア勉強会にも出入りしていた。三菱総研の先輩に連れられてホンダや松下電器産業といった大企業の経営企画部門にも足を運び、お偉方に読まれるリポートを書いているという。

「同じ学生なのに、やっぱりSFCにはすげぇ奴がいるなと思いましたよ」

そう振り返る川邊を、田中は「変わった人だけど、すぐに気が合いそうだなと思いました」と言う。自作したという奇抜なTシャツを着る川邊は「インターネットで色々なコンテンツを配信していきたい」と力説する。仲間と作る映画や音楽を広く世の中に配信したい。そのために電脳隊を作ったと言う。

こうして二人は手を組み、電脳隊は青学大とSFCの混合チームになる。川邊と田中の間を取り持った二人も電脳隊に加わることになった。1年後の1996年12月に電脳隊を有限会社とした際には田中が社長となり、川邊の肩書は取締役となった。

この二人に勧誘されたのが、川邊の青学大での後輩にあたる村上臣だった。村上は理工学部に入学したばかりの1年生だったが、キャンパスに行くと足を向けるのは教室ではなく計算機センターのコンピュータールームだった。大学のインターネット回線が使い放題だからだ。ただし、それは大学院生限定だった。

「なぜ学部生は使えないい？」」。村上は憤った。

「今だから言いますけど、それで頭にきて大学のホームページとかに侵入して回線を勝手に使って遊んでいました。もちろん足跡は残さず、バレたことは一度もなかったですね」

村上は筋金入りのコンピューターオタクだった。小学3年の頃から自宅のある千葉県流山市から電車で秋葉原の電気街に通っていた。足を運ぶのは家電量販店ではなく、いわゆるパーツ屋だ。コンデンサーや半導体チップ、抵抗器にコネクターといった部品が所狭しと並ぶ。大好きだった無線通信機を作るためだ。

村上は小学5年でアマチュア無線の資格を取ると「動く無線局」を自作した。場所に縛られず、いつでも好きなところで無線を使うにはどうすればいいだろうか——。村上少年は自転車のかごにトランシーバー型の無線を取り付けた。バッテリーはオートバイのものを利用する。サドルの後ろからはアンテナが伸びている。

「それがもうカッコよかったんですよねぇ。江戸川の土手を走りながら、これはもうポータブル局そのものだろって言っててね。あの自転車が僕にとってのモバイル・インターネットの原点です」

そんな村上が川邊とともにヤフーでモバイル改革を起こすことになるのだが、それはもっと後年のことだ。

中学生になる時に買い与えられたMSXでパソコンにはまり、高校生になると入り浸るようになった秋葉原のツートップというパソコンショップでアルバイトを始めていた。

典型的なギークと言える村上と川邊の出会いは、インターネットではなかった。川邊が友達と結成していた青学サンバ隊。そのパーカッション担当として声をかけられたのが村上だったのだ。

「すごいパソコンに詳しい奴だと思ったから、サンバもいいけど電脳隊に入りなよって誘ったんです。結果、あいつが電脳隊で唯一まともなIT人材になりました」

こうして徐々に仲間を増やしていった電脳隊。恵比寿ガーデンプレイスのすぐ隣にあるマンションの一室につくったオフィスに、若者たちが日夜、出入りし始めた。まだ有線でネットワークをつないでいたこの時代。オフィスとして使っていた1階の部屋から、居住用に借りた上の階にエアコンのダクトに沿って配線を延ばしていた。

このマンションがあるのは渋谷や六本木のベンチャー企業が集まるエリアとは違い、閑静な住宅街の一角だった。当時のメンバーの一人は「若いやつらが集まっていったい何をやっているんだと疑われて、公安にマークされていたそうです。後になって聞きました」と苦笑する。

仲間の輪を広げながら手作りで始めた学生ベンチャーの電脳隊だが、川邊が田中に語ったように、自主製作の映画や音楽がいきなりビジネスになるわけでもない。当時の電脳隊の仕事といえば企業のホームページやイントラネットなどの作成代行業だった。端的に言えば単純作業の下請けだ。

日本相撲協会のホームページを立ち上げるなど、仕事には困らない。だが、こうも思う。

「この先、下請けの仕事を続けていていいのだろうか」

当時、川邊が経営の参考にしたというMBAの指南書には、競争に勝っていくには、価格で勝つか差別化するか、そのいずれかの方法だと書かれていた。学生ベンチャーの電脳隊は安さを売りにしていたが、そのまま価格競争にこだわっていれば、いずれじり貧になるだろう。

では、他のITベンチャーとは違う「差別化」はどこにあるのだろうか。そんな疑問に向き合い始めた若者たちの歩みがこの後、奇跡的な出会いによって急旋回していく。

その前に少しだけ、話を変えたい。

ビル・ゲイツの助言

恵比寿のマンションに電脳隊の面々が集っていた、ちょうど、同じ頃――。

場所は変わって、隅田川の河口近くにある東京・箱崎のソフトバンク本社。満潮になると海から遡ってくる潮の香りが立ちこめるが、最上階にある孫正義の社長室はガラスで締め切られており、江戸前の情緒とは無縁だ。その隣の部屋は、普段は倉庫代わりに使われており、殺風景そのもののスペースだった。

そこに15台のパソコンが持ち込まれた。それだけならただの急ごしらえのオフィスなのだが、異様なのはパソコンが並ぶ机の隣に作られたスペースだった。いくつかのテントが張られ、寝袋にくるまったジーンズ姿の学生が交代制で仮眠を取っている。隣の社長室に出入りするビジネスマンとは、明らかに違う人種だった。

4シフト制を組んで昼夜を問わずパソコンに向かう学生たちが作っていたのが、ヤフーの日本語版サイトだった。彼らに与えられた期限はわずか2カ月。ABC順にオススメのサイトを表示していた元祖米国版のヤフーにならい、1996年4月1日に予定していた日本版のオープンに向けて3万件の登録ドメイン数を目指して作業が進められていた。

学生たちの陣頭指揮を執っていたのが孫の実弟である孫泰蔵だった。この時はまだ東京大学に在学中の3年生だった。兄との久々の食事の席で、ソフトバンクがヤフーに出資し、合弁でヤフー・ジャパンを作ると聞いた時から、泰蔵の運命が変わり始めていた。

ヤフー共同創業者のジェリー・ヤンは、泰蔵にとって憧れの人物だったのだ。そのヤンと会いたい一心で、泰蔵はヤフー・ジャパンの立ち上げ作業に手を挙げたのだ。

「それに、日本語版を作るんだったら、若いユーザーの感覚を反映させた方がいいでしょ」

「お前もたまにはいいこと言うね」

こうして泰蔵は学生ながらヤフーの日本語版へのローカライズ作業を担当することになる。早速、東大でビラを配り、100人の学生を集めた。

泰蔵にとって憧れの人物だったジェリー・ヤンは、兄の正義が独特の嗅覚で「発見」した男だった。

話はインターネットの夜明けより前の時代に遡る。1987年7月、日本からやってきた孫正義に、マイクロソフト創業者のビル・ゲイツは一冊の雑誌を指さしてこう言った。

「君は『PC WEEK』を知ってるか？ 毎号読んだ方がいいよ。必要な情報はすべてあそこに書かれているから」

この日はソフトバンクが創刊する雑誌の巻頭インタビューのため、社長の孫が直々にインタビュアーとしてゲイツに会いに来ていた。孫はこの時、29歳。ソフトバンクを創業して6年が過ぎたばかりの頃のことだった。

インタビューは無事に終了した。ただ、孫の頭の中にはゲイツがつぶやいた「ヒント」が残り続けていた。

「あのビル・ゲイツが勧めるくらいの雑誌ということは……」

孫はその雑誌を読むだけでは飽き足らなかった。それから7年後の1994年にソフトバンクの株式を店頭公開してまとまった資金を手にすると、狙いを定めたのが、ゲイツが勧めた『PC WEEK』を発行するジフ・デービスという会社だった。

当時のソフトバンクの本業は、コンピューターのソフトウエアの流通業だった。ゲームなどのソフトを、当時は「ソフトハウス」と呼ばれた作り手から調達してパソコンショップなどに売る。要するにソフトの卸売り業者だ。そのソフトバンクが欲しがったのは米国の雑誌の版権ではなかった。

「僕が欲しかったのは『地図とコンパス』だったんだ」

移り変わりが激しい情報産業の中で輝きを放ち続けられる「本物」を見抜くためのツールを求めたというわけだ。ちなみに孫は同様の理由でコンピューターの見本市なども買収していた。

地図とコンパス——。ちょっと後付けな感じがする理屈だなと思い、筆者は孫にこう聞いた。

「でも、それが目的だったら雑誌を読んで展示会に行けば事足りるじゃないですか」

すると、孫は「それは違うな」と言ってこう続けた。

「僕が買ったのはバランス・シートに載らない資産なんだ」

それは世界中から集まる情報を真っ先に得られる特権なのだと言う。孫が真っ先にジフ・デービスに目を付けたのは、ゲイツこそが栄枯盛衰の激しい情報産業の中にあって世界で一番正確な地図とコンパスを持つ男だと確信していたからだ。孫はゲイツのことを

「彼はテクノロジーの方向性を決める男だ」と評している。

そんな男が「必要な情報がすべてである」とまで言う雑誌を発行する会社なら、これから始まる情報化社会を生き抜くための羅針盤となるはずだ――。こう考えて手に入れたジフ・デービスの社長に、孫は聞いた。

「どこか1社だけ、面白いベンチャーの名を挙げてくれ」

社長のエリック・ヒッポーは、シリコンバレーで生まれたばかりの会社の名を挙げた。

「それならヤフーという会社がある」

スタンフォード大学の大学院生だったジェリー・ヤンとデビッド・ファイロが始めた「ジェリーとデビッドのワールド・ワイド・ウェブ・ガイド」。それは、1993年に欧州合同原子核研究機関（CERN）が無料公開したWWWの上に融通無碍（ゆうずうむげ）に広がり始めていたインターネットの世界に、玄関口を提供するサイトだった。

多くの人がその玄関を通ってインターネットにアクセスするようになれば、そこには巨大なデータが集まるはずだ。まさに現代のプラットフォーマーの戦略を先取りしたのが、この生まれたばかりのヤフーという会社だった。

二人がその名を、小説『ガリバー旅行記』に登場する毛むくじゃらの野蛮人の名を借りて「ヤフー」としたのが翌1994年のことだ。

ヤフー・ジャパン誕生

孫がほれ込み、日本に連れてこようと考えたヤフー。その「酋長（チーフ・ヤフー）」を名乗るヤンは、孫正義の弟、孫泰蔵にとって憧れの人物だった。

「ヤフーの使命は未来のニュートンの前にリンゴを落とすことだ」

ヤンの言葉を聞いて感激した泰蔵は、「あれで僕の人生が180度変わりました」と振り返る。世界を変えるようなイノベーションの波頭に、自分と年齢がたいして変わらないヤンが立っている。ヤンは日本を皮切りに韓国やオーストラリアでもヤフーを立ち上げ、その次は欧州にも渡る「ワールドツアーに旅立つ」と言う。

「なにそれ！　ローリング・ストーンズみたいじゃん！」

これから世界に打って出ようというヤフー。その第1弾である「ジャパン・ツアー」に、自分たちも加わることができる。シリコンバレーからやってきた風雲児にすっかり魅せられた泰蔵――。ここまでは良かった。

プログラミングができる学生を集めて準備は万端。ただ、そこでいったん作業は止まった。泰蔵たちは米ヤフーからあるものが届くのを待っていた。ヤフー・ジャパンのデータベースに登録するために開発された「ホットリスト」というアプリだ。

それが届けられるはずの期日が、あと3日に迫った日のことだ。米ヤフー側から唐突に、異変を知らせるメールが届いた。

「申し訳ないが、間に合わない。日本語版の翻訳ができなかった」

「どういうことだよ、それ！」

テントが並ぶ作業部屋でそのメールを受け取った泰蔵たちは、慌てて打ち返した。

「ホットリストがないと始まらない。なんとかならないか」

すると米国から驚きのメッセージが返ってきた。たった一言だった。

「Good Luck!」

これにはもう、絶句するしかない――。

こうなったら自分たちでホットリストを作るしかない。ここから泰蔵たちの不眠不休の作業が始まった。英語版ホットリストを取り寄せ、それをもとに日本語版を自分たちで作り上げていく。

すべての作業が終わったのは3月31日。ヤフー・ジャパン公開の前日だった。

1996年4月1日午後3時20分。ヤフー・ジャパンの画面がパソコンのモニターに浮かび上がった。カテゴリーをABC順に並べた本家の米ヤフーにならったため、「アート」の下に「ビジネスと経済」「コンピュータとインターネット」「教育」と続いている。

その画面を確認すると泰蔵はその場に突っ伏すように力尽き、そのまま病院へと担ぎ込まれてしまった。

日本で長らくインターネットの代名詞として君臨してきたヤフー・ジャパンは、こうして始まった。

ラーメン屋の出会い

「差別化か……」

MBAの教科書に書かれている競争を勝ち抜く糸口は、いったいどこに存在するのだろうか――。思いあぐねていた川邊健太郎たちに、まさかの出会いが待っていた。

その日、川邊や田中祐介、村上臣たち電脳隊の面々は、すきっ腹を満たそうとJR原宿駅前の人気ラーメン店「九州じゃんがら」にやって来た。

いつもは恵比寿のオフィス近くにある「ちょろり」というラーメン店にたむろしていたが、この日はたまたま2駅離れた原宿にあるこの店を選んでいた。ラーメンを食べる時も、相変わらずインターネット談議に花を咲かせていた。

「このラーメンの匂いなんかも、将来はインターネットで送れるようになるかな」

誰かがこう言うと「できるでしょ。それって色とかと一緒で、要はデータ化して送って、それを再生する装置があればいいわけだから」と続く。

すると、隣で聞き耳を立てていた米国人が話しかけてきた。

「君たち、面白い話をしているね。インターネットで何かやってるの?」

ブライアン・モーザーと名乗るその男は、東京大学の博士課程に留学しているという。聞けば、米国の名門マサチューセッツ工科大学（MIT）を出た後、日産自動車や米電機メーカーを経て東大に留学してきたのだという。しかも、電脳隊のメンバーと同じ研究棟に所属しているということが分かった。

話は盛り上がり、モーザーの研究に興味を持った田中は週に一度、東大のモーザーの研究室で開かれる輪読会にも出席するようになる。ある時、モーザーがこう言った。

「インターネットをビジネスにするなら、シリコンバレーは見ておくべきだ」

モーザーはMIT時代の友人がシリコンバレーの会社にいるから紹介するという。

起業の聖地シリコンバレーと聞いて、インターネットの世界に飛び込んだ若者たちの関心がそそられないわけがない。1997年の夏休みを利用して、電脳隊の若者たちは米国西海岸へと飛んだ。

アップル、ネットスケープ、オラクル——。シリコンバレー視察では10社以上を回ったが、その中で彼らの運命を左右したのが、ラーメン店で出会ったモーザーの親友だという男がマーケティング担当の副社長を務める、アンワイヤード・プラネットというベンチャーだった。

アンワイヤードが推奨するのが、WAP(ワイヤレス・アプリケーション・プロトコル)と呼ぶ、モバイルでインターネットを見るための技術だった。第3章で触れた通り、フィンランドのノキア、スウェーデンのエリクソン、米モトローラの3社が提唱しながらNTTドコモが採用を見送った技術だ。

アンワイヤードのオフィスにやって来た電脳隊の一行に、その副社長はAT&Tから発売したばかりだと言う、やけに大きなケータイを見せた。

「何これ？　トランシーバーですか？」

「違う、違う！　これがあればどこでもインターネットができるんだ。これこそが未来のインターネットだよ」

言われてみれば、3行分の液晶画面がついている。カラーではなくモノクロだ。そこにケータイのボタンを使ってURLを入力できる。極小のディスプレーながら、言われてみればれっきとしたインターネットのマシンだ。

「これってどうやって書くの？　HTMLですか？」

元無線少年で根っからのギークである村上が興味をそそられた。

「いや、HDMLだ」

その場で書き方を教えてもらい、サーバーを借りて「Hello World」と入力すると、極小画面の中のインターネット上に表示される。

「すげー！　これはヤバいよ！」

そう言って村上が騒ぎ始めた。このたった3行の「モバイル・インターネット」が学生ベンチャー、電脳隊の未来を変えたのだ。

日本から来た若者たちの帰り際に、その副社長がこう告げた。

「実は近いうちに日本に進出するつもりだけど支店がない。だから、その時は君たちが手伝ってくれないか」

DDIの課長

帰国すると電脳隊は大きな決断を下した。

「すべての電子コミュニケーションはケータイに集約される。これからはケータイのこと以外はやらない」

ケータイと言っても、携帯電話機を作るわけではない。インターネットの未来に賭けて学生ベンチャーを旗揚げしたものの、実質的にはホームページの作成代行など下請け仕事にとどまっていた電脳隊は、「モバイル・インターネット」にやるべきことを絞り込んだのだ。

1997年夏の終わりのことだ。ちょうどその頃、ドコモでは榎啓一が率いる「ゲートウェイビジネス部」が立ち上がり、松永真理と夏野剛が加わっていた。

モバイル・インターネットに関する調査に乗り出した電脳隊は、この噂を聞きつけた。

どうやらドコモが携帯でインターネットをやろうとしているようだ――。

川邊はこの後、以前から予定していたシンガポール留学に飛ぶ。正確な時期は不明だが、ドコモ関係者によると一時期、川邊はドコモにインターン生としてもぐり込んでいたという。

「もう時効だと思いますけど、偵察みたいなもんですよね（笑）。ただ、今思えばそれだけ彼らは（モバイルに）勝負を賭けていたということでしょう」


そんな川邊と電脳隊にシリコンバレーから連絡が届いた。「ＩＤＯ（日本移動通信）に採用されたから手伝ってもらえないか」。あれはリップサービスではなかった。すでにモバイル一本で勝負しようと決めていた電脳隊はアンワイヤードと正式に提携する。すると、いわゆる「新電電」の雄であるＤＤＩもＷＡＰを採用するという。早速、ＤＤＩの課長が恵比寿のオフィスにやって来た。

「君たちがモバイル・インターネットに一番詳しい会社だとアンワイヤードから紹介されたんだけど……」

マンションの一室に集う若者たちを見て、高橋誠というその課長はややたじろぎながらも、彼らと契約することを決めた。

すでにドコモがケータイを使う新しいビジネスを模索し始めているとの情報はつかんでいた。HTMLを採用するドコモに対して、DDIは国際標準のWAPを採った。モバイル・インターネットを巡るドコモと、新興勢力であるDDIの先陣争いが、名も知れぬベンチャーだった電脳隊に絶大なチャンスを与えたのだ。

「あの当時のモバイル（関連のベンチャー）と言えば得体の知れない連中ばかりで、川邊君たちもそうだった（笑）。でも、シンパシーを感じたんですよね」。高橋は電脳隊との出会いを、こう振り返る。

EZwebと命名されることになるDDIのモバイル・インターネット計画の初代プロジェクトリーダーを任されていた高橋は当時36歳。川邊や田中より一回り以上も年上になるが、電脳隊に「シンパシーを感じた」と言うのは、誇張ではないだろう。

高橋が「大企業の歯車になりたくない」と、まだベンチャー企業の気風が残る京セラを就職先に選んだのが1984年のことだ。この年の6月に立ち上がっていたのが第二電電企画だった。第二次臨時行政調査会、いわゆる土光臨調が提案した構造改革の柱の一つとして電電公社が民営化され、長く電電公社が独占していた通信業界への新規参入が認められた。第二電電は京セラ創業者の稲盛和夫が旗振り役となって立ち上げられた。「どうせなら新しいことをやりたい」と第二電電の第1期生として手を挙げたのが、当時は京セラの新入社員の高橋だった。第二電電はＤＤＩとなり、ＩＤＯとＫＤＤとの3社合併で現在のＫＤＤＩとなる。

高橋は電脳隊との出会いの後も出世の階段を上りながら、その一方でベンチャーの育成に力を注ぐことになる。そして2018年、くしくも電脳隊からヤフーに移っていた川邊はヤフーの社長に、高橋はＫＤＤＩの社長にそれぞれ就任することになる。

ＥＺwebは1999年4月にサービスが始まった。iモードに遅れることわずか2カ月でのスタートだが、iモードの爆発力と比べれば存在感は薄かった。現在のスマホのようにパケット通信を使うiモードがコンテンツへの課金が可能だったのに対し、ＥＺwebは当時、回線交換方式で接続に時間がかかった。課金の仕組みも整備されておらず、ショートメールのやりとりが中心だったのだ。

それでも一介の学生ベンチャーにとっては、ＤＤＩとの契約は大事件だ。これを機に電脳隊のモバイル・インターネット路線は軌道に乗る。興味深いのは、電脳隊が当時から「スマートフォン」という言葉を頻繁に使っていたことだ。

川邊は２０１４年に刊行された『ＩＴ起業家10人の10年』（滝田誠一郎著）の中でこう証言している。

「スマートフォンという言葉を日本で最初に使ったのも、たぶん僕らだったと思う。１９９９年にはsmartphone.gr.jpというドメイン取っていましたから」（一部省略）

実際、１９９９年に田中祐介の名で電脳隊が出した『次世代ケータイネットワークがわかる本』では、ｉモードとＥＺｗｅｂが世に送り出された１９９９年を「スマートフォン元年」と位置付けている。当時の「スマートフォン」はインターネットとつながるというだけで、今で言うガラケーでしかないのだが、その本の中で、未来のケータイをこんなふうに描いている。

「ウォークマンにも融合するか？　答えはＹＥＳだ」

「ＳＩＭカードが使われるようになる」

「位置情報との連携。例えば、今いる場所をケータイが自動的に判断して、その場所から近い距離にあるレストランを順番に検索するといったサービスが考えられる」

「ケータイはカーナビになる」

すべてを統合すると現在のスマホになることは、言うまでもないだろう。

インターネットがスマートフォンという機械に集約されていく未来を20世紀末の当時から描いていた電脳隊――。下請け的な仕事から一転して時代の先端を捉え始めた若者たちのもとに、未来を切り開こうと模索する同志が集まってきた。

香港から来た男

「香港から来た男」が電脳隊社長の田中祐介のもとを訪れたのは、1998年のある日のことだった。田中たちがシリコンバレー視察から帰った翌年で、ちょうどモバイル・インターネットに傾斜し始めていた頃のことだった。インターネットという新しいテクノロジーにすっかり魅せられていた田中はその男とはすぐに意気投合したという。

松本真尚というその男は、大阪にあるエンゼル証券という会社の名刺を持っていた。だが松本は普通の証券マンとは明らかに違っていた。それもそのはずで、松本は証券マンではなかった。1970年生まれで田中より4学年上にあたるが、まだ20代にしてすでに波瀾万丈と言える人生を歩んでいたのだ。

時代が昭和から平成へと移った頃のこと。兵庫県の県立高校から地元の甲南大学に入学したばかりの松本に、2歳年下の妹が思い詰めたようにこう打ち明けた。

「お兄ちゃん、私、宝塚に行きたい……」

高校生で演劇部に所属していた妹は、タカラジェンヌになるのが夢だと言う。そのためには宝塚音楽学校に入る必要がある。ただ、その夢をかなえるためには入学金や授業料に加えてレッスン料も必要になる。松本が調べたところ、2000万円はかかりそうだと分かった。

妹が兄に相談したのには理由があった。松本兄妹(きょうだい)は母をガンで亡くしたのに続き、兄が17歳の時に父も交通事故で他界していた。

妹の夢をかなえてあげられるのは、自分しかいない。でも、どうやって2000万円も……。

「妹は2つ下だから僕の方が2年分は両親からの恩を受けていると考えました。それを妹にも返してあげないとフェアじゃないなと……」

一念発起した松本は入学したばかりの大学に退学届を提出した。妹を宝塚に編入させるためには時間をかけるわけにはいかない。「1年で2000万円を稼ぐにはどうすればいいか。会社を興すしかない」。そう考えた松本は大学を中退して香港に渡ることにした。

実は、香港は父を亡くした土地だった。貿易の仕事をしていた父は香港で事故にあって帰らぬ人となった。従って全く縁がないわけではないが、頼れるというほどの人脈もない。松本が香港を選んだのは単純にカネがなかったからだ。香港なら会社の初期費用を40～50万円に抑えることができた。

「花嫁衣装は期待するなよ。その代わり、俺はきっとやりきってみせるからな」

妹にそう言い残して18歳で香港に渡った松本は、異国の地で貿易商の仕事を始めた。香港で仕入れた雑貨を日本に輸入する仕事は軌道に乗り、妹は念願の宝塚入りを果たし、晴れてタカラジェンヌとなる。

妹が初舞台を踏んだ日の光景は今もよく覚えている。ただし、それは舞台を舞う妹の姿ではない。周囲の客席に座るのは、ひと目で良家の人々と分かる大人ばかり。その中でまだ20代前半の自分は、どう見ても場違いな存在に思えたと言う。

「そこに座っているのがなんだか気恥ずかしくて、早く終わらないかなとか、そんなことを考えていました」

だが、貿易商の仕事が順調に回っていた1995年、松本の人生がまたしても暗転した。その年の1月17日早朝、地元の神戸を、阪神淡路大震災が襲ったのだった。

「あの時、僕はすべてを失いました」

これには当時、松本が手掛けていた仕事の仕組みが大きく影響していた。香港で仕入れる雑貨の納入先の多くは、松本の地元である神戸にあった。震災で混乱する神戸からは、ぱったりと注文が止まってしまった。そうなると資金繰りにも窮するようになり、貿易商の仕事が立ちゆかなくなってしまった。

「（納入先が）神戸というだけで信用されなくなりました。それでもう、この仕事を続けることはできないなと」

どん底に落ちた松本にとって光明となったのが、同じ年に発売されたウィンドウズ95だった。大学3年の川邊健太郎がその「熱狂の渦」の中にいたことはすでに触れたが、異国の地で貿易商として経験を積んでいた松本の捉え方は、大学生のようなナイーブなものではなく、もっと現実的なものだった。

「ウィンドウズのパソコンを買って、こう考えたんです。『僕がいくらお金持ちになってもクルマが10台も欲しくなることはないよな。家を10戸欲しいか？　それも違う』。でも情報はいくらあってもいいし、多ければ多いほどいい。だから情報産業はとてつもなくでかくなると考えたんです」

さらにこう考えた。松本の商魂のたくましさがうかがえる発想だ。

「それなら情報産業の中には隙間も色々と出てくるはずだと。これから大きな会社がどんどん生まれてくるのだろうけど、（個人でも勝負できる）隙間が、きっと生まれるはずだ。だからこの産業にはきっと僕にもチャンスがあるはずだと思いました」

それならもう、香港にいる必要はない。

神戸に戻った松本が見つけたのが、エンゼル証券が大阪駅前につくったシステム開発のホットラインという会社だった。

「インターネットが無料だったので出入りし始めたのですが、あそこで手ほどきを受けました」

ホットラインでプログラミングを学んだ松本は通商産業省の実証実験に携わるなど、徐々にインターネットのビジネスに進出していった。

そんな時に知り合ったのが、モバイル・インターネットを掲げる電脳隊だった。

リーバイス作戦

社長の田中祐介と意気投合し、松本は当初、エンゼル証券として電脳隊への投資を持ちかけた。ところがこの頃、田中は電脳隊を辞めてシリコンバレーで起業したいと考え始めていたという。田中はこう証言する。

「電脳隊を一つのステップとして次の起業をしたいと、アメリカでもビジネスをやっていけないかと考えるようになっていました。それで川邊に社長をやってもらおうということになりました」

ラーメン屋での出会いから垣間見ることになった起業の聖地、シリコンバレー。そこには次々とイノベーションが生まれていく空気感が、確かに漂っていた。自分とたいして年齢も変わらない20代のエンジニアやプロデューサーたちが、自らの腕を試すかのようにある者は会社を渡り歩き、ある者は起業家として名乗りを上げていく。そんな場所で自分も勝負してみたいと思うようになったのだという。

そんなタイミングで持ち上がったのが、同世代の起業家が立ち上げたインターネット会社による大同団結構想だった。電脳隊を中心に、松本のホットライン、そして中央大学の学生だった本間毅が立ち上げたイエルネット、さらに、彼らより年長の池田順一が脱サラして設立したガリレオゼストは、デジタルマーケティングの草分け的存在だった。

4社が集まって設立したPIM。社長に就いたのが松本だった。

選任の方法はなんと総選挙だった。当時、田中が赤坂に持っていたオフィスに4社の社員が集められた。ホワイトボードに「CEO、COO、CFO」と書かれると、インターネットベンチャーらしからぬ紙による投票が始まった。投票の結果、CEOが松本、COOには川邊と決まった。

PIMはいち早くモバイル・インターネットにシフトしていた電脳隊の影響力が強く、実際、この後に4社の合弁会社であるPIMと電脳隊が合併しており、主力サービスの「DoSule!（ドースル）」も電脳隊が作り上げたものだ。

つまり、実質的に松本に電脳隊を譲り渡すことになる。当時のいきさつについて、田中はこう説明する。

「松本さんはすでに経験を積んでいて、明らかに僕らよりあきんどとしての力がありました。それに比べれば川邊も私も当時はまだまだクソガキでした（笑）。だから『あなたがリードしてビジネスをドライブさせてください』と伝えました」

ちなみにドースルは今ではインターネット産業史の中で忘れられた存在だが、今から振り返れば画期的なプロダクトだったと言える。

ドースルは当時、新聞などでは個人情報の管理サービスと紹介されていた。スケジューラーやカレンダー、電子メールなどをＰＩＭのサーバーに蓄積する。ケータイ端末にデータを保管する必要がないので、簡単にメッセージをやり取りしたり、掲示板に書き込んだり、画像を共有したりといったことができる。個人情報管理サービスというよりは、現在のクラウドやＳＮＳの機能を先取りしたプラットフォーマー的なサービスと言った方が適切かもしれない。

電脳隊がプラットフォーマーを先取りできたのは偶然ではない。むしろ狙って作ったと言える。シリコンバレー視察旅行から帰り、モバイル・インターネットに照準を合わせることに決めた彼らが当時、口にしていたのが「リーバイス作戦」だった。

19世紀半ば、ゴールドラッシュに沸いたカリフォルニアには多くの鉱山労働者が集まってきた。「Go West, young man（西部に行け、若者よ）」の掛け声に押されるかのように一攫千金を夢見た若者たち。だが、実際に巨万の富を得たのは鉱山で働く者たちに安くて丈夫なジーンズを提供したリーバイ・ストラウスだった。

リーバイスの戦略をモバイル・インターネットに置き換えるなら、自分たちには何ができるか――。こんな発想がモバイルのプラットフォームを創り出す原点となったのだが、ドースルは電脳隊やPIMの手で世に羽ばたくことなく、インターネットの歴史の中に消えてしまった。モバイル・インターネットの未来を信じ、あたかも現代の梁山泊のように集まっていた無名の若者たちの運命を変える出会いが待っていたからだ。

「サトカン」との出会い

1999年4月、早稲田大学――。川邊はある講演会に呼ばれていた。グッドウィル・グループ会長の折口雅博なども同席する中で自らの起業経験を語っていると、会場の最前列に座る男が熱心にメモを取っていた。講演会が終わり、川邊にあいさつや名刺交換を求める聴衆の列が途切れると、その男が話しかけてきた。

「君の話をもう少し聞かせてもらえないか」

佐藤完というその男はソフトバンクの経営戦略室の者だというが、手渡された名刺にはジオシティーズと書かれていた。

佐藤はインターネットの世界で起業家として名乗りを上げた若者たちを、陰になり日向になり支えてきた男として知る人ぞ知る存在と言っていいだろう。彼を慕う者は皆、「カンさん」と呼ぶが、「サトカン」の愛称の方が通りが良いかもしれない。2018年に57歳の若さで亡くなった際に開かれた「お別れの会」には多くの「門弟」たちが詰めかけた。

弔辞に立ったのが、この年にヤフー社長に就任したばかりの川邊だった。最後にこんな言葉を贈っている。

「佐藤完とは、インターネットが大好きで、それを担う若者たちの力を誰よりも信じて期待し、献身的な支援を惜しまなかった人です。だから、その若者たちが創るこの先の未来もずっと見ていたかったかと思います」

「それは、かなわぬこととなりましたが、息子さんやお孫さんたち、我々仲間の目を通じて見ていきますし、また、見るなんていう消極的な姿勢ではなく、我々が未来を創っていきたいと思っています。(中略)見ていてください。我々は必ずやり抜きます」

筆者も参列者の一人としてその場に居合わせたが、佐藤に支援してもらった「起業家全員があなたの作品」と言う川邊が、仲間たちの思いを代弁した言葉だったと記憶している。

そんな「サトカン」の存在は、一般にはほとんど知られていない。

「俺は表には出ない。だから俺に歴史はない。役者をつくるのが俺の仕事だ」

佐藤は生前、こんなことをよく口にしていた。実際、インターネットの世界で川邊をはじめ数々の「役者」が表舞台に飛び出し、今も活躍している。


話を戻そう。

当時、ジオシティーズは無料のホームページ提供サービスとして広く使われていた。不動産会社からインターネット接続会社のリムネットを経て、この前年の1998年に37歳でソフトバンクに渡った佐藤は、同社が出資して日本に進出させていたジオシティーズの上場準備を託されていた。

ところが1999年1月に米国のジオシティーズ本体が米ヤフーと合併することになったのに伴い、日本でもヤフー・ジャパンがジオシティーズを取り込むことになった。ポータルサイトから始まったヤフーが現在のような「インターネットのコングロマリット」へと進化を遂げる最初期の策の一つだった。

といっても、現場レベルでは、それほど大きな違いはなかった。ヤフー・ジャパンもジオシティーズもソフトバンクのグループ企業だ。いずれも東京・箱崎のソフトバンク本社ビル10階にオフィスを置き、簡単なパーテーションで仕切られる程度だった。当然ながら日米の合併を仕組んだのは他でもないグループの総帥である孫正義だった。

これで日本でのジオシティーズの上場計画はなくなった。佐藤も籍がソフトバンクからヤフーに移ることになっていた。ただ、佐藤は生前、「実は俺はリムネット時代にヤフーのことをバカにしていたんだ」と話していた。

当時のヤフーは、すでに触れたようにトップ画面にABC順にトピックが並んでいた。各項目に階層的にトピックが並び、「ディレクトリ型」と言われていた。これを作っていたのがサーファーと呼ばれる社員で、ウェブ上に無数に広がるサイトを一つひとつ探しては、ヤフーに登録していた。検索の仕方もディレクトリ型で、サーファーが作ったページをたどっていく。

要は人海戦術だ。すでに触れた孫泰蔵と100人の学生たちが初代サーファーということになる。

佐藤は「これからインターネットのユーザーは幾何級数的に増えるのに人がやっていては追いつくわけがない」と考えていたという。

また話は逸れてしまうが、検索の話をもう少し続けたい。実はヤフーを「発見」した孫正義も、「僕とジェリーで唯一、考え方が違ったのが検索だった」と言う。コンピューターが自動的にインターネットを探るロボット型検索に切り替えるよう促していた。

まだインターネットが一般の人に使われ始めたばかりの20世紀末の当時、人海戦術に頼るディレクトリ型にも一理あった。玉石混交と言えるサイトからユーザーにとって有益なものを見つけるには、人間の目によるチェックを経ることは黎明期には悪いアイデアではなかったのだろう。

ただ、1990年代後半に一気にインターネットが普及していくと、本家の米ヤフーも早い段階で人海戦術の限界を悟ることになる。2000年に入ると検索エンジンとして採用したのがグーグルだった。

ジェリー・ヤンと同じスタンフォード大学の大学院に在籍していたラリー・ペイジとセルゲイ・ブリンが開発した「バックラブ」をもとに、グーグルを設立したのが1998年9月のこと。二人はヤフーとは全く異なるロボット型検索をあっという間に世界に広げた。

その実力を認めた米ヤフーがグーグルを採用したためヤフー・ジャパンもグーグルを採用することになる。この後、曲折があり、日米とも一時は自社製検索エンジンに切り替えるが、現在のヤフー・ジャパンは検索エンジンは再びグーグルを採用している。

ヤフーへ

佐藤が川邊に出会った1999年の当時は、ちょうどグーグルが急成長し始めた時期だった。だが、日本ではもう一つの大きなイノベーションが起きつつあった。モバイル・インターネットの登場だ。その扉を開いたのが、この年の2月にNTTドコモがサービスを始めたｉモードだった。

「ｉモードのユーザーの伸びを見て『これはまずい』と思った。だから、すぐにモバイルのコンテンツを創れるベンチャーを探し始めたんだ」

そんな時に出会ったのが川邊だった。佐藤は早速、恵比寿のマンションに入る電脳隊のオフィスにも足を運んだ。そこは、インターネットが好きで仕方がないといった様子の若者たちのたまり場のような空間だった。

「あの時、リムネットにいた頃のことを思い出したよ。リムネットは後発だけど、IIJを負かしてやると息巻く若いエンジニアが一杯いてさ。川邊たちもそう見えたんだよね」

鈴木幸一が始めたインターネットイニシアティブ（IIJ）から遅れること約2年半で国から認可を得たリムネットは、すでに全国に乱立し始めていたISPと呼ばれるインターネット接続事業者の中でIIJ、ベッコアメ・インターネットと並ぶ3強に数えられるまでに追い上げていた。その時に見たイケイケの若手エンジニアたちの姿を、電脳隊に重ね合わせたのだという。彼らを束ねていたのが川邊だった。

「こいつの周りに人が集まっているんだなとすぐに分かった。だから、この会社を必ずソフトバンクのグループに引っ張ってきてモバイルをやらせようと思ったんだ」

そして年が明けた2000年。電脳隊は4社合同で設立したPIMと合併する。ヤフー社長の井上雅博に新生PIMの買収を進言し続けた佐藤は、PIMに5カ年の経営計画を提出させた。その資料をもとにはじいたPIMの企業価値が、50億〜125億円というかなり幅のある数字だった。

佐藤は「100億円以上にしたかった」と言うが、この年は急成長していたインターネット産業を荒波が襲った時期と重なる。1月にヤフーの株価は1億円を超えるが、春が近づく頃には、ＩＴ株全体が売られ始めた。ヤフー株もみるみる下がっていく。インターネット・バブルの崩壊である。ヤフーによるＰＩＭ買収は、ちょうどそんなタイミングで検討が進められたのだった。

最終的に落ち着いたのが54億800万円だった。現金ではなく、まだプラチナ株と呼ばれていたヤフー株との株式交換方式。それでも当時の日本のＩＴベンチャーへの買収額としては過去最大のＭ＆Ａとなった。

ヤフーによる買収合意に先立つ2000年2月2日の夜のこと。

六本木のクラブ「ヴェルファーレ」には2000人もの人が集まった。ただ、いつものように爆音でダンスミュージックが響き、ハデなドレスを身にまとった女性がお立ち台で踊り狂っていたわけではない。

この日は1999年から渋谷界隈に集まる若手起業家たちによる「ビットバレー」と呼ばれたムーブメントの盛り上がりが頂点を迎えた日だった。渋谷・東急文化村のしゃれたカフェで始まった「ビットな（奴らの）飲み会」が「ビットスタイル」と名を変えて毎月第1木曜日に開かれるようになった頃から、瞬く間に口コミで広がり、起業家志望の若者や投資銀行の関係者たちであふれかえるようになっていた。

渋谷をそのまま英語にした「ビターバレー」から転じて生まれたビットバレーは、インターネットによる起業ラッシュを象徴する言葉として語り継がれている。その熱狂がピークに達したのが、いまでは伝説となったヴェルファーレの夜だった。もっとも、この後すぐにインターネット・バブルは崩壊し、これが最後の集会になるのだが……。

地下3階にあるフロアに集まった2000人もの若者たち。インターネットで名乗りを上げた起業家が次々と壇上に登場した。DeNAの南場智子、マネックス証券の松本大、オン・ザ・エッヂの堀江貴文——。

会場が熱気に包まれるなか、松本や川邊を控室に招いたのが佐藤だった。

「うちのボスを紹介するよ」

そう言って引き合わせたのが、ヤフーを傘下に持つソフトバンクグループの総帥である孫正義だった。聞けば、ダボス会議を抜け出して飛行機をチャーターしてスイスから急いで帰国したのだという。初めて会うITの先駆者とのやり取りは、ごく短いものだった。

「僕らはモバイル・インターネットがこれから伸びると信じています。孫さんはどうお考えですか」

松本が聞くと、孫は手短に答えた。

「うん。僕もモバイルにオポチュニティー(可能性)を感じているんだ」

会場の熱気が乗り移ったかのように話し始めた孫の言葉を、松本の隣で聞いていた川邊はこう振り返る。

「僕は名刺交換した程度で、孫さんとは直接そんなに話さなかったんです。でも、これはヤバい人だなと思いました。この人は24時間仕事のことを考えているんだなって。実際、(後に部下になってみると)そうでしたけど」

その孫が大物ゲストとして壇上に上がる。

「みんなで情報革命を成功させましょう!」

その掛け声で、会場の熱狂はピークに達した。インターネット産業を襲う嵐が、もうそこまでやって来ていることには気づかないまま——。

松本に答えたように、孫がモバイル・インターネットの可能性を見越していたのは事実だ。ヤフーもPIMを迎え入れるのとほぼ同時に、「ヤフー・モバイル」を開始した。いよいよ、現代の梁山泊に集った若者たちの腕の見せ所である。

だが、孫がソフトバンクの総力を挙げてモバイルに打って出るのは、この時から6年後のことになる。その前に孫は、波瀾万丈の事業家人生の中で最も危険と言える賭けに挑むことを決めた。そのことが、PIMと電脳隊の若者たちの歩みに少なからぬ影響を及ぼすことになるのだった。

思い知らされた「夢物語」

「いや〜、うれしいっすよ。俺、ずっと一番下っぱでしたから」

そう言ってPIMの面々をヤフーに歓迎したのが、児玉太郎という男だった。

当時のヤフーはホームページを探すサーファー職を除いて大学の新卒者を採用しておらず、中途で即戦力ばかりを採っていた。児玉は米国の高校を出たものの家庭の事情で大学には進まず、恵まれた体格を生かしていわゆるガテン系の力仕事のアルバイトをして暮らしていた。そんな時に、たまたまネット上で見つけたヤフーに応募し、社長の井上雅博から「丁稚奉公(でっちぼうこう)でいいなら」と言われて採用された、異例の経歴の持ち主だった。

社員番号は154。ヤフーがまだ100人ほどの所帯だった1999年のことだ。この男が後にフェイスブック創業者のマーク・ザッカーバーグの目にとまり、日本進出の立役者となるのだが、当時はまだ井上が言ったように見習い的な扱いだった。

ベンチャー企業から自分と同年代の連中が大挙してヤフーにやってくる——。

児玉はＰＩＭの歓迎会の幹事を買って出た。ヤフーは箱崎にあるソフトバンクから独立して表参道のパラシオタワーに移っていた。歓迎会はすぐ隣にある結婚式場としてよく使われる青山ダイヤモンドホールを借り切って和気あいあいと行われた。

そこまでは良かった——。


「え、俺だけ社長室ですか……。まあ、いいっすけど」

２０００年夏にＰＩＭのメンバーを引き連れてヤフーに移ると、なぜかトップの松本だけが社長室行きを命じられた。「昨日までＰＩＭの社長だったのに、社長室とは……」。だが、よく考えればモバイル部門にいるよりヤフーという会社全体の力を生かすことができるポジションかもしれない——。そう考え直した松本に、社長室のあるじである井上が聞いた。

「それで、お前はヤフーで何をやりたいの？」

「世界で戦えるサービスを創りたいです」

「だったら一度、ヤフー・インクに行ってこいよ」

ヤフー・インクとは本家の米ヤフーのことだ。早速シリコンバレーに飛んだ松本は、米ヤフーの幹部にPIMから持ち込んだドースルの説明をした。

「よくできていると思うけど、ユーザー数は何人くらいを想定しているの?」

「数百万レベルです」

PIM時代のドースルから考えれば、ずいぶんと吹っかけたつもりだった。だが、その幹部はサラリと言ってのけた。

「いやいや……、ヤフーだともう1つゼロが多いんだよ」

その一言がずしりと響いた。

「あの時、PIMの時に話していたグローバル展開なんて夢物語だったんだと打ちのめされました」

松本は今もその時に受けた衝撃をよく覚えている。実は松本はその頃、日本のベンチャー界で過去最大のバイアウトを成功させた男として話題となり、外資系証券会社からひっきりなしに連絡を受けていた。だが、自分は井の中の蛙だったことを気づかされたのだ。

帰国すると井上にこう告げた。

「もう僕らのサービスなんて閉じてもらって結構です」

井上には、こうなることが最初から分かっていたようだ。うなだれる松本に冷たく言い放った。

「あっそう。じゃ、まあ、がんばって」

すっかり鼻っ柱を折られた松本が、井上に連れられて箱崎のソフトバンク本社を訪れたのは、それからしばらくした時のことだった。会議室では孫がホワイトボードの前に立ち、出席者の意見を集約しながら手書きで何かのイラスト図を描いていた。松本には、それが何かがすぐに分かったという。

実はこの頃、ソフトバンクは極秘裏にブロードバンド事業への参入計画を進めていた。ADSLという方式を使うもので、電話回線を使って全国に高速インターネット網を敷く計画だった。

ソフトバンクは情報革命を掲げて米国留学から帰国した孫が、23歳で起業したのが原点にある。孫が最初に選んだのがコンピューターソフトの卸売り業者だが、1990年代になるとヤフーを日本に持ち込むなど、日本より進んだ米国のインターネット事業を次々と国内に輸入し始めた。当時、孫が「タイムマシン経営」と呼んでいた事業スタイルだ。だが、2000年に入ってインターネット・バブルがはじけると、孫は一転してインターネットのインフラに集中し始めた。それがADSLだった。ただ、ADSLにはひとつ、大きな制約がある。最大のライバルがNTTである一方、NTTが持つ回線網を借りる必要があるのだ。

当然、のらりくらりですんなり進まない。業を煮やした孫が自ら現場の陣頭指揮を執るようになっていた。

「ヤフーの全権を持てるのか」

孫が「あれは桶狭間の戦いだった」と振り返るNTTとの消耗戦はこの後、数年にわたって続き、ソフトバンクは4年連続の大赤字を計上することになる。松本が出くわしたのは、桶狭間にどう奇襲を仕掛けるか、その軍略会議を開いている最中だった。

「それだと無理ですよ」

松本が突然、声を上げた。孫がにらみ付けてくる。

「お前は誰だ？」

ヴェルファーレの控室で会ったことは覚えていないようだ。慌てて井上が「うちに新しく入った社員です」と紹介すると、孫は「何がダメなのか言ってみろ」と、松本に続きを促した。

「その設計でキャリアレベルのＱＯＳを担保しようとしたらセンターサーバーがこけますよ」

この時、孫がホワイトボードに描いていたのはＡＤＳＬ回線を使ったインターネット電話の基本設計だった。後に「ＢＢフォン」として展開したものだ。松本が指摘したのは、孫が図示していた設計では、通信キャリアのようなサービス品質（ＱＯＳ）は実現できない、ということだった。

孫がムッとしていると、ちょうどそのタイミングで会議を中座していたソフトバンクの技術責任者が部屋に戻ってきた。筒井多圭志といって、孫がＡＤＳＬ参入のために大学から呼び寄せた男だ。孫はこと通信技術に関して、筒井に絶対の信頼を置いている。孫が松本の指摘を問いただすと、筒井はこう返した。

「電話はできると思いますけど、確かに品質が担保できるかどうかは、また別の話ですね」

松本の指摘を追認したわけだ。

「そうか……」

この日はこんなやりとりで終わった。すると翌日、松本の携帯に孫の秘書から電話が入った。

「失礼ですけど松本さんは本当にヤフーの社員ですか？」

「そうですけど、それが何か？」

「孫さんが自分の携帯に登録しておくと言うので、確認させていただきました」

すると、その翌日から松本はＡＤＳＬの会議に呼ばれるようになった。孫はこの頃、ＡＤＳＬに没頭するためソフトバンク本社ビルから少し離れた雑居ビルに部屋を借り、朝から晩までこもっていた。そこに松本が毎日のように呼び出されるようになると、今度は大事な会議にヤフー社長の井上雅博が来なくなってしまった。

この頃の孫が放つ張り詰めた雰囲気は、当時を知る社員にとって、今も語り草になっている。会議が始まると目が三角になり、少しでも返事に詰まったり説明のロジックが崩れたりすると容赦なく叱り飛ばす。

「バカヤロウ」

「辞めちまえ」

「この部屋から出て行け」

今ではちょっと社会的に容認されないだろうが、当時はこんな叱責がまかり通っていた。それだけならまだしも、議論が行き詰まると孫は竹刀を手に取り、会議中であっても周囲を気にせず無言で素振りを始める。孫が深く物事を考える時の習慣で、これは今も変わらない。

そんな張り詰めた会議に出るのを嫌った井上に身代わりとして差し出されていたと、松本は今になって振り返る。事件が起きたのは月に一度開かれるグループCEO会議だった。ソフトバンクのグループ会社CEOが一堂に会する重要な会議。稼ぎ頭のヤフーは当然、主役級となる。その会議に、井上が姿を見せない。

「なんで井上がいないんだ！」

孫が激怒するのも無理はない。事業家人生を賭けて挑むADSL事業は「ヤフーBB」と、ヤフーのブランドを冠することになっていたからだ。孫はすぐに井上に電話しろと命じた。ところが、井上は電話に出るとしらじらしい口調で返した。

「すいません。でも、俺の代わりに松本が出ているはずですけど。あっ、もしかしてあいつ、サボってるんですか？」

「いや、松本なら今俺の隣に座っている」

「あー良かった。じゃ、大丈夫ですね」

井上はそう言って一方的に電話を切ってしまった。孫の怒りが収まるどころか、火に油を注いだことは言うまでもない。今度は松本に向かって怒りをぶつけてきた。

「だったら今日決めることは、お前がヤフーの全権を持っているってことでいいんだな」

松本はヤフー社長室の一社員でしかないが、井上とのやり取りから、こんなことを言われるだろうと予想していた松本はその場で腹をくったという。

「僕がクビになって済むなら、そうします」

孫はワンマン経営者に違いないが、絶対的な権限を持つ自分に食ってかかる部下を重用する面がある。松本との間には、こんなこともあった。

ある日、ヤフーBBの設計を巡って松本と意見が衝突した。

「お前はクビだ。もう二度と来るな」

そう言われた松本は、そのまま帰ってしまった。その足で表参道のヤフーに戻り、井上にことのなり行きを説明すると、井上は何事もなかったかのように言った。

「言っとくけど、ソフトバンクはクビかもしれないけど、ヤフーはクビじゃないからな」

怒りにまかせてそのまま辞めるなんて言うなよ、という意味だ。

松本を重用するようになっていたのは孫だけではない。井上もまた、この跳ねっ返りに目をかけていた。大切な話がある時は行きつけだった青山のジャズバー「ブルーノート東京」に松本を呼び出し、麻雀の卓を囲みながら話し込むことも度々だった。

ただ、「クビだ」と言われた松本もずんなりとは引き下がれない。次回のソフトバンクの定例会議を無断で欠席した。すると孫の秘書から電話がかかってきた。

「なぜ松本さんが来ないのかと、孫さんが怒っています」

「いや、二度と来るなと言われましたので」

すると、そのやり取りを聞いていたらしく、孫が電話を引き取った。

「いいから、さっさと来んか!」

姿を現した松本を、孫は問い詰めた。

「なぜ会議に来なかった」

「孫さんがクビだとおっしゃったからですよ」

松本がこう突っ張ると、孫は教師が教え子を諭すように続けた。

「じゃ、お前は俺が死ねと言ったら死ぬのか。お前はそんな、自分の意思がない奴だったのか。続けたいって気持ちがあるんならクビになんかなるかよ」

松本はまだへそを曲げたままだ。そこは18歳で香港に渡って這い上がってきた男だ。ヤフーの仕事にしがみつこうなどという考えは、もとからない。

「いや、続けたくないっス」

松本がつっけんどんに返すと、孫は気にせず諭し続けた。

「お前、そんなんじゃ、人間が小さくないか。もっと志を持って仕事をせんか」

二人のやりとりはこんな調子が続くが、孫はこの反骨漢をますます重宝していくことになった。

イノベーションのジレンマ

松本が孫と井上の間を行き来していた頃、川邊健太郎とPIMの面々は手持ち無沙汰になっていた。川邊は新しく立ち上がったヤフー・モバイルのプロデューサーとなったが、どうもヤフーの経営陣からは、本気でモバイルで勝負しようという意気込みが感じられない。

当時のソフトバンクとヤフーを巡る状況を考えれば、それも当然だったのかもしれない。ヤフーがPIMを買収した直後にソフトバンクは「ヤフーBB」の名でADSLのブロードバンド事業に没頭することになった。

NTTとの交渉や回戦の敷設が思うように進まず、出だしからつまずくことになる。巨艦NTTを敵に回してのインフラ事業で勝つための奇策として打ち出したのがモデムという通信端末の無料配布だった。しかも、街中にテーブルとパラソルを持ち出しての通称「パラソル部隊」。ゲリラ的な販売作戦を全国で展開した。そこに、2004年1月に発覚したソフトバンクの顧客情報の流出問題が追い打ちをかけた。その代償は大きく、ソフトバンクは4年連続で1000億円前後の損失を計上した。

一方のヤフーは、単なるポータルサイトから現在に続くコングロマリット化の階段を上り始めていた。ヤフーのトップ画面はカテゴリー別の情報分類から徐々にニュースに置き換えられていった。1998年にトップ画面の右側に、常時8本のニュースを載せる「ヤフー・トピックス」が採用されたのを皮切りに、徐々にニュースがヤフーの顔となっていった。

続いてeコマースのヤフー・ショッピングや、ヤフー・オークションなどが次々と登場していく。いずれも楽天やDeNAなど強力なライバルが存在した。まだガラケー全盛期の当時、モバイルそのものより、どうしても新たに築きつつあるエコシステム（生態系）の整備に、人もカネも回さざるを得ない面は否めなかった。

ただ、モバイル・インターネットで世界と戦おうとヤフーにやって来た若者たちには、どうしても違和感がある。川邊とともにヤフーにやってきた「モバイル小僧」の村上臣は、その夜のことがずっと胸にひっかかっていた。

当時はサーバーの監視も社内で行っていた。その日、村上は夜勤組だった。他の社員と二人一組で夜11時から朝7時まで、サーバーの状況を示すモニターを見つめていた。

井上が突然、その部屋に入ってきたのは真夜中の2時頃だった。夜勤の二人をねぎらいつつ、井上が村上に聞いてきた。

「それでお前、モバイルの方はちゃんとやってるのか？」

「やってますよ！　やってるんで、ちゃんと使ってくださいよ〜」

村上が懇願するように話すと、井上はポロッとこんなことを口にした。

「だって、字がちっちゃいからなぁ。こんなちっちゃい画面でインターネットなんてやるのかなぁ」

井上は普段は社員の前で「モバイルの時代が来る」と言っていたが、この時に偽らざる本音が見えたと、村上は受け取った。

確かに今思えば当時のガラケーの液晶画面は小さく、タッチパネルでもないため操作するにはボタンを一つずつ押す必要がある。現代のスマホとは全く別物だ。それでも机に縛り付けられるパソコンから、人々はいつか解放されると信じてヤフーにやってきたのだ。

「井上さんもいつかそういう時代が来るだろうという考えはお持ちだったと思います。でも、それまでは俺は使わないな、という感じでしたね」

村上が垣間見たモバイル不信は、なにも井上に限ったことではなかった。ヤフー全体に見て取れる風潮だったようだ。

ヤフーのメディア事業の立ち上げに深く関わり、後に井上に次いで社長となった宮坂学は、当時の状況についてこう証言する。

「ｉモードが出てきた時に我々は出遅れたのです。モバイル・インターネットそのものに出遅れた。当時はパソコンが盛り上がっていて、パソコン（のサービス強化）で手いっぱいだった。iモードで成功した会社の中にヤフーの名はなかった。モバイルは来るだろうとは思いつつも、どこかで『本当かな』という思いはありました」

経営学者のクレイトン・クリステンセンは有名な著書『イノベーションのジレンマ』で、優良とされる巨大企業がその地位を追いやられる原因として、「企業の成功のために重要な、論理的で正しい経営判断が、企業がリーダーシップを失う理由にもなる」と指摘している。ここでいう正しい判断とはどういうことか。

「顧客の意見に耳を傾け、顧客が求める製品を増産し、改良するために新技術に積極的な投資をしたからこそ、市場の動向を注意深く調査し、システマティックに最も収益率の高そうなイノベーションに投資配分したからこそ、リーダーの地位を失ったのだ」

まさに当時のヤフーの状況が当てはまると言えるだろう。ヤフーがパソコン向けのインターネットサービスを拡充させ、人も金もつぎ込んでいたのは「顧客の意見に耳を傾けた」結果、それが「顧客が求める製品」と言えたからだ。ヤフーのような「優良企業」が追いやられるのは「破壊的イノベーションの法則」を無視したか、この法則に逆らったためである場合が多いという（引用は伊豆原弓訳）。

日本のインターネット産業でガリバーの地位を築いたヤフーもまた、モバイルという「破壊的イノベーション」の登場をみすみす見逃し、イノベーションのジレンマに陥りかかっていたのだ。その状況はしばらく続き、取り返しのつかない事態となる一歩手前で大どんでん返しが起きる。ただ、それはもう少し後のことだ。

不遇の社会派プロデューサー

2000年にヤフーにやって来てヤフー・モバイルのプロデューサーとなった川邊健太郎もまた、社内にはびこる「モバイルにまで手が回らない」という空気感に直面していた。というより、早々にモバイル・シフトに見切りをつけてしまっていたようにさえ見えた。

ヤフーに移った翌年からその傾向が顕著に見え始めた。この年の7月に行われた参議院選挙に、川邊にとって縁の深い人物が選挙に打って出ることになった。通商産業省のキャリア官僚だった鈴木寛だ。通称「スズカン」。鈴木が東京都から出馬を表明すると、川邊は「サトカン」を誘って選対本部の運営に携わるようになった。

鈴木が表参道に事務所を構える際には、当時としては珍しい光回線を敷設したが、この事務所は2004年にプロ野球再編騒動が勃発した際に、世の中には知られざる影の司令塔となった。川邊もまた、ヤフーでプロデューサーの肩書を持ちながらプロ野球の一大事に深く関わっていくことになる。この話はまた別の機会に紹介したい。

鈴木は異色の官僚と言っていいだろう。山口県庁に出向した2年間に松下村塾に何度も通い、維新の志士たちを育てた吉田松陰の生き様に深く感銘を受けたという。1995年に霞が関の本庁に帰任すると、ボランティアで「すずかんゼミ」という活動を始めた。大学のゼミと違い、在籍する大学に関係なく志のある若者を広く募った。

そこに顔を出していたのが、川邊と田中祐介を結びつけた慶應義塾大学SFCの学生だった。その学生が「面白い奴がいます」と言って鈴木に紹介したのが、電脳隊を立ち上げた直後の川邊だ。ちょうどその時、すずかんゼミはシダックスからホームページを作れないかと相談を受けていた。実はこの仕事が、電脳隊が軌道に乗るきっかけとなった。

「僕は当時、31歳。松下村塾に感化されて『若者の力は無限だ』といつも言っていた」。そこに現れた電脳隊を率いる川邊の印象は強烈だった。1996年の年明けのことだ。よく覚えているのは、川邊の首からぶら下がるひょうたんだった。

「なんでひょうたんを首からかけてるの？」

「そもそもネクタイだってなんでいまの形になったのかなんてよく分からないじゃないですか。だったら、ひょうたんでもいいじゃないですか」

こんな意味不明な理屈で返す若者を、鈴木は面白がった。この風変わりな学生起業家の愛車パジェロに乗せてもらうと、ダッシュボードの上に坂本龍馬の小さな像が飾ってあった。

電脳隊のオフィスに足を運ぶと、鈴木の目にとまったのが川邊の祖父の写真だった。聞けば、川邊が小学校4年の時に「健太郎はコンピューターを学べ」と言ってパソコンを買い与え、その後すぐに亡くなったという。自分をインターネットという世界に導いてくれた祖父のことを深く尊敬しているという話を聞いて、鈴木は「こいつは志が違うなと思いました」と振り返る。

鈴木が川邊をはじめ、すずかんゼミの教え子たちに何度も口にしていたのが「これからはノウ・ハウではなく、ノウ・フー（know who）だ」という言葉だった。

志が志を呼び集めるようにして大きなうねりを起こしていく。幕末のあの時期、停滞するこの国のかたちを変えたのは、名もなき若者たちの熱狂の集合体だった。

そんな革命を、平成不況という停滞感が漂う世の中に起ころうとしている情報革命という新たなうねりの中で再現してほしい。その主役になるのは、今は名もなき若者、つまり君たちのはずだ――。

そんなことを無名時代の川邊らに語っていた恩師が国政に打って出る。

支援に名乗り出た川邊の関心は、ここからヤフーの社業やモバイル・インターネットより、社会活動と言える分野へと急速に傾いていく。2003年にはヤフー・ボランティアを立ち上げ、2005年にヤフー災害情報を始めた。その前年に新潟を襲った中越地震がきっかけだった。

2004年にはプロ野球再編を陰で操ることになった。ここでは詳細は省くが、ライブドアを率いる堀江貴文に近鉄球団の買収を持ちかけ、球界の長老たちが画策した球団削減の動きに次々と対抗策を打ったのは、川邊とその仲間たちだった。

そしてヤフー・ジャパンの創業から10周年にあたる2006年に記念行事として「みんなの政治」を提案する。議員会館を何度も訪れて政治家たちの賛同を得ていったが、インターネット・ユーザーが議員一人ひとりの活動を評価する、いわば通信簿のような機能を付けることについては、議員から反発されることを予想してだまし討ち的に付け加えたという。名もなき大衆の声をひろってこそインターネットの力を発揮できると考えたからだ。

政治への取り組みに傾倒した川邊はこの当時、周囲の親しい者に「いつか俺も政治家になりたい」と秘めた野望を口にしていたという。

すっかり社会派プロデューサーとしての活動に軸足を移していた川邊に、別れが訪れる。自分をヤフーに招いたサトカンこと佐藤完もまた、社内で立ち位置を失っていたのだった。

2006年2月、佐藤はヤフーを去ることになった。最後に全社員に送ったメールには次のように綴った。インターネットの可能性を信じてヤフーに飛び込んだ佐藤の無念がにじみ出るような文章だ。

「成すべきことを成した8年。今は唯一言、『是非も無し。』。以下をもちて……、では、『お先に御免。さらば。』」

佐藤が「お前が送信ボタンを押してくれよ」と言って指名したのが、PIMの中でも年少組で、モバイル・シフトに目を向けない会社の現状に不満を募らせていた村上臣だった。川邊はこの後、ヤフー・ニュースへと職場を移し、2009年にはUSENから買収した動画配信のGyaOの社長に転じることになる。

「正直、ヤフーを辞めようと思ったことは？」

2018年にヤフー社長への就任が決まった直後に、過去のいきさつを知る筆者は川邊にこんなことを聞いた。川邊の答えはこうだった。

「夢中になってやっている間にここまで来たというのが大枠での感想です。でも、2012年の体制変更の直前には正直、閉塞感がありました。その時には、なんというか嫌になっちゃうな、と。もう、ヤフーから離れてGyaOの社長だけでやっていこうと思ったこともありました。ヤフーは停滞感があったし、面白くない話も色々とあったので……」

2012年の体制変更というのは、クーデターまがいの行動で起こしたモバイル・シフトのことだ。そのいきさつについては後述するが、モバイル革命を胸にヤフーにやって来た川邊は、長い不遇の時代を過ごしていたのだった。

孫正義の極秘指令

ヤフーBBが始まった後も、松本はモバイルとは異なるフィールドで重用されることになる。松本が任されたのがeコマースの立て直しで、「ヤフー・ショッピング」の事業部長に指名された。ライバルはすでに仮想商店街で圧倒的に先行する楽天だ。孫正義からも「いいか松本、倒れる時は前向きに倒れろよ」と発破をかけられていた。

ただ、松本の目にも当時のヤフーはイノベーションのジレンマに陥りつつあるように見えた。ついに社長の井上雅博に「辞めたい」と漏らすようになっていた。するとある夜、井上は青山のブルーノート東京に松本を呼び出し、こう言った。

「お前が辞めたいのは分かった。ただし条件がある。3年で楽天の背中にタッチできれば辞めてもいいよ」

「3年で楽天を、ですか……。分かりました」

そこから猛烈にヤフー・ショッピングへの出店戦略を見直して楽天追撃の準備に取りかかっていた、まさにそんなタイミングで、松本は孫から驚きの計画を打ち明けられる。ボーダフォンの日本法人を買収して携帯電話に参入するというのだ。

親会社であるソフトバンクが携帯参入を計画していることは以前から周知の事実だった。携帯事業に進出するために不可欠なのが、電波の存在だ。国民の共有財産と目され、どの会社がどの電波帯を使うかは国が割り当てる。ソフトバンクも国に対して再三にわたって電波の割り当てを申請していたが、なかなか実現しない。

しびれを切らした孫はついに監督官庁である総務省を提訴した。当時の総務大臣は麻生太郎だった。敵に回したくはない大物政治家だが、孫は「最後はプッツンしちゃった」と言う。2004年10月のことで、ようやく電波を得たが、それだけでは携帯事業参入のスタートラインに立ったにすぎない。全国津々浦々に携帯基地局を張り巡らせるには途方もないカネと時間が必要になる。

そこでソフトバンクはボーダフォン日本法人に提携を持ちかけた。ボーダフォンが持つ回線を間借りして自社の回線の不足分を補うためだ。現在では格安スマホが採用しているMVNOと言われる通信会社から回線を間借りする方法だ。

ところが一転、英国のボーダフォン本社から日本法人の売却を打診される。孫はソフトバンク幹部を集めて買収に方針を切り替えることを告げた。

こうして極秘裏に始まった巨額買収を、松本が事前に打ち明けられたのには理由があった。買収額は交渉を重ねるうちにつり上がり、最終的には負債も合わせれば2兆円となった。ソフトバンクの財務チームは複雑な資金調達スキームを練り上げるが、その中にヤフーも組み込まれていたのだ。

「井上を説得するための資料を作れ」

これが、孫が松本に託した極秘のミッションだった。ボーダフォン買収のため、ヤフーに1500億円を背負わせたのだった。その場合、ヤフーにどんなメリットがあるのかを考えろという意味だった。ただ、井上もすぐにソフトバンクによるボーダフォン買収計画を知るところになる。自分には内緒で孫の極秘指令で動いていた松本に、こう迫った。

「だったら、もしこれが失敗したら一生ヤフーで働いて1500億円を返すって約束しろ」

「いや、無理でしょ、そんなの……」

「ダメだ。ここにサインしろ」

そう言って井上は、携帯参入に失敗したらヤフーで一生働くと書かれた念書を作り、松本にサインさせてしまった。もちろん井上流の冗談だが、意図するところは「ヤフーを辞めるな」ということだったのだろう。あの「3年で楽天の背中にタッチできれば」という約束を、松本は果たしつつあった。子飼いの松本を手放したくなかった井上なりの演出だったのだろう。

だが、実際にソフトバンクがボーダフォン日本法人を買収し、携帯参入を果たすと、松本に逃げ場がなくなってしまった。他ならぬ孫が松本の退路を断ってきたのだった。

謀反疑惑

ソフトバンクによるボーダフォン日本法人の買収交渉が大詰めにさしかかった頃、ヤフーにもモバイル事業部を新設することになった。その人事を巡って一悶着があった。

ソフトバンクがボーダフォン日本法人の買収を発表したのが2006年3月17日のことだった。井上が孫のもとにモバイル事業部などの人事リストを提出しに行ったのは、その直後のことだ。この頃には六本木ヒルズに移っていたヤフーの本社へと帰る車中で、井上の電話が鳴った。孫からだった。

「携帯はソフトバンクが命を賭けてやろうとしているんだぞ。それなのにどういうつもりだ。兼務なんかで命を賭けられるのか」

井上は副社長の喜多埜裕明にモバイル事業部長を兼任させる考えだったが、孫はそれが気に入らない。喜多埜は井上に次ぐヤフーのナンバー2だが、専任の事業部長を置けと言うのだ。孫が初代モバイル事業部長に指名したのが、企画部長の欄に名があった松本だった。

その事実を井上の口から知らされた松本は、腹を決めた。そもそもヤフーにやって来たのは、このインターネットの巨大企業の力を借りてモバイル・インターネット革命を起こすためだ。実際に来てみるとヤフーの経営陣にその気はなかった。だが、ついにチャンスが目の前に巡ってきたのだった。

ソフトバンクによるボーダフォン日本法人買収が発表された2日後、ヤフーは組織変更を公表した。新設のモバイル事業部のトップには松本の名が記されていた。

だが、この人事が盟友とのボタンの掛け違いの原因になろうとは、松本はこの時点で思ってもみなかった。

松本にはいつでもヤフーを去る覚悟があることは、井上も知っている。松本は交渉のチャンスだとばかりに、ヤフーに残ってモバイル事業部長を引き受ける条件を、井上に突きつけた。

「PIMの奴らを全員、モバイル事業部に返してください。もう人事が決まっているでしょうから最初の1期は仕方がないですけど、3カ月後にはお願いします」

すると井上は少しだけ考えて短く答えた。

「嫌だ」

「え？」

「だって、あのチームを渡したらお前、謀反（むほん）を起こすだろ」

「なんですか、それ？」

「お前はあいつらと一緒にヤフーの中にもうひとつ違う会社を作るだろってことだ」

「いやいや……、そんなことしませんよ」

「いや、絶対にダメだ」

これは冗談ではなかった。実際、井上はPIM組の再結成を認めなかった。モバイル小僧の村上臣は後にモバイル事業部への合流を許されたが、旧電脳隊のトップである川邊健太郎の処遇については、松本が何度懇願しても井上は首を縦に振らない。結局、川邊は蚊帳の外に置かれ、翌2007年にヤフー・ニュースへと転じることになる。川邊をニュース部門に引っ張ったのは後に社長になる宮坂学だった。さらにその2年後にはGyaOの社長に転じ、川邊自身が語ったようにヤフーを去ろうとさえ考えることになる。

だが、宮坂と過ごしたこの2年間が川邊の歩みを再び変えるきっかけになるのだから、人生というものは分からない。後に孫から社長就任を打診された宮坂は、自分とタッグを組む副社長兼COO（最高執行責任者）に、川邊を指名する。理由は、「あいつとはカラッとケンカできるから」だった。

孫が「ソフトバンクの命を賭ける」と言った携帯事業。もっとも、孫は携帯電話を扱うただの通信会社になるつもりは毛頭なかった。孫は当時から「携帯に参入するのは携帯電話機を売るためではない。モバイル・インターネットをやるためだ」と繰り返し語っていた。それは川邊や松本が20世紀末から口にしていた言葉でもあるのだが――。

ただ、孫が「命を賭ける」というのも、決して大げさな表現ではなかった。当時のボーダフォンは電波が届きやすい、いわゆるプラチナバンドを持たず「つながりにくい」というのが定評だった。

かろうじて使ってもらっているユーザー層も盤石ではない。当時はちょうど番号持ち運び制度といって、今のように通信キャリアを変えても携帯番号を維持できる制度が導入される予定だった。ソフトバンクが買収直後にユーザーに対して「他社に乗り換える考えはありますか？」というアンケートを行ったところ、なんと3分の1が「乗り換える」と答えたのだった。

それが現実になると、ソフトバンクはどうなってしまうだろうか――。さすがの孫も「あの時は本当に背筋がゾッと冷たくなる思いでした」と振り返る。

そんな危うい挑戦へと歩みを進めるなかで、ヤフーの初代モバイル事業部長に起用された松本はますます孫から重用されることになる。それを物語るエピソードが出向比率問題だ。松本はヤフーとソフトバンクの両社に仕事の比率を提示する必要があった。

「お前はこれからソフトバンクに100％コミットしろ」

孫は松本に、ヤフーの仕事よりソフトバンクに集中しろと迫った。だが、松本にはヤフーのモバイル事業部に部下もいる。

「いや、俺、ヤフーのモバイル事業部長なんですけど」

「かまわん。100％だ」

孫は全く聞く耳を持たない。ただ、出向比率を100％に設定するとヤフー側のイントラネットなども使えなくなり、経営会議にも出席できなくなる。困った松本は「ソフトバンク99％、ヤフー1％」と提示したが、これが井上の癪に障ってしまった。ナンバー2の喜多埜とともに松本を社長室に呼びつけて、こう問い詰めた。

「お前、ヤフーに1％ってどういうことだ」

「孫さんがソフトバンクに100％コミットしろっておっしゃるので」

「そうか。じゃ、聞くけどモバイル事業部には社員は何人いるんだ？」

「200人くらいです」

「へぇ。じゃ、お前は1％の力でそいつらをマネジメントできるんだな。だったら、もし100％だったら2万人は使えるってことだよな」

「はぁ……」

「だったら、明日からお前がヤフーの社長をやれよ。できるんだろ？」

「いや、そう言われましても……」

助け舟を求めようと松本が隣にいる喜多埜に視線を向けても、目を合わせてくれない。

「ちょっと考え直させてください」

そう言って社長室から退室した松本は、隣にある喜多埜のCOO室に逃げ込んだ。喜多埜も追ってくる。打開策として喜多埜は「ソフトバンクには99対1と言って、ヤフーには60対40で申告しよう」と提案してきた。合算すると139％になる。

「悪いけど、最初の3カ月だけでもそれでガマンしろ」

こうして2006年の4月から6月までの3カ月間、松本は1日も休むことなくソフトバンクとヤフーの間を行き来することになった。

「ヤフーの社長をやらないか」

こうしてソフトバンクのモバイル戦略に組み込まれるようになった松本は、米アップルからのｉＰｈｏｎｅ導入交渉など、重要な仕事を任されるようになっていく。そんな松本に、実は井上は２度にわたって自分の後任社長に就くよう打診していた。１度目はモバイル事業部長の頃。２度目は２０１１年に松本が新規事業担当となった後のことだ。井上と二人で食事している時だった。

「俺もそろそろ引退するよ。だから前にも言ったけど、やっぱりお前が俺の後任の社長をやってくれよ」

井上は誰にも話していなかった引退の考えを、松本に打ち明けた。だが、松本には驚きはなかった。この頃の井上は週末になると箱根の別荘にこもるようになり、平日も会社に姿を見せることが少なくなり始めていた。地下にワインセラーを完備したその別荘には松本も度々遊びに行き、日本のヤフーを一代でガリバーと言える地位にまで押し上げたこの男が、晴耕雨読の日を待ちわびていることを実感していたのだった。

ただ、この頃になると松本にも達観したような思いがあった。ヤフーをインターネットの代名詞と言える存在に育て、間違いなく日本のインターネット史にその名を刻む井上が、自分をはじめ社員たちに何度も繰り返した言葉が、頭の中に残っている。


「俺が日本で一番ヤフーを使っている。その俺を納得させられるか？」

「横着するんじゃねぇぞ。インターネットをなめてんじゃねぇ」

「どれくらいやったら最高の評価になるかって？　俺がビックリしたらだよ」

「お前ができない方に賭けてやるよ。1円だけな」

「ナンバーワンの上にオンリーワンってものがあるらしい。それを目指そうぜ」


井上が育てたヤフーのバトンを受け取るか、それとも自分だけの道に歩を進めるか――。

松本は当時の心境をこう振り返る。

「インターネットの本質に誰よりもこだわり続けたのが井上さんでした。それを間近で見させてもらった。こんな幸運はないですよね。もう、十分でした」

そして、恩人とも言える井上に、こう答えた。

「すいません。興味ないです。ソフトバンクで孫さんの後継者だったらいいですけどね」

これには井上も思わず苦笑いした。

「面白いこと言うね。それ、孫ちゃんに言ってみたら？」

「いや、それは面倒っすよね（笑）」

「だよな～」

こんなやりとりだけで、二人には分かり合えるものがあったのだろう。その後、井上が後継人事のことを口にすることはなくなった。そして二人は示し合わせたかのように翌2012年にともにヤフーを去ることになる。

ただ、その前に、ある事件が勃発した。

村上の乱

2011年10月26日夕方、場所は東京・汐留のソフトバンク本社25階。普段は社員のカフェテリアとして使われるスペースに、急ごしらえの舞台が作られた。300人の聴衆の最前列には孫正義が陣取る。ヤフーやソフトバンクの経営陣もその両脇を固めた。

この日は孫が主宰するソフトバンクアカデミアのプレゼン大会の決勝の日だった。孫が自らの後継者育成を掲げて社内外から人材を募った私塾で、この日のテーマは「ヤフーの10年戦略」だった。

次々と壇上に立つアカデミア生が持論を展開していく。そして、特徴のあるロン毛のその男が舞台に立つと、会場は静まりかえった。

モバイル小僧の村上臣だった。

実は村上はこの時、すでにヤフーを後にしていた。いつまでもモバイル・シフトに本腰を入れない経営陣に反発し、「やってらんねーや」と飛び出していたのだ。孫の命令でアカデミアにだけは籍を残していたところ、与えられたテーマが「ヤフーの10年戦略」だった。

「それを聞いた時に正直、最初に思ったのが『そもそも今のヤフーに10年後なんてあるのか』ということでした」

どうせ孫やヤフー経営陣の前でプレゼンをするのなら一発かましてやれ——。そう考えた村上は事前にかつての同僚の中から不満分子を呼び出し、「お前が不満に思っていることを言ってくれ。俺が代弁するから」と徹底調査に乗り出していた。

川邊もその一人だった。新橋のうなぎ屋でかつての電脳隊の後輩にあたる村上に会うと、二人でプレゼンの内容を練り上げていった。

「色々とありましたけど、『ここをもっと激しくした方がいいよ』とか、そんな内容でした」

そんな旧電脳隊組の思いを受けた村上がステージに立つと、1枚の写真が映し出された。

「MOTTAINAI」

大写しになった9文字と一緒に画面に浮かんだのが、ふくよかな黒人女性だった。ワンガリ・マータイ。ケニア出身の運動家で、日本に伝わる「もったいない」の精神を世界に広げたことでも知られる。ノーベル平和賞を受賞したが、この直前に亡くなっていた。

「もったいない……。何がもったいないかというと、それはヤフーの経営です」

そこから堰(せき)を切ったように村上のヤフー批判が始まった。最も伝えたいのは、破壊的イノベーションであるモバイル・インターネット、つまりスマホに乗り遅れているということだった。今のヤフーの経営体制では、スマホ大陸への移住は果たせない――。それが村上のメッセージだった。

プレゼンが終わると会場は静まりかえった。拍手はなく、孫は黙りこくったままだ。本来ならプレゼンター一人ひとりになされる講評もない。

（あーあ、やっちまったな〜。まあ、いいか……）

その日はそれで終わった。だが、年が明けてしばらくするとかつての先輩である川邊が村上を六本木ヒルズの近くにあるカフェに誘った。

「なあ、またヤフーに戻ってこいよ」

そう言う川邊を、村上は軽くいなした。

「今更、何言ってるんですか」

すると川邊が思わぬことを口にした。ヤフーは経営陣が刷新されるという。しかもすでに次期経営陣の顔ぶれが決まっている。社長には当時44歳の宮坂学が就く。副社長兼COOになるのが、他でもない川邊だと言う。

「まじっすか！」

これには村上も驚きを隠せない。宮坂も合流し、「お前の力が必要なんだ」と力説する。もう、村上の心は決まっていた。実は、村上はこの時、電脳隊を一緒に立ち上げた田中祐介と一緒にもう一度スタートアップの世界に飛び込むつもりだったが、事情を知る田中も

「ビッグウエーブに乗っかった方がいいよ」と村上の背中を押したのだった。

村上は「CMO（チーフ・モバイル・オフィサー）」の肩書をひっさげて、再びヤフーの門をくぐることになる。

ここから「爆速経営」を掲げる宮坂のもと、ヤフーのモバイル・シフトが始まった。

「これは男同士の話だ」

かつての仲間たちの逆転劇を見届けるように井上とともにヤフーを去った松本には、心残りがあった。川邊の後見人だったサトカンこと佐藤完から、川邊がモバイル部門から自分だけが外されたことにわだかまりを持っていると聞いていたのだ。おおかた、川邊は松本に「干された」と思っているのではないか——。

「あいつにはちゃんと話さないといけないと思っていたんです」

そう言う松本は、川邊を食事に誘った。もともと二人は毎年、年末に酒を飲みながらじっくりと話し込む時間を持っていた。昔から気心の知れた仲だが、六本木ヒルズのレストランで夕食をともにしたこの時は、松本にはいつになく思うところがあった。

「これは男同士の話として聞いてほしいんだけどさ」

松本はこう切り出し、言葉をつないだ。

「モバイル事業部の時な。俺はお前に来てほしかったんだよ。いや、お前だけじゃなくてPIMのみんな」

そこから、井上に告げられた「謀反疑惑」の顚末を、松本は初めて川邊に伝えた。

「これは本当だから。信じてくれ。そもそも俺はヤフーを辞めるつもりだったから、モバイル事業部をやらせてほしいなんて一言も言ってないんだけど」

誤解を解きたいという盟友に、川邊はさらりと答えた。

「え〜!、それマジですか。ひでぇな〜」

それでわだかまりは解けたようだ。後は20年前からと変わらないよもやま話が続いた。

こうして「香港から来た男」はモバイル革命のバトンを川邊に託し、ヤフーから消えた。井上からのアドバイスを受けて1年間はインターネットの世界から距離を置き、リフレッシュした2013年にシリコンバレーでベンチャーキャピタリストとして鳴らした伊佐山元らと、スタートアップ育成ファンドのW i Lを結成し、多忙な日々を送っている。

盟友は去り、川邊はヤフーの副社長兼COOとしてナンバー2の座に抜擢された。川邊が真っ先にこの人事を伝えたのが、自分を見いだしてヤフーへと導いてくれた恩人だった。

2012年3月1日午後、佐藤完は東京・溜池のアークヒルズフロントタワーに引っ越したばかりの真新しいフェイスブックジャパンのオフィスに招かれていた。佐藤を招いたのは児玉太郎だった。

児玉が米国の高校を出て帰国し、井上から「丁稚奉公でいいなら」と言われてヤフーへとやって来たことはすでに触れた。その後、ヤフーで頭角を現し、マーク・ザッカーバーグに見初められてフェイスブックジャパンの初代代表となっていた。児玉が真っ先にフェイスブックへの転身を伝えたのは佐藤だった。

「完さんには、ずっとお世話になっていましたからね。僕にとってはお兄ちゃんというか、お父さんというか……。完さんからは『お前たちが未来を作れ』と言われ続けていました」

ただ、この日は佐藤はなんの用事なのかは知らされていなかった。

午後3時になると珍しくビシッとスーツに身を固めた川邊が登場した。佐藤に一式の書類を手渡してこう言った。

「完さん、やりました。ヤフーは執行部が変わります。これを読んでください」

それはヤフーの経営刷新を告げるプレスリリースだった。まさにたった今、3時に配信されたばかり。社長には宮坂学が就き、川邊がCOOになると書かれている。さらに、新任役員の一番下には「執行役員チーフモバイルオフィサー（CMO）村上臣」と記されている。電脳隊のモバイル小僧、村上は佐藤がヤフーを去る際に別れの言葉の送信ボタンを押させた男だ。

この直後には東京証券取引所での記者会見が予定されている。わずかな空き時間を使って、川邊は真っ先に恩師に「復権」を伝えたかったのだった。

「おおっ！」

プレスリリースを握る佐藤の手が震える。

「ついにお前らの時代が来たか！」

そう言うと佐藤は川邊に抱きついたまま号泣し始めた。

「正直、ヤフーはモバイルに出遅れている。でもお前らがやるなら今からでも巻き返せるぞ！　やるぞ！」

恩師が最期に伝えたこと

この後、ヤフーは「スマホ大陸への移住」という経営課題を掲げ、5年間をかけて完遂する。役目を果たした村上臣はリンクトイン日本代表に転じた。そして川邊は2018年にヤフー社長に昇格する。

その間、実は、いの一番に復権を伝えたかったはずの恩師との間に、ちょっとした行き違いから溝ができてしまっていた。

川邊はヤフーで実権を握ると、恩師の佐藤に顧問格での復帰を打診した。佐藤が自らに冠した肩書は「幕賓（ばくひん）」だった。将軍や大臣などの顧問となる者という意味だ。インターネット産業に広い人脈を持つ佐藤に託されたのは、出遅れた「スマホ大陸への移住」を推し進めるためのM&Aだった。

ただ、ここで二人の思惑はすれ違う。この件に関しては、二人の見解が異なる。だから、どんなすれ違いがあったのかは、ここではあえてその詳細には立ち入らない。ただ、恩師はこの件をきっかけに再びヤフーを去ることになった。当時のことは川邊もあまり詳しくは語らない。ただ、佐藤が亡くなり、弔辞に立った時にさらっと触れた。

「つまらないボタンの掛け違いから、私と佐藤さんとは次第に疎遠になってしまいました」

だが、それでも師弟の絆が崩れることはなかった。

2017年1月、佐藤はフェイスブックで末期ガンに冒されていることを、仲間たちに告知した。すると、川邊は再び佐藤に連絡を入れた。「もう一度会ってもらえませんか」

ヤフーの本社に招かれた佐藤を、川邊は出迎えた。

「完さん、僕だけじゃないです。懐かしいメンバーがあなたを待っていました」

別室に案内されると、かつての教え子たちが、そこにいた。その面々を見た佐藤は、照れくさそうに川邊に語りかけた。

「あの時は悪かったな。俺も調子に乗っちまったかな。お前たちにも嫌な思いをさせちまったな」

川邊は何も返せない。

それから1年余りがたち、いよいよ佐藤の容体が悪化し、医師からは「最悪、余命は1カ月」と告げられた。ちょうど川邊がヤフー社長に昇格することが決まった頃のことだ。するると、川邊はかつての恩師に電話をした。

「俺の新しい名刺を受け取ってください」

2018年3月31日、友人の結婚式を中座して東京・尾山台にある佐藤の自宅を、川邊は晴れ着のまま訪れた。病状が悪化した佐藤は酸素チューブが手放せず、もはや横になるのも苦しいという。自宅の玄関前でかつての愛弟子を迎えた佐藤はその場にしゃがみこんでしまった。そのまま師弟の会話が続く。

これが最後の別れだ。

もはや寝ているのも苦しいはずの佐藤は立ち上がり、背筋を伸ばして何かを伝えようとする。川邊は佐藤から最後の言葉を受け取った。それは、川邊だけでなく、佐藤が育てた多くの若き志に向けられた言葉だった。大きく息を吸うと、佐藤は語りかけた。「サトカン」の最後の言葉を仲間たちに伝えるため、川邊はその映像を残している。

緑のニット帽をかぶった佐藤の表情からも、これが最後の言葉であることを覚悟した様子が伝わってくる。声を振り絞るようにして語りかけた。

「20世紀末に出会い、21世紀冒頭のインターネット黎明期をともに過ごした若者たちよ。今まさに君たちの時代が来る。来ている。扉がもう、開くところだ。お前らがやれ。乗り越えろ。歯を食いしばってやり遂げろ。挫折してもいい。また立ち上がれ。意志を継いで……、先に進め。じゃあな」

映像はここで終わっている。ただ、佐藤は自宅に駆けつけた愛弟子だけに、最後の言葉を残していた。たったひと言。とてもシンプルだ。

「振り抜けろ」

その言葉に込めた思いを、佐藤は愛弟子にあえて伝えなかった。

実は筆者はこの後、佐藤から直接その真意を聞いた。佐藤が何を語ったか――。他ならぬ川邊からも聞かれたのだが、ここではあえて書かない。川邊にも伝えていない。私ごときがこの二人の間に入ることは無粋なことだと考えたからだ。師の最後の言葉に答えを出すことができるのは、たった一人だけだ。

第 5 章

語られなかった楽天誕生秘話

100店舗達成を祝う6人の創業メンバーたち（1997年12月15日。左から三木谷晴子、三木谷浩史、本城慎之介、増田和悦、小林正忠、杉原章郎）

楽天市場のプレリリースの後にカップ麺をすする（1997年4月1日深夜。中央右が三木谷浩史、左が本城慎之介）

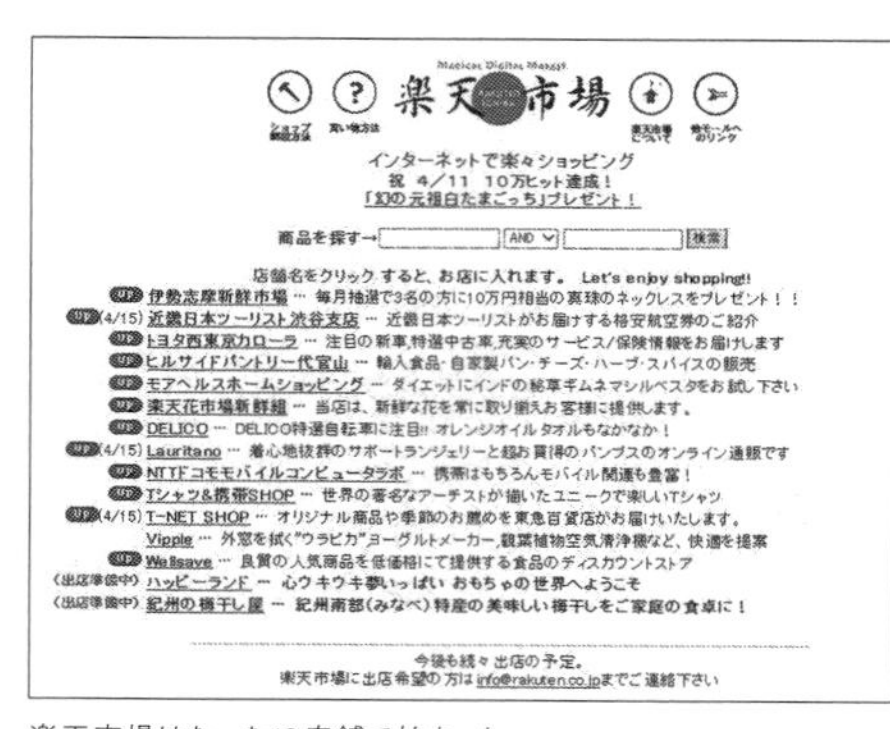

楽天市場はたった13店舗で始まった

ロングテールのイメージ

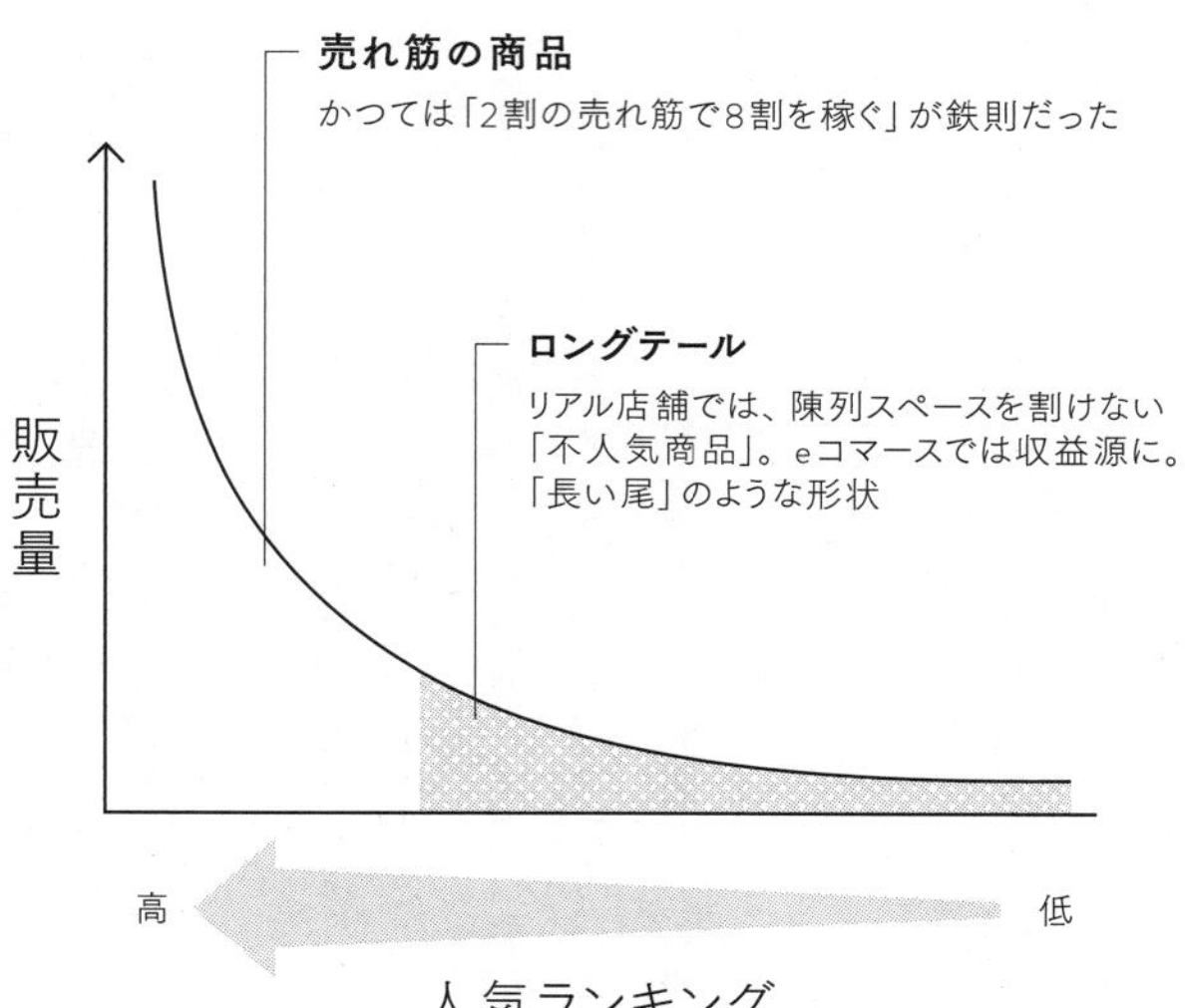

楽天はこの国のインターネットの黎明期に産声を上げ、今やeコマースの垣根を飛び越えた総合インターネット・カンパニーへと生まれ変わろうとしている。祖業である楽天市場のeコマースに加えて進出したエリアは数多い。旅行、ネット証券、クレジットカード、スマホ決済、動画配信、プロ野球、そして2020年には携帯電話に本格参入した。

では、楽天という会社の名を聞いて、皆さんは誰の名を思い浮かべるだろうか。100人いれば、ほぼ100人が三木谷浩史の名を挙げるのではないだろうか。

確かに、楽天は三木谷浩史というカリスマ経営者が築き上げたものだ。だが、そこに至る過程を語る時、三木谷を支え続けた同志たちの存在を忘れてはいけない。本章では、三木谷をカリスマへと押し上げた名も無き若者たちの奮闘の物語を再現したい。

「大企業の時代は終わった」

1996年4月17日を境に、その学生の人生は一変した。

慶應義塾大学の大学院生だった本城慎之介は、就職活動の一環として第1志望の日本興業銀行を辞めたという人物のもとを訪ねた。聞けば、その男はハーバード大学のMBAに社費留学しながら退職し、現在は個人で経営コンサルタントを営んでいるという。

今から振り返れば、ＯＢ訪問としてこの人物を訪ねたのは偶然が重なった結果だった。もともと商社志望だった本城は、三菱商事での役員面談で「君は商社には向いていない」と一刀両断されていた。ただ、この役員はこうも付け加えた。

「君はむしろ起業を目指した方がいいんじゃないかな。それなら一度、『小説　日本興業銀行』という本を読んでみたらいいと思うよ」

高杉良の代表作で、興銀の中興の祖と呼ばれた中山素平などの活躍を描いた『小説　日本興業銀行』に魅せられ、本城は自分も興銀で日本の産業界を支えるような大仕事をやってみたいと考えるようになっていた。

その興銀を、これからが働き盛りだという30歳にして辞めたという男がいるという。本城が通う慶應ＳＦＣの大学院に、興銀出身の女性がおり、その女性の同期入社組に三木谷晴子（旧姓・下山晴子）がいた。社内結婚したというその人の夫が、ハーバード大に社費留学しながら興銀を辞めて独立した三木谷浩史だった。

自分が目指す大企業を飛び出した三木谷浩史とは、いったいどんな男なのだろうか――。

「会社から留学までさせてもらったのに辞めるなんて、正直言ってちょっと失礼な人なんじゃないかと思っていました。その人はいったい、何を考えているのだろうかと」

恵比寿のマンションを訪れた本城は、「クリムゾングループ」という表札が掲げられた部屋のチャイムを鳴らした。リクルートスーツの本城を招き入れた三木谷浩史は、トレーナーにジーンズというラフな格好だった。もちろんネクタイなどしていない。黒縁メガネですらっと背が高い本城に対して、三木谷は当時からガッチリした体格だった。

「三木谷さんは、なぜ興銀を辞めたのですか」

茶色の大きな机の向かいに座った三木谷に、本城はストレートに聞いた。三木谷が「俺は興銀も良いと思うんだよ、でもね」と言って続けた言葉を、本城は今でも鮮明に覚えている。

「銀行や商社みたいな大企業が日本を支える時代は、もう終わったんだよ。これからは個人や中小企業が既成事実をどんどん作って日本を変えていくんだ」

その言葉が、本城の胸に突き刺さったのには理由があった。本城はこの年の1月に「就職戦線異常ありまくり」というサイトを始めていた。1991年に公開された織田裕二主演の映画『就職戦線異状なし』に引っかけて名付けたサイトだった。映画もさることながら、槇原敬之が歌う主題歌『どんなときも。』が記憶に残っている人も多いだろう。

「履歴書を大学生協で2組（1組5枚入り）買う。でも、買った後で、よーく見てみたら、学部生用の履歴書だった。僕は大学院生。200円の無駄」

こんな何気ない日常を描いた投稿から始まるサイトが、すでに就職氷河期に突入していた当時の学生たちの間でちょっとした話題になり、見知らぬ学生たちの意見交換の場となっていた。

ちなみに「みん就」の略称で親しまれることになった口コミサイト「みんなの就職活動日記」を始めた伊藤将雄も、本城が主宰するメーリングリストの参加者だった。

言葉を換えれば、それまでは知ることができなかった就活生たちの本音や企業側の事情などが、インターネットという新しいテクノロジーの力であらわになっていたのである。

「言われてみれば、確かに自分が思いつきで始めたことが積み重なって、世の中が少しだけ変わった。三木谷さんが言ったことと重なりました」

個人が既成事実を作って日本を変えていく――。

それは、まさに学生の自分がやっていることの延長線上にあるのではないか。それなら、興銀のような大企業に行かなくても、いや、大企業に行くよりも、もっと大きなことができるんじゃないか……。

三木谷との会話の中で、確信めいた思いが募り始めていたのが、自分でも分かった。

「明日も来ていいですか」

本城がこう聞くと、三木谷は「いいよ。明日来るなら名刺を作っておくから」と応えた。

翌日、本城が恵比寿のマンションを再び訪れると「アソシエイト」という肩書の名刺が用意されていた。本城の就職活動は、そこで終わった。

本城はこの日の出来事を「就職戦線異常ありまくり」にこう記している。三木谷との出会いがよほど印象的だったことが伝わってくる。

「OB訪問に行ってきた。でも、今日のOB訪問はちょっと普通じゃないのだ。その会社を辞めた人て、（中略）目がぎらぎら輝いていて、話しもすごくおもしろくて、しかも現実味があった。正直言って、心がゆれ動いた。とりあえず、また明日ちょっとバイトっぽいことでその人のところにいくことにした。もしかするともしかして、そこで働くことに決めちゃうかもしれない……」

その2日後にはこんなことを書いている。

「何年か後に振り返った時に、今週はきっとポイントというか分岐点になっている週のような気がなんとなくする」

この予感は、見事に的中した。

こうして三木谷のもとにやって来た楽天の「もう一人の創業者」が、この大学院生だ。たった二人で始めた会社がこの後、eコマースを柱とするインターネットの巨大企業へと成長するとは、この時はまだ、想像もできなかった。

二人の出会いから10年後、楽天は売上高が2000億円を超え、さらに10年後の2016年には7800億円に到達。その2年後にはついに1兆円の大台を突破する。ただし、この時点でまだ二人は楽天市場という「解」にはたどり着いていない。

その物語を続ける前に、三木谷浩史という実業家が迎えた人生のターニングポイントにも触れておきたい。

なお、彼を「実業家」と表現するのは、三木谷本人が「アントレプレナー」という言葉に、人一倍のこだわりがあると語るからだ。

「アントレプレナーとは不可能を可能にする実業家。物事を動かすのがアントレプレナーなのです。〝業を起こす〟だけでなく動かすもの」

経済学者、ヨーゼフ・シュンペーターは、世の中に経済成長をもたらす創造的破壊を実行する者たちのことを、アントレプレナーと呼んだ。自らが目指す高みを、そんな存在に置いているというわけだ。

孫正義との出会い

経済学者の三木谷良一と節子の間に、3人きょうだいの末っ子として生まれた三木谷は、父・良一が勤める神戸商科大学の職員宿舎で育った。

住所は、兵庫県明石市松が丘3丁目。

その名の通り小さな丘の一角にある。その丘の上にある団地を抜ければ、今なら瀬戸内海にかかる明石海峡大橋と、その先にある淡路島が見渡せる。それ以外には特徴を描くのが難しい。ひと言で表現すれば、日本の大都市郊外によくある高台の閑静な住宅街が、三木谷が生まれ育った街だった。

「型にはめずに育てる」という三木谷家の教育方針のもとで育ったものの、進学した岡山の私立中学校のスパルタ式詰め込み教育に嫌気がさして退学し、地元の公立中学校に編入した。この頃からテニスに没頭するようになり、一橋大学では体育会庭球部(テニス部)

の主将も務めている。1年生に課される球拾いが理不尽だと思って、主将に任命された際に撤廃したことなどが三木谷の立志伝では定番のエピソードとして紹介されている。当時から合理主義者、あるいは改革者だったという文脈で描かれているが、本稿では割愛する。

1988年に一橋大を卒業すると日本興業銀行に進む。そして社内選抜で選ばれ、1991年から2年間、ハーバード大学にMBA留学した。言うまでもなく世界中から俊才たちが集まってくる世界最高峰の教育機関だ。

ただ、三木谷はそこで大きな違和感を覚えたという。級友たちは確かにずば抜けて優秀なエリートたちに違いないのだが、日本人の自分とは、どうも目指す方向が違っていたのだ。

その違和感について、三木谷は著書『楽天流』でこう綴っている。

「さまざまなことを学んだが、いちばん大事なことを学んだのは教室の外だった。留学中、僕はアメリカに根付いていた起業家精神に直に触れた」

「重要なのは企業の規模ではなく、自分がどのような価値を作り出せるかということだ。個人がビジネスにおいて何を作り出せるかという観点に、僕は驚き、大きく勇気づけられた」

まさに人生の価値観が書き換えられたのだ。

日本の経済界を支え続けてきた日本興業銀行に入り、同期で最初に名門ハーバード大に送り込まれた。前途洋々のエリート街道と言ってもいいだろう。

でも、それがなんだというのだ――。

日本を代表する銀行から派遣されていると言っても、そんなことは級友の間で話題にもならない。そこで重きを置かれるのは「君が何を作り出せるの？」という、とてもシンプルな問いへの回答だった。

「僕の考えは劇的に変わった」という三木谷の姿を間近で見ていたのが、トヨタ自動車から派遣されていた武田和徳だった。

三木谷とはゴルフ仲間でもあり、夜になると決まって課題を分担するため部屋で顔をつき合わせた仲だった。2年間のMBAプログラムが終わりを迎える頃には「ミキちゃんはいつか興銀を辞めるんだろうなと思っていました」と振り返る。

帰国した三木谷が配属されたのが、企業金融開発部という部署だった。M&Aなどを担当する部門だが、時は日本経済がバブル崩壊の暗闇にすっかりと覆われてしまっていた

1993年。これと言った案件がないまま、三木谷は顧客回りを続けていた。

そんなある日、ハーバードで垣間見た起業家精神を体現するようなエネルギーを放つ男と、三木谷は出会った。後に三木谷が繰り返し比べられることになる孫正義だ。

1994年10月13日、新進気鋭の新興企業によるM&Aが、日本経済新聞の朝刊1面を飾っていた。

「ソフトバンク　米ジフと買収交渉　出版部門、1000億円超で　世界最大の電算機雑誌会社」

コンピューターを「電算機」と表現しているあたりに時代を感じさせる。

それはともかく、ソフトバンクはこの年に株式を店頭公開してまとまった資金を得たばかりだった。そんな会社がいきなり1000億円規模のM&Aに打って出るというのだ。このニュースが興銀の若きM&A担当者の目をひかないわけがない。しかも相手はニューヨークに本社を置く米国企業。なぜかターゲットは、ソフトバンクの本業と関係なさそうに思える出版部門だという。

これこそが、第4章で触れた、孫がビル・ゲイツのひと言をヒントに「地図とコンパス」を手に入れるために仕掛けた大ばくちだった。後に孫は兆円単位の超ビッグディールを連発することになるが、実はこのジフ・デービス出版部門の買収が、現在まで続く孫による数々の大型M&Aのデビュー戦となった。

このニュースに、三木谷は期するところがあった。実はハーバード時代の同級生にジフ・デービス社長の長男がおり、旧知の仲だったからだ。「今からでも俺にできることがあるはずだ」。そう考えた三木谷は早速、ソフトバンクと取引がある興銀の支店経由で連絡し、孫との面談を取り付けた。すでに交渉は大詰めを迎えており、外資系証券会社がアドバイザーについていたが、三木谷もこのディールに途中から関与することになった。

結論から言えば入札方式で行われたジフ・デービス出版部門の買収は、孫にとっては不可解な形で敗北に終わる。だが、そこは一代でソフトバンクを築いた男である。「出版がダメなら展示会」と、あっさりと軌道修正し、今度はジフ・デービスの展示会部門に狙いを定めた。これをモノにすると再び出版部門にも手を出し、最終的には両方とも手中に収めてしまった。これが1995年のことで、この直後にジフ・デービスからの助言をもとに、孫はヤフーという金鉱脈を発見している。

孫正義と三木谷浩史――。

インターネットの黎明期から名を上げた起業家として並び称されることが多い二人は、

こんな形で出会っていた。孫は当時、すでに「ベンチャー三銃士」の一人として名を上げつつあった。ちなみに三銃士の他の2人はエイチ・アイ・エス（HIS）の澤田秀雄と、パソナグループの南部靖之だ。一方の三木谷は、まだ無名の銀行員だった。三木谷に当時の孫の印象を聞くと、こう返ってきた。

「先輩経営者として尊敬していますよ。学ぶことが多いというか、単純に『いいな』と。その頃はソフトバンクもそんなに大きな会社じゃないし、孫さんも近い存在でしたね」

今ではライバル心もあるだろうし、投資に傾注する孫とは「今ではちょっと距離がある」とも言う。

そもそも、二人は生い立ちからして、全く異なる道を歩んできた。

三木谷が経済学者の家に生まれ、閑静な住宅街で育ったのに対し、在日韓国人3世として生まれた孫は、JR鳥栖駅近くにあった無番地と呼ばれる住所もない集落から這い上がってきた。不法に占拠した「街」には舗装されていない通称「五間道路」が1本通るだけ。その両側にトタン屋根のバラック小屋が軒を連ねていた。

孫の生家には家畜のにおいが立ちこめ、父は密造酒を売りさばいて生計を立てていた。

孫は当時の暮らしぶりを、こんなふうに語ったことがある。祖母がリヤカーを引いて近くの食堂に残飯を求めて歩くのが日課だったが、幼い頃によく連れられたという。

「そのリヤカーに半分に切ったドラム缶が3つ4つ積んであって、そこに飼っていた豚のエサにする残飯を入れていました。私は小さいから分からない。ただリヤカーに乗って楽しく散歩に行けると思っていた」

「何となくヌルヌルして何か腐ったようなにおいがして、すべったら落ちて死ぬなと思いながら、リヤカーを引っ張るおばあちゃんについて行ってるわけです」

孫家は、商魂たくましい父・三憲の奮闘で少しずつ財力を蓄えていった。三憲は密造酒の販売から自宅での豚の飼育、そしてパチンコ店やサラ金へと稼業を広げ、ついに無番地につくったあばら家から抜け出した。

経済的な苦労はなくなったが、孫は大きくなるにつれていわれなき差別と直面していった。この頃、孫家は「安本」という日本名を名乗っていた。

「生きていくのにつらいことが、やっぱりあるんですよね。あまり例を挙げたくないけれども、つらいことがいっぱいあった。息を潜めるように、隠れるようにして日本名で生きているわけです。ですから、なおさらそれがコンプレックスになっていました」

筆者は、孫正義からの紹介で父・三憲に会うことができた。まさに波瀾万丈の半生は、それだけで一冊の本になってしまうほどだ。ここでは命名についてのエピソードを紹介したい。

「なぜ息子さんの名前を正義にしたのですか」と聞いた。三憲の答えはこうだった。

「その頃は、朝鮮人は日本人からは泥棒か詐欺師かって言われたんですよ。残念ながら、そげなもんだったんです。だから、正しい人間にならんと、この国には認めてもらえんなと思ってね。正しい人間になって義理を忘れないこと。受けたものを倍返しにするような。名前負けするかなと思ったけどね（笑）」

だからこそ、1981年に息子が「日本ソフトバンク」を日本名の安本正義ではなく、孫正義として創業すると言い出した時には、感慨深いものがあったと言う。

「先祖がずっと（「孫」の名を）続けてきとうのに、自分のために名前も変えると、それは先祖に対して失礼じゃないかと思っとったんですよ。だから、うれしかったですねぇ。まじめに一生懸命がんばれば、ウソを言ったり裏切ったり詐欺をしたりしなければ、この国の人は認めるべきものは認めてくれるから」

「人生のルールを書き換える」

たどって来た道は違えど、明らかに自分の先を走る孫正義という男に、三木谷が刺激を受けないわけがない。そしてこの後、興銀を飛び出して起業に至る、決定的な出来事があった。

その日、三木谷はジフ・デービスの買収交渉のため、孫と一緒にニューヨークに出張する予定だった。だが、三木谷がニューヨーク行きの便に乗ることはなかった。1995年1月17日、早朝5時46分。激しい揺れが三木谷の故郷を襲った。阪神淡路大震災だ。

「テレビを見たか。大変なことになってるぞ」

早朝、興銀の同僚が切羽詰まった声で電話をかけてきた。慌ててテレビをつけると、変わり果てた神戸の街が映っていた。古い町並みからは火の手が上がり、高速道路が倒壊している。実家に電話してもつながらない――。

あわてて渡米をキャンセルした三木谷は、翌日に東京から岡山に飛行機で入り、そのまま東へと向かった。両親は無事だったが、須磨の月見山というところに住む叔母夫婦の行方が分からない。

自転車をこいで現地に向かい、がれきの山と化した街を必死に探したが、叔母夫婦と対面できたのは近所の須磨体育館だった。震災で亡くなった人たちの遺体の保管所となっていた。そこに、遺体となった叔母夫婦も運び込まれていたのだ。古い家が倒壊して下敷きになってしまったという。

この時に受けた衝撃を、三木谷は後に自著『楽天流』でこう記している。

たくさんの遺体を目の当たりにして、僕は痛感した。人の命はあっさり奪われてしまうことがあるということを。

この時はじめて僕は自分もいつか必ず死ぬことを意識した。そして、こう思った。

一度きりの人生を思い切り生きなければならない。いつかではなく、今すぐにやりたいことをすべきなのだ。

阪神・淡路大震災の経験がきっかけで、僕はそれまでぼんやり心に抱いていた思いを整理した。そして、ルールを書き換えることにしたのだ。

人生のルールを書き換える――。それは三木谷にとって、安定した将来が約束された興銀から飛び出し、己の才覚一つで勝負することを意味した。筆者の問いにはこう答えている。

「もともと情報革命は産業革命に匹敵するかそれを上回るものだと感じていました。なのに、日本にはアントレプレナーがいないのはまずいのではないか、と。そんな時に阪神淡路大震災が起きて、決心をする瞬間が来ました。『失敗するかもしれないけど、やってみるか』という気持ちになりましたね」

この年、三木谷は辞表を提出した。興銀を退職する直前、父に報告するため実家に戻ったことがあった。興銀を辞めて起業するという息子に父は「会社に残って立て直して、興銀の中興の祖になればいい」と助言したが、息子は「それじゃ、何十年もかかってしまう」と返したという。

いつかではなく、今すぐに――。

こうして30歳のエリート銀行員は恵比寿のマンションの一室から「実業家人生」を歩み始めた。

「クリムゾングループ」として独立した三木谷のもとに現れた大学院生の本城慎之介。アソシエイトの肩書を与えられ、藤沢市の下宿から恵比寿のオフィスに通う日々が始まった。

「ところで本城君、年齢は？」

「来月で25歳になります」

「じゃ、給料は25万円ね」

見習い生のような扱いの本城には次々と課題が与えられた。

「この本を読んでアカウンティング（会計）の勉強をしておけ」

そう言って渡された入門書は、英語だった。

「英語ですか……。俺、英語は苦手なんです」

本城はそう言いながらも、その本を参考に書かれたという日本語の入門書を急いで手に入れて猛勉強を始めた。年長者である自分から何でも吸収してやろうという貪欲な姿を見ていた三木谷は、著書で「本城慎之介は情熱的な男だった」と振り返っている。

筆者も、当時の本城を仲間に引き入れた理由を聞いたことがある。

「慎之介はすでにインターネットのコミュニティーを持っていた。僕にはその感覚がなかった。だから、これは新しい人たちがいないとできないなと思ったんです」

つまり、目の前に現れた学生に、自分にはない能力を見たと言うのだ。年齢や性別、出身などによらず自分より優れた能力を認めて、仲間にする――。これは起業家にとって不可欠な資質と言えるだろう。

一方の本城もまた、まだ無名時代の三木谷と机を並べて仕事をともにすることで得られる経験を、「就職戦線異常ありまくり」で繰り返し触れている。その文言からは勤めるならやはり大企業という考えがすっかり消えて、どんどんのめり込んでいく様子が見て取れる。

「やっぱり夢がある。おもしろいです、はい」

「実際にベンチャーに関わってみると、大きなところが産業界を引っ張っていっているなんていうのは幻想で、結局、アイディアと技術力のある会社が規模なんて関係なく元気良く動きまくり、で、がんがん既成事実をつくっていって、情報産業をもりあげているんだなあ、って思うようになってきた」

「いろいろ迷いはあったけど、最終的に決め手となったのは『ここかな、自分が夢をもって働けるのは』というカン。なにも根拠なんかない。でも、そういうもんだと思う」

ただ、この時期の三木谷はまだインターネットのビジネスに軸足を置いていたわけではない。興銀時代の仲間とともに、個人営業の経営コンサルタントとして活動していた。

深く関わっていたのがレンタルビデオのTSUTAYAで知られるカルチュア・コンビニエンス・クラブ（CCC）の仕事だった。CCC創業者である増田宗昭が米国の衛星放送、ディレクTVを日本に導入しようという計画を進めていた。興銀時代にとにかく熱心な三木谷の働きっぷりに感銘を受けていたという増田は、三木谷が独立してからもCCCの仕事を依頼するようになっていた。

見習い生のように三木谷のもとにやって来た本城にも、意外な仕事が割り振られた。

「慎之介、ちょっとパソコン教室をやってみるか」

増田のもとに通ってパソコンの手ほどきをしろというのだ。増田もこの学生をかわいがり、レッスンの場はいつしか、恵比寿ガーデンプレイスのCCC本社から増田の自宅に変わった。

増田の部屋に招かれると、パソコンを立ち上げる前にたいてい世間話が始まった。長い時は1時間ほどにもなったのだが、一代でCCCを築き上げた増田から直接薫陶を受けるという、なんともぜいたくな時間だ。

「僕の方が教わることが多かった」と言う本城にとって、とりわけ頭に残るのが、増田が説いた「企業成長の1対3の法則」だった。それはTSUTAYAを全国に広げる過程で増田が学んだ経験則だという。

「お店の運営っていうのは10店を開くと30店への展開が見えてくるんだ。それで実際に30店になれば100店が見えてくる。これはずっと同じ。お客さんの数も10万人まで行けば30万人が見える。30万なら100万……とね」

「そこで大切なのは、その度に違う世界に入っていくということだ。そこに備えて準備しておかないと次には移れない。その備えをしていないとダメなんだ」

つまり、常に3倍の事態を先回りして考えながら経営せよ、という意味だ。増田が自らの経験をもとにはじき出したスタートアップを成長の軌道に乗せるための鉄則が、この「1対3の法則」なのだという。

この教えの意味することを、本城は後々思い知ることになる。

3つのアイデア

実は恵比寿のマンションにあったオフィスの風景は、スタートアップにありがちな目も回るような忙しさというわけではなかった。むしろ電話が鳴ることさえほとんどない静かな空間だったという。三木谷が抱えるCCCの仕事以外に、特にこれといった案件があるわけでもなかったからだ。

そんな静かな部屋の中で、本城と机を並べる三木谷は、じっと考え込んでいた。

「俺は、何をやるべきか」

コンサルタントの仕事をそのまま続けようとしていたわけではない。俺はアントレプレナーとして、もっと大きな何かを成すべきだ——。そう考え続けた三木谷は、これから本城とともに始めるべき事業のテーマを探しあぐねていた。そしてある日、温め続けてきたアイデアを本城に打ち明けた。

三木谷は3つの事業をホワイトボードに書き出した。100ほどあったアイデアから3つにまで絞ったのだと言う。

地ビールレストランの全国展開
酵母パン店のフランチャイズ
インターネットのショッピングモール

「慎之介はどう思う？　この3つのうちで、どれがいいかな」

「うーん……」

本城がしばらく考えて指さしたのが、「インターネットのショッピングモール」だった。学生ながら理由は現実的だった。

「これならサーバーが一つあれば始められますからね」

三木谷もしばらく考えると、「そうだな」と言って他の2つに斜線を引いた。

「これでいくか」

後に三木谷は3つの中からeコマースを選んだ理由を、著書『成功のコンセプト』で次のように記している。

「極めて個人的な理由を言えば、インターネットであれば僕自身が飽きないだろう、ということだった。僕は自分の欠点も限界もよく知っている。僕は、目標さえあれば他のすべてを捨ててでも突き進むことができる。けれど、これが最大の欠点なのだが、仕事が軌道に乗ってしまったらすぐに興味を失いかねない。インターネットの分野なら今後どこまでも可能性が広がる。こういう僕でもいつまでも飽きずに取り組めるはずだ、と考えたのだ」

（途中、一部を省略）

実際、この日から現在まで、三木谷は飽きることなく楽天を成長させてきた。

決めれば即、行動に移す。三木谷は秋葉原へとサーバーを買いに行った。

これから作っていく「インターネットのショッピングモール」の名は「楽天市場」に決めた。イタリアのトリノにある巨大青空市場「ポルタ・パラッツォ」も候補に挙がったが、三木谷はなんとなく親しみやすい語感がある日本語名を採った。

楽天市場は、織田信長の経済政策として有名な楽市楽座から命名したものだ。商人が自由にモノを売れる場を与えて経済を活性化させる。そこには、重要なメッセージが込められていた。三木谷が「エンパワーメント」と言う要素だった。この点にこそ、楽天が急成長を遂げた理由が隠されている。

今となっては想像するのが難しいが、1996年のこの当時、実はインターネットでモノを売るeコマースは目新しい発想ではなかった。

NTT、三井物産、NEC、富士通、三菱総合研究所、丸紅、伊藤忠商事――。当時の記録をたどれば、枚挙にいとまがない。名だたる日本の大企業が、インターネットという新しいテクノロジーが出始めたばかりのこの頃、すでにインターネットのショッピングモールというビジネスに進出していたのだった。

ただ、いずれも成功したとは言いがたい。三木谷も参入を決めた当時の状況について「ホームページを覗いても倒産直前のデパートのように空き店舗ばかりで、まともな商売ができていなかった」と指摘する。日経産業新聞は1996年1月16日付の記事中で、当時の状況について、「電子商店街を開設したがテナントが集まらず、デジタル・ゴーストタウンと化したホームページもある」と伝えている

「デジタル・ゴーストタウン」とは、なかなかうまい表現だ。インターネットが誰の手にも届くようになったこの時代を生物史に例えれば、生命体が一気に進化して多種多様な動物が生まれていったカンブリア紀に似ていると言えるかもしれない。およそ5億4000万年ほど前に始まった生命の爆発的進化は、この後に大量絶滅の時代を迎える。

インターネットが広く行き渡った1990年代半ばのこの頃、ワールド・ワイド・ウェブの上のホームページは爆発的な勢いで増殖していった。ただし、その多くはろくにメンテナンスもされずに放置され「ゴーストタウン」と化していったのだった。

第4章で触れたヤフーがひたすらネット上のホームページを探す「サーファー」という職種を置いた理由もここにある。ユーザーが有益な情報にたどり着くには「デジタル・ゴ

ーストタウン」を排除する必要があるからだ。

そもそもヤフーのサービス名はジョナサン・スウィフトの『ガリバー旅行記』に出てくる未開の野蛮人から採ったものだ。文明人には理解不明な「光る石」を奪い合う野蛮人。広大無辺なインターネットの世界から「光る情報」を探し出してユーザーに提供するのがヤフーの役目というわけだ。

楽天のゲーム・チェンジ計画

三木谷と本城はあえてこのレッド・オーシャンに飛び込もうと決めた。もちろん勝算があってのことだ。この点、「楽天市場の作り方」には、現在のITビジネスでも示唆に富むところが多々ある。

まず、正確に言えば、三木谷は当時のインターネット商店街のビジネスをレッド・オーシャンだとは考えていなかった。既存のプレーヤーの戦い方に、失敗の理由を見いだしていたのだ。失敗の理由は大きく2つある。そこを徹底的にカイゼンし、差別化すればゲーム・チェンジャーになれると考えたわけだ。

1つ目は価格だ。当時のインターネット商店街の出店料の多くは数十万円から百万円台に設定されていた。これでは地方の商店主や中小企業には、なかなか手が出せない。

三木谷はこれを月額5万円にすることに決めた。毎月5万円なら個人商店主にとってもなんとかやりくりできる金額だと考えた。企業でいえば多くの場合、課長クラスで決裁できる額でもある。興銀時代の経験から、10万円以上にすると部長級以上の決裁となり、出店者集めがとたんに難しくなると考えたのだ。

つまり、1つ目のゲームチェンジ・プランは価格破壊だ。無謀とも言われた月額5万円で人が集まる「市場」を作る。これは現代のプラットフォーマーの戦術の根幹である。

2つ目は、今では「UX（ユーザー・エクスペリエンス）」という略称で当たり前のように使われる点にあった。端的に言えば、ユーザーがいつ見ても出店者のページは同じ。これでは、コマースビジネスに不可欠なリピーターは育たない。

では、なぜホームページが代わり映えしないのか。

それは商店街の提供者が、出店者である商店にページの「型」を強制するからだった。つまり、どの商店のページも同じように見える。これはユーザーにとっては閲覧性という観点から一見すると便利なようで、出店者の個性を奪う行為だった。むしろ、「ここでしか買えない」という個性を前面に打ち出した出店者が集まることでこそ、仮想商店街は活気づくはずだ。それに、そもそも地方の個人商店主は、ホームページをデザインするには特別なスキルが必要だと思い込み、最初から魅力的で個性的なページを作ることを放棄してしまっているフシがある。それを、誰でもできるようにすれば生き生きとした活気のある仮想商店街になるのではないか。

高額の出店料と、没個性――。この2つが「デジタル・ゴーストタウン」を生む理由である。では、その2つを変えれば、どうなるか。

そもそもインターネットの潜在力が爆発的であることに疑いの余地はない。三木谷と本城は、一見するとレッド・オーシャンのように思われていたフィールドで、ゲーム・チェンジの解を探し始めたのだった。

知られざる楽天の原点

1つ目の価格破壊は、どちらかと言えば覚悟の問題だろう。そもそも二人しかいない会社なので「月額5万円」でも当面は戦える。

もう1つの「個性」をどう実現するか——。言葉を換えれば、パソコンなどろくに触ったことのない個人商店のおやじさんやおばさんでも魅力のあるホームページを作るには、どうすればいいのか。

実はここに、楽天誕生の知られざる真実が隠されていた。

商店主が簡単にページをデザインできる「RMS（楽天・マーチャント・サーバー）」と呼ばれるシステムは、これまで楽天について書かれた書籍ではことごとく、三木谷たちが独自で、独力で、編み出したものだとされている。

だが、真実は違った。

誕生秘話を明かしてくれたのは、楽天の「もう一人の創業者」である本城慎之介だ。筆者はこう聞いた。

「もし最初から資金力があったなら、アマゾンのような定格商品のロングテール戦略を採っていましたか」

ロングテールとは現在のeコマースの世界でよく使われる言葉だ。スペースに限りがあるお店の棚なら、なるべく売れ筋の商品に絞って揃える方が効率が良い。一般に、売れ行きが上位20％の商品を棚に並べるのが理想とされる。

これに対して、物理的なスペースに縛られないインターネットなら一日の売り上げ数が少ないその他80％の商品でも、品ぞろえをしっかり確保しておけば小ロットの販売が積み重なって商売が成り立つ、という考え方だ。商品ごとの販売数で棒グラフを作り、横軸に販売量が多い順に並べると、グラフが右に行くほどあまり売れない商品の小さなグラフがずらっと並んで尻尾のように見えることから、ロングテール（長い尾）と言う。

アマゾンがもともと「インターネットのエブリシング・ストア」を掲げながら、書籍からeコマースを始めた理由の一つが、この点にある。書店に足を運んでみないと実際に棚に並んでいるかどうかも分からないような、あまり売れない本でも、インターネットなら確実に買うことができる。加えて言えば、書籍は店舗でもネットでも扱う商品は同じで、品番で管理されているため、ネットで売り買いしやすいという利点もある。

創業当時の楽天は、このような定格商品のロングテール戦略より、各地の名産品のような「そこにしかない特別な商品」の販売に活路を見いだそうとしていた。

説明が長くなったが、本城の答えはこうだった。

「まさにその点を徹底的に調査しました。そして僕たちにとって『これだ！』というサイトを発見したのです。それがバイアウェブでした。まさにショッピングサイトのエンジンです。これしかないと思いました。そして三木谷さんが『この会社を買いに行ってくる』と言い、実際に米国まで行きました。断られましたけど」

このバイアウェブ（Viaweb）こそが、知られざる楽天の原点である。

本城によると、三木谷は米国に飛んで、バイアウェブ創業者に買収を持ちかけたが拒否されたという。そして三木谷が言った言葉を、本城は今でもはっきりと覚えていると言う。

「ダメだったわ。じゃあ、自分たちで作ればいいか。この会社をマネすっか」

三木谷はあっけらかんとこう言った。

実行に移すのは本城の仕事だった。本城はコンピューター教育に力を入れていた慶應義塾大学ＳＦＣの現役大学院生で、システム構築の基本的な手ほどきは授業で受けていた。とはいえコンピューターが専門というわけではない。

「それなら」と、三木谷は本城に一冊の本を手渡した。三木谷が本屋に行って買ってきたというのが『はじめてのＳＱＬ』という赤い表紙の入門書だった。

「えっ……、これでバイアウェブを作るんですか」

「そうだよ。慎之介ならできる」

「いや、そんなこと言われても……」

三木谷はそれなら一日10万円の家庭教師を、本城に付けると言う。ただし、たったの5日間。その後は独学だ。

知られざる楽天市場のモデルであるバイアウェブ――。その名を知る人は、よほどテクノロジーの歴史に精通している人だと言っていいだろう。正直に言えば、筆者自身も本城からその会社の名前を聞いた時は、知らなかったので「へぇ、そんな会社があったのか」と思う程度だった。

だが、よくよく調べてみると、これが極めて興味深い会社だということが分かった。何が興味深いかと言えば、ビジネスモデルそのものもさることながら、この会社を作った創業者たちが、現在のシリコンバレーを動かす大物になっているということだ。

まず、サービスそのものだが、ASP（アプリケーション・サービス・プロバイダー）と呼ばれるものの一つということになる。技術的な詳細は省くが、インターネットのブラウザ上で直接、オンラインストアを開設できるシステムを提供するのが、バイアウェブだった。専用のサーバーなどは不要だ。そして、グラフィックデザイナーやウェブコンサルタントといった専門家に頼らずとも、自分で簡単にカタログを作ることができる。

つまり、個人商店主でもパソコン一つあればオンライン上の仮想商店街に「出店」することができるわけで、まさに三木谷が探し求めていた機能だった。

そして、この画期的なシステムを作り上げたバイアウェブの創業者こそ、現代のシリコンバレーに絶大な影響力を持つポール・グラハムという人物だ（注：「グレアム」と訳されることも多い）。

ポール・グラハムという人物を形容する言葉は多い。

Ｌｉｓｐを信奉する天才ハッカー、起業家、著名なコラムニスト、あるいは画家になる夢に破れた哲学青年——。現在ではシリコンバレーで「最強の起業家育成集団」として名を馳せるＹコンビネーターという投資ファンドの経営者として知られている。

Ｙコンビネーターはただの投資ファンドではない。起業の最初期であるシード（種）段階に絞って投資し、投資を受けた企業はシリコンバレーに集まって3カ月間のブートキャンプに参加することが求められる。参加者たちはＹコンビネーターの先輩起業家たちから助言を受け、毎週開かれる夕食会には大物ゲストが招かれる。カネを出すだけでなく、起業家たちのコミュニティーをつくって徹底的に鍛え上げるのだ。

卒業生の中には、世界的な大企業になったスタートアップが数多い。民泊のエアビーアンドビーやファイル共有のドロップボックスが代表例だろう。

そのグラハムは自らのブログで公開しているエッセイで、起業に最適な年齢を20代半ばとし、その理由を次のように説明している。

「25歳はスタミナ、貧乏、根無し草、同僚、無知といった起業に必要なあらゆる利点を備えている」

バイアウェブを立ち上げた頃、グラハム自身もそうだったという。

天才ハッカー

コーネル大学で哲学を学び、ハーバード大学でコンピューターサイエンスの博士号まで取得したグラハムは、そのまま学究の道に進むのではなく美術学校に入学した。本気で画家を目指したのだ。なかなか類を見ない選択だろう。この選択についてグラハムは著書『ハッカーと画家』でこう説明している。

「どうやらハッキングと絵を描くことは全然違うものだと思われているらしい。ハッキングは冷たく精密で几帳面なものであるのに対し、絵を描くことは何か原始的な衝動に駆られた表現方法だと考えられているようだ。そのイメージはどちらも正しくない。ハッキングと絵を描くことにはたくさんの共通点がある。実際、私が知っているあらゆる種類の人々のうちで、ハッカーと画家が一番よく似ている。共通するのは、どちらもものを創る人間だということだ」

ここで言うハッカーとは、ネットワーク回線に違法に侵入して情報を盗み出したり、サイバー攻撃によって政府や大企業を混乱に陥れたりする、映画に出てくるような（実社会にも存在するが……）ダークヒーローや愉快犯のことではない。コンピューターについて深い知識を持ち、プログラミング言語という人類共通の言葉を使って新しいソフトウエアやサービスを創っていく者たちのことだ。

ニューヨークに移り住んで画家を目指したグラハムは、ハッカーとして鍛えたプログラミングの腕は生活費を稼ぐために利用していたという。それでも時間が取られる。そこで起業して一気にカネを稼ぎ、画家の活動に専念しようと考えた。

そのために仲間に引き込んだのが、コンピューター史上に名を残す天才ハッカーのロバート・モリスだった。ハーバード大時代のハッカー仲間だが、モリスの名は「モリスワーム」で広く知られている。

コーネル大学の大学院生だったモリスは、自らのプログラムを複製するプログラムを作成した。

このプログラムが大事件を起こしたのだ。1988年11月2日、自らを複製し続けて増殖するプログラムが、最初期のインターネットに放たれると、瞬く間に感染が広がっていった。

結局、当時は6万台あったとされるインターネットにつながるコンピューターのうち6000台がこのプログラムに感染し、インターネットそのものが機能しなくなってしまった。被害は米国防総省や米国家安全保障局（NSA）にまで及んだ。これがモリスワームで、今でもコンピューター史上最悪のウイルスとして紹介されることが多い。

モリスは単にインターネットに接続しているコンピューターの数を調べるのが目的だったという。純粋に学術的な興味によるものだと主張したが、コンピューターの不正利用を取り締まる法律が初めて適用されてしまった。保護観察処分ながら約1万ドルの罰金と400時間の社会奉仕が科された。コーネル大学も退学処分となったため、ハーバード大学に籍を移していた。それでも超名門のハーバードに転じることができたことからも、いかにこのギークの才能が評価されていたかが分かる。

グラハムがこのいわく付きの天才ハッカーとともに起業したのが、自らの関心に最も近い事業だった。それがオンライン画廊である。グラハムのような売れない画家の卵の絵をインターネットで売ろうというアイデアだった。ただ、少し想像すれば分かる通り、あまりにニッチなため二人は早々に限界を痛感したという。

ただ、二人はそこで引き下がらなかった。

「アーティックス」と名付けたオンライン画廊のシステムを、もっと広いジャンルで使えるようにすればモノを売りたい個人商店主の「市場」ができるのではないか——。ニューヨークの部屋を引き払い、ハーバード大のモリスの部屋にこもった二人は、こうしてeコマースのバイアウェブへとたどり着く。モリスは「最も優秀な学生」としてグラハムに紹介したカナダ出身の同級生、トレバー・ブラックウェルを仲間に加えている。

この頃の生活を、グラハムが次のように語っていることが、ランダル・ストロスの著書、『Yコンビネーター』で紹介されている。

「あの時代、私はずっとゾンビーみたいだった。自分の生活というものはゼロだった。誰でも知っているような有名な映画の話が出て、私がそれを全然知らない、聞いたこともないとしたら、たぶんその映画は1995年から1998年の間に公開されたんだ。当時は私は火星に住んでいるも同然だった。人間の生活ではなかった。ほとんど24時間コンピュータの前に釘付けになっていて、眠るのもコンピュータの前だった」

こうして1996年に立ち上がったバイアウェブは徐々にユーザーを獲得していった。売り文句は「ほんの数分でオンラインストアをつくって注文を受け付けられます」だった。まさに、三木谷たちが後に楽天市場を立ち上げた時に、全国の商店を回って店主たちを口説いたのとほとんど同じような言葉だ。

「理解できない秘密兵器」

ただ、グラハムのコラムによると、1996年末の時点でユーザーはまだ70人ほど。三木谷がグラハムに買収を持ちかけたのは、この時期よりさらに少し前のことだ。オンライン画廊からくら替えしてようやく立ち上がったばかりの無名のスタートアップでしかなかったこの会社の可能性に目を付けた慧眼は、さすがと言うべきだろう。

無名というより、当時のバイアウェブは謎の存在だったと言った方が適切かもしれない。理由はグラハム自身が著書『ハッカーと画家』で、次のように明かしている。

「きっと競争相手には、私たちが何か秘密兵器を持っているかのように見えたに違いない。彼らの暗号通信を解読しているとか、そんなことだ。事実、私たちは秘密兵器を持っていたんだが、それは彼らが思っているよりずっと簡単なことだった」

「私たちはソフトウェアを、括弧だらけの奇怪な構文を持つ、妙ちきりんな人工知能言語で書いていた」

それがLispというプログラミング言語だった。1958年にジョン・マッカーシーという学者が考案したものだ。マッカーシーは人工知能（Artificial Intelligence）という言葉を提唱したことで知られる、AI研究の草分け的な人物だ。Lispは現在でも使われる最古のプログラミング言語の一つとされるが、当時はほんの一部の研究者やマニアだけが使っていた。その理由を、グラハムはこう語っている。

「Lispが良いプログラマを作るなら、Lispを使ってみちゃあどうか。画家が、これを使えば腕が上がるという筆を手にしたら、自分の描く絵でそれを使ってみたいだろうと私は思うんだ」

さらに、Lispを選んだ理由として、こうも述べている。天才ハッカーと呼ばれた男のプライドがにじみ出るような文言だ。

「もし、他の誰もが使っているからという理由で技術を選ぶなら、ウィンドウズを走らせておけばいいのだ。技術を選択する時は、ほかの人がどうやっているかなんて無視して、何が最適かを見極めることだけを考えるべきだ」

この「秘密兵器」を使って作り上げたバイアウェブのアイデアを、グラハムは「たぶん競争相手は理解していないであろう、いや、今でも理解している人はほとんどいないかもしれない」とまで語っている。

ハーバード大学の学生寮で生まれた、「奇妙な構文」で作り上げられた顧客数わずか70のeコマースのプラットフォーム――。創業者自身が「理解されない」と語ったその実力を見抜いた人物が、太平洋を隔てた日本にいたのだ。ただし、そちらもたった二人の名もなきベンチャー企業だった。

三木谷が買収を持ちかけてから2年後、バイアウェブは米ヤフーに4900万ドルで買収された。ヤフーはバイアウェブを「ヤフー・ストア」と改名して、eコマース分野に本格参入していった。

この買収をきっかけに、3人の異端児はそれぞれの道を歩むことになった。グラハムは買収時の契約でヤフーに入社した。根っからのギークであるモリスは研究生活に戻るためマサチューセッツ工科大学に転じた。ブラックウェルは西海岸のシリコンバレーに移り住み、ロボット開発スタートアップを起業した。

ただ、すでに大企業となっていたヤフーでの仕事に閉塞感を覚えたグラハムは、早々にこの会社を去ってしまった。後にコラムで「そこでの経験は、腰まで水につかった状態で走ろうとしているような感じだった。生産性は小回りの利くベンチャー企業の10分の1程度しかなかったと思う」と綴っている。

そしてバイアウェブの売却から7年後に、Yコンビネーターという全く新しい投資組織を立ち上げた。この時に誘ったのが、かつての仲間であるモリスとブラックウェルだった。失敗も経験しながら再び這い上がった自らの経験を、次世代を担う起業家たちに伝えるためだ。

出版社から来た天才プログラマー

米国の鬼才が秘密兵器と称したLispで作った「ほんの数分でオンラインストア」を

日本で再現せよ——。

本城慎之介はこんなミッションを三木谷から託された。猛烈にプログラミングを学んだが、到底追いつきそうにはない。誰か力になってくれるプログラマーはいないだろうか……。

ここで役に立ったのが、本城がすでに自ら築き上げていた「既成事実」だった。

就職氷河期に苦しむ多くの同世代の学生の共感を呼んでいた本城の「就職戦線異常ありまくり」は、本城が日記を書くだけでなくメーリングリストも併設していた。そのメンバーでNTTへの就職が決まっていた早稲田大学の大学院生、安武弘晃に「誰かプログラミングができる人はいない？」と聞いた。安武が「それならすごい人がいるよ」と推薦したのが、アルバイト先の出版社で働く人物だった。

大学院で数理科学を専攻する安武が働いていたのが、難関大学の受験生におなじみの『大学への数学』で有名な東京出版だった。そこに京都大学の大学院を出た「すご腕のプログラマー」がいるという。増田和悦というその男と会う前、本城は「本当に参考書の出版社の人がプログラミングなんてできるのかな」と、やや疑っていたと言う。

恵比寿のマンションにやって来た増田に、バイアウェブのサイトを見せて、本城が聞いた。

「こうやって文字を入力するとすぐにＧＩＦ画像になるんですよ。これってどうやるか分かりますか？」

増田が少しだけ考えて、何やら解説を始めた。ただ、本城には意味が分からない。理解されていないことを悟った増田は「これならＣ言語で、できますよ」とだけ答えた。

「じゃ、作ってきますよ」

そう言い残して帰っていった増田が数日後、自作のデモ画面を持って現れた。

「こんな感じでいいんですか」

「うわっ、これ完璧じゃん！」

バイアウェブをコピーした画面に、本城と三木谷は思わず見入った。実際には完全コピーというわけにはいかないのだが、それでも二人が求めていたものが、画面の中に再現されていた。三木谷はその場で増田に頼み込んだ。

「週に何日かだけでもいい。夜だけでもいい。アルバイトでも何でもいいからうちに来てもらえないかな」

こうして増田が加わったのが、１９９６年の暮れのことだった。増田は技術担当として、楽天市場のシステム構築の一切を託された。社員番号は三木谷と本城に次ぐ3番だ。

ちなみに増田を紹介した安武もNTTへの内定が決まった後にアルバイトとして愛宕のマンションに通うようになった。増田と本城とともに楽天市場のシステム作りには欠かせない存在となっていたが、NTTへの就職が決まっている。三木谷からも再三、誘われたが理系の大学院生の就職でよくある教授推薦だったため、楽天市場が発足する直前の1997年春にNTTに入社することになった。

ただ、翌年には三木谷に「やっぱり大企業はつまらないでしょ」と見透かされ、楽天への入社を決めた。創業の日を含む1年間だけはいなかったのだが、実質的に楽天の創業メンバーと言っても差し障りはないだろう。安武はその後、楽天の成長を支え2016年に独立してシリコンバレーに渡って自ら起業している。


バイアウェブをモデルにして手作りで構築が進んでいた楽天市場のシステム。ただ、まだまだインターネット黎明期のこの時期、優れたシステムをインターネット上に提供するだけで人が集まる「市場」ができるほど、甘くはない。

楽天を成功に導いたもう一つの要素として、どこまでも泥臭いどぶ板営業は欠かせなかった。相手はインターネットと言われてもピンとこない地方の商店主たちだ。スーツに身を固めるのではなく、ワイシャツをたぐり上げて、お店に入る前にはちょっと離れた場所でスクワットや腕立て伏せをして息を切らしながらのれんをくぐる。三木谷自身もこんなことを日々実践していた。

「インターネットなら銀座4丁目にお店が出せますよ」

「ワープロさえ使えるようになっていただければ、あとは当社でなんとかやります」

こんなセールストークを何度口にしたことだろうか――。ただ、情に訴えるだけではダメだ。「数分でオンラインストア」のバイアウェブよろしく簡単にページを作れると言っても、やはりコンピューターの知識は欠かせない。

そんな情と理を併せ持つ仲間が、三木谷には必要だった。とにかく足が動くタフなハードワーカー。コンピューターに詳しいだけでなく地方の商店のオヤジさんやおかみさんから信頼される人柄も必要だ。それも、できるだけ若い方がいい。なにせ、これから一緒に日本にeコマース革命をもたらそうというのだから、安定志向の中年では持たないだろう。

そんな人材がどこにいるだろうか――。

ここでもキーマンとなったのが、またしても大学院生の本城慎之介だった。話は少し前にさかのぼる。本城がOB訪問の一環として初めて恵比寿のオフィスに三木谷を訪ねていった直後のことだ。

その日、本城が恵比寿から下宿のある藤沢に戻った頃には、もう日が暮れてしまっていた。帰り道を歩いていると、SFCの先輩とばったり出くわした。

杉原章郎――。痩せ型の本城とは違い、当時からがっちりとした体格だ。杉原は政治家志望だったがSFCの大学院を本城より一年先に卒業すると、RCAという個人経営のベンチャーを立ち上げていた。

「杉原さん、久しぶりですね！」

本城は杉原を呼び止めると、就職活動の一環で出会ったという興銀OBの話を始めた。そのまま杉原の下宿に上がり込み、興奮気味に三木谷浩史という男の話を続けた。

「それが、すごい面白い人なんですよ。僕はもう、就職活動なんかやめて、その人のところで働こうかと思ってるんです」

そう言うと、本城が「クリムゾングループ　アソシエイト」と書かれた真新しい名刺を杉原に手渡した。

「へぇ、そんな人がいるんだ」

この時は、その程度で話が終わった。まだ楽天市場のアイデアに行き着く前のことだ。このSFCの後輩が、30歳で興銀を飛び出したという男と何をしようとしているのか、杉原にはいまいち分からなかった。

インターネットの父の教え

その杉原のもとに、小林正忠が突然電話をよこしてきたのは、このすぐ後のことだった。

「俺さ、さっき大日本印刷辞めちゃったから。明日からお前のところ行っていい？　雇ってよ」

「は？　お前、何言ってんの？　悪いけどお前を食わせるような余裕はないから」

「そんなの、別にいいからさ。お金は要らないから、とりあえず席をくれよ。自分の食いぶちくらい自分で探すからさ。だったらいいだろ」

「マジかよ……」

小林と杉原は慶應SFCの同級生だ。ともにSFCが開校したばかりに入学した1期生だった。杉原はこの厚かましい同級生を、起業したばかりのRCAに受け入れることにした。

二人は同級生だが、決して最初から濃いつながりがあったわけではない。広島の高校から湘南にある慶應SFCにやって来た杉原に対して、小林は通称「塾高」と呼ばれる慶應義塾高校の出身。しかも小学校の慶應幼稚舎から慶應一筋で育っている。現在もそうだが「塾高」の出身者は慶應大に入ってからも結束が強い。特に中学、幼稚舎と年少になるほど裕福な家庭の子弟が多い。

「僕らはSFCの1期生で先輩がいなかったので、慶應って下（の学校）から入ってきた人たちが学校を牛耳っているという雰囲気がありました。外から来た僕らは外様感がありました。いやな学校だなと、卑屈な思いで見ていましたよ」

特に杉原は2年間、浪人して慶應に入学しただけに、年下の塾高出身者が幅を利かせる当時のSFCの雰囲気にはなじめなかったのだという。1年生の夏ごろに塾高出身の小林と出会った頃には、それほど親しい関係にはならなかった。

だが互いに大学4年になり、SFCでも同窓会の組織を作ろうという話が持ち上がった。慶應大の同窓会である「三田会」は、有名大学の同窓会の中でもとりわけ強い結束力で知られる。都内からは離れた場所にあるSFCの1期生である彼らにも、その伝統を引き継ぐことが求められたのだ。

サークル団体のまとめ役を託されたのが杉原だった。多くのサークル団体が入るクラブ棟運営委員会の管理人となり、クラブ管理棟101号室に入り浸るようになる。そこに、小林の同居人が出入りしていた縁で、二人は急接近したのだという。

ちなみに本城とは二人が大学2年生の頃に出会っている。学園祭の実行委員に1年生で参加していたのが、1学年下のSFC2期生である本城だった。

杉原は政治家を目指して大学院に進み、RCAを起業していた。一方の小林は一足先に学部を卒業すると大日本印刷に就職していたが、結婚を機に起業の準備を始めようと思いたった。「相手の親への手前があって」、どこかの会社に籍を置いた方が良いだろうと思って、この級友を頼ったと言うのだ。1996年10月末のことだ。

そこから二人の運命は急展開し始めた。

本城が恵比寿からの帰り際に再会した杉原に語った「面白い人」。その後も本城から、そのベンチャー企業のことは耳にしていた。なんでも、CCCの創業者に何度も会ってパソコンの手ほどきまでしているという。そして、いよいよ「インターネットのショッピングモール」へと打って出るのだという。

そんなある時、本城から杉原が経営するRCAに仕事が舞い込んだ。たった二人の「クリムゾングループ」が恵比寿のマンションから愛宕のオフィスに引っ越すので、LANなどの回線を敷いてほしいというのだ。

杉原が起業したRCAはインターネット関連の仕事をなりわいとしていた。ただ、実態はSFCの教授陣たちの下請け的な仕事だった。そこに何度も聞かされた「面白い人」から仕事が入り、杉原は現場へと駆けつけた。

「正直言って、最初は投資家を見る目で三木谷さんを見ていました。ある意味、警戒していましたよ。大手企業のコンサルティングもやっているので、目ハシが利いてインターネットと言っているんだろうな、と」

杉原がこう思ったのも無理はない。杉原がSFCで師事したのが、「日本のインターネットの父」と呼ばれる村井純だったからだ。1980年代から研究者の間でネットワークを構築し、第2章でも触れた、日本で初めて商用インターネット接続事業を手掛けたインターネットイニシアティブ(IIJ)の発足にも深く関わった人物だ。

「インターネットというのは、スノコみたいなもんなんだ」

当時の村井は学生たちにこう力説していた。それを使えば、我々はほんの少しだけ高いところに立つことができる。そんなテクノロジーが、これから世界中に広がっていくのだと、村井は説いていた。

そのインターネットに銀行出身の三木谷が打って出ようという。いわばインターネットの素人だ。懐疑的に見ていた杉原に、三木谷は一冊の大学ノートを見せた。手書きでびっしりとなにやら書き込まれている。

「思いつきじゃない。俺はこの中から、インターネットのショッピングモールを選んだんだ」

その大学ノートこそ、恵比寿のマンションの一室で本城と机を並べながら三木谷が考え抜いた事業のアイデアが書き込まれたものだった。その中から選び抜いたインターネットのショッピングモール。楽天市場という名前はまだ、ない。ただ、三木谷がそこで勝ち抜く秘策を力説していたことだけは覚えているという。

「三木谷さんがモデルにしたと言っていたのがアメリカの会社でした。僕の記憶にあるのは、データベースの新しいやり方で、データの管理なんかをやる仕組みだったと思います。(後の)楽天市場のコアになる仕組みで、ウェブ上で直接入力してページを作っていくものでした」

説明の必要はないだろう。杉原が「モデルにした」と言うのは、今では語られることのない楽天の知られざる原点、バイアウェブのことだ。

「杉原君さぁ、もうアマチュアなビジネスなんか辞めて、俺のところに来てプロになれ」

三木谷は何度も、杉原をこう口説いた。一方の杉原は当初はRCAとして三木谷の仕事を受託できないかと考えたという。杉原か小林のどちらか一人が三木谷のもとに常駐すれば月70万円がRCAに支払われる契約がまとまりかけ、風来坊の小林を差し出すという話だったが、杉原はいっそのことこの男に賭けてみようと思うようになったという。

こうして杉原と小林は三木谷のもとにやって来た。社員番号は一足先に入社した『大学への数学』から来たすご腕プログラマー」の増田和悦に続き、杉原が4番、小林が5番だった。ここに三木谷の妻・晴子が6番として加わった。

この6人が、楽天の創業メンバーである。

真新しい愛宕のオフィスへの引っ越しが完了して、MDM（後に楽天に改称）が発足したのが、1997年2月のことだった。楽天市場のオープンは5月1日に定められた。

増田はシステムの構築に没頭し、本城がそれを補佐する。三木谷の妻・晴子は銀行勤務の経験を生かして経理や広報を担当した。社長の三木谷は、杉原と小林とともに全国を飛び回り、どぶ板営業に駆けずり回る。創業メンバー6人の役割分担ができあがった。

1997年4月1日。1カ月後に正式オープンさせる楽天市場をプレ・リリースした日の夕食は、愛宕のオフィスで6人がカップ麺をすすって済ませた。楽天には現在も、当時の写真が保管されている。ホワイトボードの前で三木谷が焼きそば、本城がラーメンをついている。質素なお祝いの食事にほんの少しだけ華を添えているのが、テーブルに置かれた高級ブランデー「レミーマルタンXO」だが、氷はコンビニで買ってきた袋詰めだ。しゃれたグラスではなく発泡スチロールのコップで乾杯している。

それでも、写真に写る三木谷らの表情は明るい。この後に待ち構える苦しみを、知ってか知らずか……。

たった13店での船出

愛宕への引っ越しが終わってしばらくした4月6日、創業メンバーの6人で合宿することになった。楽天市場のオープンは1カ月後に迫っている。だが、海の物とも山の物ともつかぬ若者たちが語る「インターネットのショッピングモール」に賛同してくれる商店主は、なかなか現れなかった。

「100店舗までの力ずく営業」――。小林がこの合宿で披露した資料のタイトルからは、当時の6人が置かれた状況が伝わってくる。なにがなんでも、100店舗を集める。そのためには「力ずく」でも、なんだっていい。それができなければ、どんなに優れたシステムを持っていると言っても楽天市場の将来はない――。小林がこう語るのも、もっともだろう。

三木谷が初対面の大学院生だった本城に語った「既成事実」。それは、まさに三木谷が言ったように積み重ねないことには、なんの力も持たない。ただ、若い6人の話に耳を傾けてくれる者が、そうやすやすと現れるほど、世間は甘くはなかった。

時は1997年である――。日本経済には金融不安が押し寄せ、いよいよ平成の「失われた時代」の到来が現実味を帯び始めていた。山一証券が破綻したのは11月のこと。神戸では連続児童殺傷事件が起き、暗い影が日本列島を覆った。「生きろ」と訴えた映画『もののけ姫』が大ヒットしたのも、この年のことだ。

世界に目を向けても、暗い話題が多い一年だった。この年の7月にはタイ・バーツの急落が引き金となりアジア通貨危機が発生し、経済の大混乱はあっという間にアジア各地へと飛び火した。北朝鮮と中国で指導者が亡くなり、ポスト冷戦時代の世界情勢が大きく動き始めたのも、この年のことだった。

「増田さんと本城君が作った（楽天市場の）プロトタイプを見て、これはバカ受けする、俺たちはすごいことを始めちゃったなと思っていました。もう意気揚々と商店を回って、すぐに『どうぞ、どうぞ』となるかと思っていたら、実際はインターネットのイの字から説明をしないといけなかったのです」

西日本を担当した杉原には、忘れられない光景がある。高知県内を営業で回っていた日のことだ。この日も契約獲得はゼロ。レンタカーで素泊まりの安宿に着いた頃には、すっかり夜も更けていた。倒れ込むように布団に入り、天井の古い木目を眺めていると、なぜか止めどなく涙がこぼれてきた。

「俺は何をやってるのだか……」

東日本担当の小林も、土砂降りの中で車を走らせ、新潟県長岡市近辺の店舗を回った時のことは忘れられない。13軒目に立ち寄った店が契約してくれると言う。その時の感激は、言葉ではとても言い表せない。営業という仕事を経験したことがある人なら、誰もが同じような思い出があるだろう。当時の楽天は弱小どころか、まったくの無名。まともに話も聞いてもらえないことがほとんどだった。

「我々には知名度がないからそもそもアポイントが取れない。インターネットに対する不信感もありました。『そんなところにクレジットカード番号を入力するなんてあり得ない』という考えが大前提でした」

信頼を得るためには、何度も足を運ぶしかない。小林はこう続けた。

「(商店主たちに)インターネットの未来を語り続けたと言えば格好いいけど、実際はそんなことばかりじゃないですよ。多くの場合、パソコンを買ってきて設置するところから始めます。メールの使い方とか、ネット接続事業者との契約とか、まるでパソコンの先生みたいなことから、ちょっとずつ始めていったというのが実態なんです」

そして1997年5月1日、楽天市場は記念すべきオープンの日を迎えた。

ただし、若者たちが日本全国を駆けずり回ってかき集めてきた店舗は、わずか13店だった。そのうちの8店舗が三木谷の個人的なコネによる出店だった。

「秋葉原ツクモ電機」「伊勢志摩新鮮市場」「うなぎ　はいばら」「紀州みなべ梅干」――。こんな特徴的な名前が楽天市場のトップページに並ぶ中で、やや異色の存在と言えるのが

「トヨタ西東京カローラ」だった。

実はハーバード留学時代の仲間で、トヨタから派遣されていた武田和徳の尽力によるものだった。当時はバブル崩壊で国内需要が低迷するなか、トヨタも新しいクルマの売り方を模索していた。それならインターネットの仮想商店街でクルマがどれほど売れるものか試してみてはどうか——。久々に三木谷と会った武田は、こんな突飛なアイデアを思いついた。トヨタにとって新しい試みになるだけでなく、トヨタが最初の出店者に名を連ねたとなれば、インターネット商店街の存在をいぶかしがり、契約を渋る商店主に対して楽天の信用力をアピールすることもできるだろうというのが、武田の考えだった。

もう一つ言えば、武田は当時の上司が以前からインターネットに入れ込んでいることを知っていた。現在のトヨタ社長、豊田章男である。楽天市場への出店を提案すると案の定、二つ返事で返ってきた。

「いいねー、面白いじゃない。やってみようか」

それでもオープンの日に集まったのは、たった13店舗だった。初月の取引高は32万円。そのうちの18万円分は三木谷が自ら買ったものだった。

こんなはずじゃなかった——。それが6人の創業メンバーに共通した思いだった。

「あの時は正直、私が最初に会社を辞めさせられるかなと思いました。たぶん、私は要らない存在なんだろうなと思いました」

小林はそこまで思い詰めたと言う。システム構築に汗を流していた本城慎之介も焦りを隠せなかった。楽天市場がオープンする直前に無事、慶應大学で修士号を取得した本城は、修士論文の代わりに楽天市場の事業計画を提出して学位を認められていた。その計画を教授陣に発表した際には「まずは4月までに100店舗を出店します」と豪語していた。それがたったの13店舗だ。5月のゴールデンウイークが終わると、本城もどぶ板営業にかり出された。

「俺たちは草ベンチャーじゃない」

こうして楽天は一歩ずつ「既成事実」を積み重ねていくことになった。当時の三木谷の焦燥を伝えるエピソードとして語り継がれているのが、6月30日の深夜に営業メンバーに送ったメールだ。この日までに出店数50店達成を目標としていたが、48社に終わっていた。杉原と小林はそれでも上出来だと思い、ホッと胸をなで下ろしていたところだったという。三木谷はこんな文面を送りつけてきた。

「50社の目標に到達できないのでは、とても世界で通用するとは思えません」

目の前の契約が取れずに四苦八苦しているのは杉原と小林だけではない。三木谷もまた全国を飛び回り、地方の商店主たちに「インターネットなら銀座4丁目に……」と口説き続けていた。この当時、3人が一緒に営業に回ることなどほぼなかった。そんな余裕はなかったからだ。だから実際のところ、互いにどうやって商談を進めているかは分からない。それでも契約件数から考えれば、おおかた三木谷も苦戦していることは分かる。

それなのに、三木谷はあえて「世界」という言葉でチームを鼓舞しようとした。現実には世界なんて、これっぽっちも視界に入らない場所で皆が戦っているというのに——。

この後、実際に50店舗に到達した日のことだ。計画よりずれ込みはしたが節目の祝いにと、創業メンバーで焼き肉店に繰り出した。その席で、三木谷は仲間たちに語りかけた。

「いいか。俺たちは『草ベンチャー』じゃないんだ。本気で世界を目指すんだ」

メールに書いたことは決してハッタリでもなければ、大ぼらでもない。誰もが「この人は本気でいつか世界に挑むつもりなんだ」と思わされた瞬間だった。今は目の前の既成事実を積み上げることしかできない。ただ、そんな時こそリーダーには、メンバーたちの目線を上げることが求められるのだ。

楽天が本当に世界で戦うようになった今では、その場にいた誰もが理解できる。ただ、その時に現実味があったかと言われれば、答えはノーだろう。ただ一人、三木谷浩史を除いて。

楽天市場がオープンしてから半年が過ぎた1997年12月15日、ついに出店者数は100を超えた。当初は月に4〜5店の出店者を探し出すのが関の山だったのが、この頃から電話での問い合わせも増え、店舗数が急増し始めた。1年後の1998年末には320店、さらに1年後の1999年末には1800店に到達した。

興味深いのが、楽天が創業時にひそかにコピーしたバイアウェブが時を同じくして急失速していったことだ。1998年に米ヤフーに買収されてヤフー・ストアに名を変えたが、特に成長することもなく、次第に忘れられていった。米国でeコマースのプラットフォーマーの座を勝ち取ったのはアマゾンであり、オークションサイトのイーベイだった。

楽天とバイアウェブの命運を分けた理由として、忘れてはいけないのが、三木谷が「エンパワーメント」と呼ぶ言葉だろう。顔の見える商店主にパワーを授けるという意味だ。

そこには三木谷が描いたeコマースの2段階戦略が存在する。三木谷はその一端を著書『成功のコンセプト』で明かしている。以下にかいつまんで説明したい。

三木谷は「ビジネスには、戦争型と戦闘型の2通りのスタイルがある」と説く。

「戦争型」とは現代のプラットフォーマーの戦略だ。赤字を垂れ流しながらもユーザーを獲得していき、替えの利かない存在にまで成り上がる。大規模な軍隊を一斉に動かすように、最初から巨額の資本を投下して一気に領土（シェア）を獲得してしまう戦略だ。後に楽天のライバルとして立ちはだかる米アマゾン・ドット・コムがこの典型と言えるだろう。

これに対して「戦闘型」は、相手の顔が見える局地戦を指す。一つひとつの商談を積み重ねていってすこしずつ領土を広めていく。そのためには何度もお店に足を運び、パソコンを一緒に買いに行き、回線に接続して電子メールの使い方やホームページの作り方を教える。三木谷の言葉を借りれば「楽天を〝運命共同体〟として選んでもらうのが、僕たちの基本方針だった」ということだ。

三木谷は最初から楽天市場は「戦闘型」から入り、いずれは「戦争型」に切り替える必要があると考えていた。

事実、十分な出店者が集まり、いざこれから面的拡大、すなわち戦争型に突入するという時期にさしかかった2002年、三木谷はあれだけ商店主に口説いて回った「月5万円」の価格破壊戦略を撤回し、出店料にプラスして売上高に応じて手数料を取る従量制も導入した。出店者からの反発が相次いだのは当然のことだ。それでも三木谷は、一段の成長を求めプラットフォーマー型に移行するタイミングを計り続けていた。

ただし、重要なことは、「戦争型」の戦い方に軸足を移しても、商店主の顔が見える「戦闘型」のDNAを忘れてはいけない、ということだ。

三木谷は後に著書で当時のことを「楽天にとって宝物のような時期だった」と回想している。これは決して、きれい事ではない。楽天は今も店舗ごとにECコンサルタントと呼ぶ担当者を置いて、楽天市場でモノを売るために二人三脚を組んでいる。

ホームページではどんな言葉でお客に訴えかけるか、魅力的な写真とは、SEO（検索エンジン最適化）戦略をどう採り入れるか――。出店者向けに開く楽天大学では、そのようなセールスのノウハウだけでなくチーム・ビルディングなどの「エンパワーメント」も手掛けている。

そのすべてが出店者にとって満足のいくものとは言えないのもまた、事実である。2020年には一定額以上の買い物に対して「送料無料」とする新方針が、少なからぬ商店主からの反発を招いた。この点は、ある程度は想定していたとはいえ、楽天の原点をもう一度見つめ直すきっかけとなったのではないだろうか。

単にインターネットでeコマースのプラットフォームを提供するだけでは、楽天の良さは消えてしまう。三木谷の言葉を借りれば「戦闘型」の戦い方も併せ持つことが、楽天の強みだと言えるからだ。出店者との二人三脚を忘れてしまえば楽天が楽天でなくなってしまうという意識は、常に三木谷も持っているはずだ。著書ではこう説いている。

「戦闘型ビジネスをやってきたからこそ、自分が何のために、あるいは誰のためにこのビジネスをしているのかを、いつも明確に意識できたのだと思う」

どん底のよなよなエール

こんな楽天の哲学を体現するエピソードには事欠かない。もちろん、うまくいかなかった例も数知れない。ただ、平成不況の「失われた時代」が始まっていたこの当時、楽天が提供するインターネットの仮想商店街が、地方のシャッター街に希望をもたらしたことも また、事実だろう。

ここでは一つ、興味深い事例を紹介したい。今ではクラフトビールの雄と言われる「よなよなエール」がたどった、どん底からの再生物語だ。

「なんだ、このふざけた名前の会社は」

まだ楽天市場がオープンして間もない1997年5月のことだ。東日本の営業を担当する小林正忠は、雑誌『日経ベンチャー』の記事に目を落としていた。星野リゾートが長野県軽井沢町にヤッホーブルーイングというクラフトビールの会社をつくったと書いてある。ビールの名は「よなよなエール」だ。

クラフトビールは、三木谷が楽天を始める前に100ほどの事業アイデアから絞り込んだ3つの最終候補のうちの一つだ。これは三木谷とも話が合うに違いないと思った小林は早速、雑誌に書かれていた電話番号をダイヤルした。

「星野社長はいらっしゃいますか」

三木谷とともに星野リゾート社長の星野佳路を訪ねたところ、二人は意気投合し、とんとん拍子に出店が決まった。

その日から7年後――。ヤッホーはどん底に落ちていた。

本業のホテル事業が忙しい社長の星野に代わり、営業部門の責任者としてヤッホーを切り盛りしていた井手直行は、もはや打ち手がないとさじを投げかけていた。こんなはずじゃなかったと思いながらも、どこかでヤッホーが直面する危機を他人事のようにしか思えない自分もいた。

ヤッホーが楽天市場に出店を決めたのは、楽天市場がオープンした翌月のことだ。小林が雑誌で記事を見つけて三木谷によるトップセールスをしかけたことが出店につながったのだが、ヤッホーもまだクラフトビールを始めたばかり。互いに手探りの状態だった。

井手がヤッホーにやって来たのはこの少し前のことだ。職を転々とし「今度は自然が豊かなところで働きたい」と思い、軽井沢の広告代理店に就職していた。そこの得意先が星野リゾートだった。

その広告代理店も辞めてしまい、パチンコ店から帰宅したある日のことだった。自宅の留守番電話に少し前までお客だった星野佳路からメッセージが入っていた。

「井手さん。一回会ってくれないかな」

星野リゾートがクラフトビールに参入することは聞いていた。その誘いだということはすぐに分かったが、興味はない。ところが星野に会って考えが変わった。

「僕は日本のビール市場に新しい勢力を築きたいんですよ！」

米国留学時に飲んだペールエールという種類のクラフトビールに感動して、それを日本に持ち込みたいと、星野が力説する。「そうだ。醸造所を作ってるから今から見に行こう」。そう言って慌ただしく自らハンドルを握る車に井手を乗せて雪が積もる軽井沢の道を走る星野。柵もない森の中で建設中の醸造所を見て、井手の中にこみ上げるものがあった。

三木谷からの手紙

こうして井手はヤッホーでクラフトビールの仕事に携わるようになった。当時は作れば作るだけ売れる時代だった。「地ビールブーム」のまっただ中だったのだ。

日本にクラフトビールがやって来たのは、1994年の細川政権時代に規制緩和の一環としてビールの醸造免許取得に必要な生産量が大幅に緩和されたことがきっかけだ。1990年代後半には、ヤッホーも含め、全国各地で雨後のたけのこのようにクラフトビールの醸造所が作られていった。

大手が作る、さわやかな喉ごしのラガーとはひと味違う芳醇な味わいが売りの「よなよなエール」は生産が追いつかず、営業担当だった井手の役割は次々と舞い込む注文を断ることだった。「あの頃はいい気になっていたんですよ。傲慢でした……」。この後、人気にあぐらをかいた商売が強烈なしっぺ返しに遭うことを、思い知ることになったのだ。

クラフトビールのブームは長く続かなかった。ブランドが乱立し、消費者にも飽きられた。1999年をピークに、よなよなエールの売り上げは急降下していった。この前年に、キリンビールが発泡酒に参入したことが追い打ちをかけた。割安な発泡酒が続々と登場し、クラフトビールとの価格差が広がったことも響いたのだ。

井手は慌てて営業に走ったが、時すでに遅し。

「地ビールなんて、もう要りません」

「やっぱりスーパードライみたいなのじゃないと売れませんよ」

今度は井手が断られる番だった。醸造所の稼働率を落としても、少しずつ在庫がたまっていく。気づけば倉庫からあふれてしまい、駐車場に野ざらしで積み上げられるようになっていた。

賞味期限が近づくと、屈辱的な作業が待っていた。アルミ缶に入ったよなよなエールを、一本ずつ空けて排水溝に流すのだ。捨てるくらいなら飲めばいいと思うかもしれないが、売れずに廃棄すれば酒税が戻ってくるため、メーカーとしては廃棄するしかなかった。最初はプルタブを手で開けていたが腱鞘炎になってしまった。廃棄が追いつかなくなり、ケースに入ったまま缶に穴を空けられる装置を開発する始末だった。

約10億円もの初期投資が回収できず、ヤッホーは創業以来、赤字が続いた。するとわずか十数人の社内が、派閥に分かれて互いに陰口を言い合うようになっていた。

「万事休すか……」

むなしくビールを排水溝に流しながらも、不思議と井手には悔しいという感情がわいてこなかったという。転職は3度目。星野の熱意にほだされてクラフトビールを売ってきたけど、ここもダメならまた他をあたればいいや――。いつしか、そんな気持ちになっていた。

井手は、星野に電話で打ち明けた。

「誰もこのビールが売れるなんて思っていません。もう耐えられませんよ」

打ちのめされた井手に、星野はこう諭した。

「本当にとことんやったか。全部やり尽くしたか。まだ、やれることがあるんじゃないか。

びり暮らそう」

とことんやって、それでダメだったら会社をたたもう。そんで、湯川で釣りでもしてのん

湯川は星野リゾートを流れる軽井沢の小川だ。渓流釣りは井手の数少ない趣味だが、夏場はビールの最盛期になるため竿はしまったままだった。それにしても、星野が釣りをするなんて聞いたことがない。これが星野なりの気づかいと激励を込めた言葉なのだと気づいた時、井手は電話を握りしめた手が震えた。気づけばそのまま号泣していた。

「その後、何を話したかは覚えていません。ただ、あれで目が覚めました。このビールに人生を賭けてみようと思ったのです」

光明を探し求めてもがき始めた2004年初夏のある日、オフィスで本棚を整理していると、奥から一つの封書が出てきた。開けると手書きで、短いメッセージがしたためられていた。

このたびは御出店ありがとうございます。一緒にインターネットで世界を目指しましょう。

三木谷浩史

楽天市場を始めたばかりの三木谷から届いた手書きの礼状だった。

思えば楽天もヤッホーも創業のタイミングはほぼ同じ。創業時の人数は楽天が6人でヤッホーは7人。三木谷がこの手紙を送ってから7年。楽天は本気で世界を目指せる場所まで来ているのにヤッホーは倒産寸前だった。

この差はなんだ――。

彼我の差を痛感するのと同時に、井手はハッと思った。

「この手があるかもしれない……」

命の恩人

ヤッホーは7年前に楽天市場に出店したものの、何年もページが更新されないままだった。当初は営業チームにウェブ担当を置いていたのだが、会社を辞めて何年にもなっていた。楽天は出店者ひとつずつにECコンサルタントと呼ぶ担当者を張り付ける。実はこれまでも井手のもとに楽天の担当者が度々電話してきていたのだが、ことごとく邪険に扱ってしまっていたのだ。

それには理由があった。典型的なアナログ人間を自認する井手は、人さし指だけでパソコンのキーボードを打つほどのＩＴ音痴だったのだ。

ただ、幸いなことにこの頃、ヤッホーにはとりわけ熱心なＥＣコンサルタントが付いていた。あからさまに居留守を使っても、冷たくあしらっても、めげることなく電話をかけてくる。「この人なら信用してもいいかも」。そう思った井手は、林亜紀子というそのコンサルタントに電話した。

「うれしいです！　やっと話を聞く気になってくれたんですね」

インターネット仮想商店街で本当にビールが売れるのか、そもそも自分にそんなものが扱えるのか、井手は不安に感じていたことを率直に林に伝えた。すると林はこう答えた。

「大丈夫ですよ。ネット通販では、何かキラッと個性が輝いている製品が売れるんですよ」

ヤッホーが作る独特な味わいのよなよなエールが、まさにそれだと言う。なぜ消費者はわざわざ楽天市場で買い物をするのか。理由は極めて簡単で「そこでしか買えない物」が、そこにあるからだと言う。

これはひと言でｅコマースと言っても、日本ではＩＳＢＮ番号と呼ばれるコード番号で管理される書籍から始めたアマゾンとの違いを端的に表現した言葉だろう。楽天の強みは、どこで買っても同じ商品ではない。「そこでしか買えない物」を求めて日本全国を飛び回った創業メンバーによる「戦闘型ビジネス」で切り開いた利点とも言い換えられる。

井手は林の勧めで、楽天が開く「楽天大学」に入学することにした。楽天が出店者のために開く、楽天市場活用のための指南講座だ。授業料は30万円を超える。しかも軽井沢から新幹線で都内の六本木ヒルズまで通う必要がある。

「今日から俺はネットだけをやる。みんな、俺が逃げ出さないか見張っていてくれ」

井手は社内で宣言すると毎週、六本木ヒルズに通い詰めた。50人ほどの授業では、それぞれのホームページを評価することになった。よなよなエールの評価は最悪だった。デザインが古く、商品をカートに入れても届かないんじゃないかという疑念を、ユーザーに与えてしまうという指摘まで出た。

思いあぐねた井手は講義終了後に、講師に相談した。この時のやりとりが「目からウロコ」だったと言う。

よなよなエールのページについて、なぜダメなのかを聞くと、講師が逆に質問してきた。

「井手さんって、何ができますか」

「え？　何って……。僕はこういうネットとかが苦手で、デザインとか全然ダメで。ソフトもろくに使いこなせません」

「それは別にいいんです。じゃ、井手さんは何ができますか」

禅問答のような問いかけに、井手は言葉に詰まった。

「何ができるって言われても……、そうですね……、やっぱりビール屋なのでビールのことは詳しいです。ビールへの思いもあります。そういうのを伝えることはできます」

「それですよ！　それをやりましょうよ」

「え？　デザインとかはやんなくていいんですか」

「それはできるにこしたことはないですよ。でも、中身とデザインだったら断然、中身なんです。せっかくこだわりのあるビールなんですから、見てくれより、そのこだわりを伝えた方が絶対にいいですよ」

このアドバイスに、井手はハッとさせられた。今までの自分は「できないことをやろう」としていたのだ。だが、やるべきは「自分ができないこと」ではなく「他人ができないこと」だったことを、気づかされたのだという。その講師は、それこそがｅコマースで勝ち抜く秘訣だと言うのだ。

楽天はその力を「エンパワーメント」することによって、レッド・オーシャンだと思われていたeコマースに革新を起こしてきたのだ。

この時、井手は37歳。

「これからでも遅くはない。でもこれが最後。まさに背水の陣という思いでした。『三木谷浩史にできて井手直行にできないはずがない』と、何百回と自分に言い聞かせました」

ここから林との二人三脚が始まった。井手が六本木ヒルズで楽天大学の講義に出ると、ヒルズのオフィスにある自分の席からやって来てホームページ作りを手伝ってくれる。軽井沢に帰り、仕事をしていると遅い時間に電話をかけてくるのはたいてい、林だった。

「うちの社員でもないのに、なんでここまでやってくれるのかなと思いました」

結果から言えば、この方針転換が当たった。ネット販売という鉱脈を掘り当てたよなよなエールは、瞬く間に楽天市場で定番商品の一つに成長していった。

毎年、楽天が出店者を集めて開く「新春カンファレンス」では、ヤッホーはショップ・オブ・ザ・イヤーの常連だ。毎回、ド派手に仮装して表彰式に登壇する井手は、今やカンファレンスの名物となっている。

今ではコンビニエンスストアやスーパーにも販路が広がった。売上高は楽天に復帰する直前の2003年と比べ10年余りで20倍以上になった。

井手は今でも真顔で言う。

「林さんは命の恩人です」

繰り返しになるが、よなよなエールと楽天の美しい物語はすべての出店者に当てはまるわけではない。徐々に店舗側の負担が増す楽天市場への出費が回収できずに撤退する店舗も後を絶たない。

さらに言えば、楽天流eコマースの強みである出店者との二人三脚は、とにかく手がかかるため爆発的なスケールにつながりにくいという弱点にもなり得る。特に海外ではこの点で、高い壁に直面している。

最大の市場である米国に進出するため、2010年に現地企業のバイ・ドット・コムを買収した時のことだ。三木谷はバイ・ドット・コムへの出店者を集めて、楽天流についてのプレゼンを行った。

その冒頭で流したのが映画『スター・ウォーズ』をもじったアニメだった。三木谷の説明では、主人公のルーク・スカイウォーカーが加わる連邦軍が楽天。そこに、敵役である帝国軍が操る巨大兵器、デス・スターが立ちはだかる。

自らを連邦軍と称するのは、商店の独自性を尊重してそれを「エンパワーメント」するやり方こそが、楽天流だと言いたいがためだ。つまり出店者が主役。一方、帝国軍と聞いて思い出すのが、頭からつま先まで白のコスチュームで身を固めた歩兵のストームトルーパー、あるいはクローン兵団だろう。いずれも全く同じ格好の兵士が整然と隊列を作り、束になって襲いかかってくる。

明言こそしないものの、それがアマゾンのやり方だと言いたいのだろう。もちろん、アマゾンがそう言っているわけではない。あくまで三木谷なりの演出だ。言いたいことは次のセリフに集約されている。

「楽天も帝国になった方が多くの問題を単純に片付けられる。でもそんなやり方は楽天の使命に反する」

こう語る三木谷には、自ら育ててきた楽天主義への並々ならぬ自信が見える。だが、三木谷の理想論は、海外ではことごとく高い壁にぶち当たってきた。

北米でも、アジアでも、欧州でも……。

「会社が崩壊する」


実は、よなよなエールと楽天の物語には、後日談がある。林との二人三脚で楽天市場での売り上げを急増させていた頃、井手はもう一つの問題に直面していたのだ。楽天市場でのヒットが、社内の空中分解をますます加速させていたのだ。販売が増えると言っても、それで喜ぶのは井手と新たに置いたネット担当の二人だけ。社内からはむしろ「余計なことをして残業を増やすな」という不満の声が漏れ伝わってきた。

ある中途採用の社員に言われて愕然(がくぜん)とした。

「井手さん、この会社の朝礼ってお通夜みたいですね」

井手自身がずっと感じていたことだ。朝礼で話すのは販売部門を預かる井手ばかり。あとは事務的な連絡で、まるで発言がない。2008年には星野からヤッホーブルーイング社長への就任を言い渡されるが、「社長になって良い会社にしようとすればするほど、みんなから敬遠されていくと感じました」。楽天のおかげで販売は増えたと言っても、社内的にはそれがどこまで続くかは半信半疑といった雰囲気が強かった。それなら余計な仕事は増やしたくないという、しらけたムードが隠せなくなっていたという。

突破口を開いたのは、またしても楽天だった。井手は店主仲間から楽天大学が開くチーム・ビルディング講座の評判を聞きつけ、これをヤッホーブルーイングにそっくりそのまま導入した。

この際の経緯については割愛する。結果だけを見れば、ヤッホーブルーイングは紆余曲折を経ながらもチーム作りを進めていき、そのプロセスはたびたびメディアにも取り上げられるようになった。社員全員がニックネームで呼び合う制度は、この時に導入した。井手の愛称は「てんちょ」だ。

それ以来、看板のよなよなエールに次いで新しいクラフトビールを生み出している。「僕ビール君ビール」や「前略　好みなんて聞いてないぜSORRY」といった遊び心あふれる商品も多い。

こうして、ヤッホーブルーイングはチーム解体寸前のどん底から、クラフトビールの雄にまでのし上がっていった。

いずれも楽天の存在がカギとなったのだが、楽天自身にも同じような危機があったことは、今では知られていない。

時はインターネットバブルの熱狂が絶頂へと駆け上がっていった2000年前後のことだ。事業の急成長に合わせて社員がみるみる増え、楽天は2～3年ごとに本社を転々とし始めた。典型的な成長企業だが、それは、幸運にも坂道を駆け上がることができるスタートアップの多くが直面する試練の始まりだった。

「このままじゃ、会社が崩壊するかもしれない」

創業メンバーである小林正忠は、愛宕のビルから祐天寺へと移転した1998年夏あたりからこんな危機感を抱き始めていた。

当時の楽天は上場に向け、三木谷が他社から次々と幹部級をヘッドハンティングしてくるようになっていた。いきなり役職付きで入社してくることが多い。すると、営業の最前線で奔走する一般社員のメンバーたちとの間に、明らかな待遇の差が生まれていったのだ。営業部隊を預かる小林に、あからさまに不満をぶつけてくる社員も出てきた。

「なんであの人たちはまだ何もやっていないうちから、あんなに株をもらえるんですか」

「これって、僕らが三木谷さんから期待されていないってことなんですか」

株については頭が痛いところだ。当時は幹部級と言っても多額の報酬は払えない。それを埋め合わせするためのストックオプションなのだが、そうは言ってもなかなか理解されない。

「頭の良い人たちと寝る間も惜しんで飛び回る野武士集団。そんなふうに会社が分断されていきました」

営業担当の小林はその野武士の長にあたる。祐天寺時代にも会社に寝袋を持ち込んで泊まり込むことが日常茶飯事だった。ただ、小林はそれでも創業メンバーである。創業時に楽天の株を割り当てられているのだ。「当時は『そんなことより店舗さんに向き合おうよ』とか言って、話をすり替えていました」と、苦しい立場を振り返る。

やや話が逸れるが、小林のストックオプションにはちょっとしたいきさつがあった。楽天の前身であるＭＤＭを創業する際、三木谷に出資を促されたのだが、当初は断ってしまった。

「だって、三木谷さんの会社じゃないですか。それに俺、お金ないですから」

すると三木谷はこう諭した。

「俺の会社じゃない。みんなの会社だろ」

三木谷は今お金がないなら自分が貸すから株を買えとまで言う。結局、小林は自分で購入したが、購入額は一緒に入社した杉原章郎の半分にとどまった。「その時は三木谷さんのことを『この人ちょっと怪しいな』と思った」のだと言う。三木谷が自分で出資するカネがあるのなら社員に負担させる必要はないだろうと思ったのだという。楽天市場がオープンした日に13店舗しか集まらず、小林が「クビにされるかも」と思ったという理由の一つがこれだ。持ち株が少ない分、真っ先に追い出されるかもしれないと本気で心配したのだと言う。

小林の話を続ける。

2000年に上場すると、膨大なキャピタルゲインを手にしたことは言うまでもない。

「一日の中でも、自分の資産が何千万円単位で増えたり減ったりするのです。だから上場3日目からは株価を見るのをやめました」

実は、これが小林家の窮状を救ったのだった。小林の実家は自営業を営んでいたがバブル崩壊後に経営が傾き、小林の父が兄弟同士で連帯保証人になっていた。廃業寸前に追い込まれて、家も抵当に入れられていたが、楽天が上場した際の株式公開益で取り戻すことができたのだ。

三木谷の孤独

三木谷が創業時から好んで使った言葉に「毎日1%の改善」がある。1%を愚直に毎日コツコツと上乗せしていけば1年で37倍に成長できるという理論だ。

だが、この時期は楽天が上場し、楽天市場の急成長に加えて旅行サービスや金融へと続く「楽天経済圏」を目指して膨張を始めた時期と重なる。「毎日1%」とは言っていられないほどの勢いで、会社が拡大し、それが目に見えない分断を生み始めていたのだ。

最古参の創業メンバーの目に、変調は明らかだった。小林はこう振り返る。

「今振り返ると、社長業は孤独だったんだなと思います。特に上場すると公的責任を負うことになります。三木谷はそれを一人で背負ってしまっていたのだなと思いましたね」

この頃になると人付き合いの幅も広がり、毎夜のように会食やパーティーが三木谷のスケジュールを埋めた。もともと朝が早かったはずの三木谷が「重役出勤」となり、創業した時からあれだけ大切にしていた毎週月曜朝8時からの朝会もすっぽかすことが度々だった。

世間では若き成功者と見られるようになっていた三木谷は、内なるひずみに直面して何を思ったのだろうか。小林たち創業メンバーにもその胸の内は明かさなかったが、三木谷とたった二人で楽天を構想した本城慎之介にはこの当時、忘れられないシーンがあったという。

それは何気ない日常でのことだった。三木谷がハンドルを握るコロナ・エクシブに乗せられ、二人で近くに昼食に出た時のことだ。お気に入りの浜崎あゆみのバラードがカーステレオから流れてくると、無言でハンドルを握っていた三木谷がポツリとつぶやいた。

「この人も孤独なんだろうなぁ」

思わず助手席から三木谷をチラリと見たきり、本城には言葉が継げない。人気絶頂の歌姫の声に、三木谷は何を思ったのだろうか。自分の姿を重ね合わせていることは、本城にもすぐに分かった。

「三木谷さんは本当はすごく繊細な人なんです。その姿を見て、孤独なんだなと思いました」

その少し後にはちょっとした事件も起きた。会議の席上で新規事業担当と開発担当の幹部が怒鳴り合いのケンカを始めたのだ。若いスタートアップだけあってケンカは珍しくないが、その日、会議に同席した三木谷はいつもと様子が違った。普段は場を制するのに、この日は黙ったままだった。本城が視線を送ると、三木谷の目に小さな涙があった。

「みんな、仲良くしろよ……」

そう言って絞り出すのがやっとだった。

「あなたには、バカの気持ちは分からない」

「このままじゃ、まずい。俺たちが〝プチ三木谷〟をやらないと会社が崩壊する」

三木谷が海外出張中にそう言って創業メンバーを集めたのが小林だった。この頃から三木谷には内緒で始めたのが、「スリー・エス・ミーティング」だった。慎之介、杉原。それに普段は「せいちゅう」と呼ばれる小林の三人の頭文字を取って「スリーS」だ。ただ、「プチ三木谷」を演じようと思えば思うほど痛感することがある。カリスマ社長には代役などいないという現実だ。

この頃、本城が思い出したのが、かつてカルチュア・コンビニエンス・クラブ（CCC）創業者の増田宗昭から直接受けた薫陶だった。

「1対3の法則――。会社が大きくなる時には、常に3倍の事態を先回りして想定し、それに備えよ」

それができなければ会社はおかしくなる。増田から授けられたはずの教訓を、楽天は生かせていなかったのだ。本城はこう回想する。

「会社が成長痛でミシミシと音を立てきしんでいるのが分かりました。朝会をドタキャンする時もだいたい10分前くらいに僕のところに電話があって『慎之介、やっといて』です。その声で酔っ払っていることが分かることもありました。どん底は（上場直後の）中目黒の時期です。あの頃は、本当にしんどかった」

この頃の教訓から後に六本木ヒルズに移るとパーテーションを取り払い、オフィスもワンフロアとしたが、2000年から3年間続いた中目黒の時代には、解が見いだせなかったという。

小林はこの頃の思いを三木谷にストレートにぶつけたことがある。暗黒の中目黒時代の最後の頃にあたる2002年のことだ。東京・広尾のレストランで三木谷と久々に会食した際、小林は告げた。

「三木谷さん。俺、会社を辞めようと思うんです」

辞める理由は会社への不満ではなく、夢だった小学校の教師になるためだという。ただ、小林には伝えたいことがあった。

「この際だから言わせてください。たった一つ、三木谷さんに弱点があるとすれば……。それは、あなたには俺らみたいなバカな奴らの気持ちが分からないってことです」

「せいちゅう」の突然の忠告に、三木谷は「そんなことねぇよ」と言って言葉を詰まらせた。

「いや、世の中にはがんばっても、がんばっても、頭の良い人たちから見たら問題があるだろって奴らが一杯いるんですよ。俺だってそうです。それでもみんなコツコツとやっているんですよ」

三木谷がいつも口にする「毎日1%の改善」。それをバカ正直にやっている社員の努力の積み重ねで、楽天はここまで来たんだ。

「俺の会社じゃない。みんなの会社だろ」

楽天を創業したばかりのあの時、あなたは確かにそう言ったはずだ――。

小林が言わんとすることは、三木谷にも伝わったようだ。

ちなみに小林はこの時、本気で楽天を辞めるつもりだったが、引き留めたのが実の父親だった。この直後にガンが発覚したのだ。小林が楽天を辞めようと思うと告げると、病床の父は息子にこう言って諭した。

「お前は三木谷さんから学べることがまだあるはずだ。だから辞めるんじゃない」

創業時に三木谷が「金を貸してやるから楽天の株を持っておけ」と言ってまで、小林にストックオプションを割り当てたことが、後に小林家の窮状を救ったことはすでに触れた通りだ。その父が「まだ三木谷さんから学べる」と言う。父の言葉を聞き入れた小林は、楽天にとどまることを決めた。

「1兆円で一丁上がり」

話を戻そう。会社分裂の危機に動揺する忠臣たちの姿を見て、トップに立つ三木谷は何を考えたのだろう。当時の思いを聞いてみた。

「(本城と) たった二人で始めた会社 (の社員) が幾何級数的に増えていった。そのなかでは色々なことが起きますよ。新しく入ってくる人たちと、もともといる会社へのロイヤルティー（忠誠心）が高い人たちをどうバランスするか。それは最初からいつか課題になるだろうと思っていました。最初は『おい慎之介、せいちゅう』と言えば互いに聞こえる距離だった。でも、どんどん違うフェーズに入っていく。（会社の成長とは）そういうものなんです」

つまり、ある程度の軋轢は織り込み済みで、避けては通れないということだ。スタートアップがいずれ直面する成長痛――。この問題には今も最適解がないのかもしれない。ただ、面白いことがある。

小林や本城が、明らかに三木谷の目の色が変わったと感じた日があったというのだ。三木谷が突然、頭を刈り上げて丸坊主にして出社してきたのだ。

「三木谷さん、なにかあったんですか」

驚く社員を代表するかのように本城が恐る恐る聞くと、三木谷は「いや、別に」と言って、それ以上は何も口にしなかった。

その代わりに、と言えばいいのだろうか、この時から三木谷は全く異次元の数字をぶち上げ始めた。

「楽天市場の流通総額を1兆円にする」

流通総額とは売上高ではなく、文字通り楽天市場を通じてモノが売買される取引高の総額のことだ。ここから楽天は手数料と出店料を得て売上高を計上するのだが、当時の流通総額はまだ月30億円だ。年間にしても400億円に満たない。三木谷は「これから毎月17％で成長すればいいんだから、十分に達成できるだろ」とぶちかました。

「毎日1％の改善」と言っていた三木谷が、あえて無謀とも言える目標を示して亀裂の入った社内を鼓舞したわけだ。

「お前たち、目指すところはもっと上にある高みだろう」

三木谷はそうは言わなかったが、本城には意図するところが分かった。

「三木谷さんが帰ってきた」

本気でそう思ったという。ギスギスとした社内の空気に言葉を詰まらせたボスは、もうそこにはいなかった。

この流通総額1兆円構想はそれから10年近く後の2011年に達成している。この時にはすでに本城は楽天を去り、理想の学校を作るという新しい夢に向かっていたのだが、社内で開かれた祝賀会に招かれていた。祝いの場で再会した三木谷に、チクリとクギを刺した。

「そういえば三木谷さん、『1兆円で一丁上がりだ』って言ってませんでしたっけ？」

流通総額1兆円への執念を示すため、三木谷はしばしばこの目標に到達すれば現役を退く覚悟だと語っていた。

もちろん、その気はない。本城も承知の上だ。

かつての相棒からビーンボールを投げ込まれた三木谷は、社員たちを前にこう返した。

「次は流通総額10兆円だ。そのために、楽天は真のグローバル・カンパニーになる」

楽天がよちよち歩きで立ち上がった1997年の夏。三木谷は創業メンバーたちを前に何度も同じことを言い続けていた。

「俺たちは『草ベンチャー』じゃないんだ。本気で世界を目指すんだ」

その時から何も変わっていないことを、実感した夜だった。

第 6 章

アマゾン日本上陸

アマゾン日本上陸は一通のメールから始まった

ウォール街を飛び出したジェフ・ベゾスは書籍からインターネットの「エブリシング・ストア」を目指した

アマゾンへの出資と日本での合弁は破談に

孫正義は「人生最大の後悔」に挙げる

ベゾス本人に直接メール

西野伸一郎

NTT社員ながらネットエイジ創設に関わる。2002年に富士山マガジンサービスを起業

岡村勝弘

元農水官僚。リクルート、アクセスを経てアマゾン日本進出を導く。グロービスの人気講師に

ビットバレーの総本山

JR渋谷駅のハチ公口改札を出てスクランブル交差点を渡ると、すぐに見えるのがSHIBUYA109だ。「109」は運営する東急グループの「10（トウ）」と9（キュー）」を組み合わせたものだが、1979年に開業して以来、流行の発信拠点として渋谷の顔となってきた。

三角地帯に立つ109ビルの右手をずっと歩いて行くと東急百貨店が見えてくる。その裏手にある松濤エリアに足を踏み入れると、それまでの喧噪とはうって変わって静かな街並みが広がっている。日本でも有数の高級住宅地としても知られる一帯だ。

渋谷駅から見てこの街の入り口あたりに立つ古びたビルの2階に入っていたネットエイジは、1990年代末に起きたネット起業ブームの象徴的な存在として記憶されている。1階に入る歯科医院が目印で、起業を志す若者たちが集まる現代の梁山泊といった様相だったと言っても過言ではないだろう。

ミクシィ創業者の笠原健治は学生時代に「何かお手伝いできないでしょうか」と言って、

ここにやって来た。コロプラを創業し、現在は個人投資家として知られる千葉功太郎はサラリーマン時代にネットエイジが主催するセミナーに参加したことが、起業家を志すきっかけとなった。ちなみにこの時、セミナーの講師だったのが、第4章で登場する「サトカン」ことヤフー幹部の佐藤完だ。

グリー創業者の田中良和や、日経BPを経て田中とともにグリーを立ち上げた山岸広太郎。後にメルカリを起業した山田進太郎は、フリーランスのプログラマーとしてネットエイジに出入りしていた。中古品売買のビズシークを創業し、後に楽天球団の立ち上げやヤフーでのeコマース革命を主導した「オザーン」こと小澤隆生も「門下生」の一人と言える。その小澤とネットエイジが主催する飲み会で知り合ったのが、電脳隊を創業していた川邊健太郎だ。まだ無名の若者だった二人は、飲み会の席ではアントニオ猪木の話で盛り上がったという。今では川邊がヤフーのCEO、小澤がCOOとしてタッグを組む仲だ。

日本のインターネット史に名を刻むネットエイジだが、その名を知らしめたのは「ビットバレー構想」だろう。もとは「ビターバレー」。渋谷を英語に直訳したものだ。

渋谷をシリコンバレーに負けないほどの、起業家が生まれる街にしようというものだ。これが、ネットエイジが発行するメールマガジン、「週刊ネットエイジ」で公表されると、各メディアからは勃興しつつあるインターネット産業の中心地のように取り上げられた。
そのムーブメントに火が付いたのは、ちょっとした飲み会がきっかけだった。1999年3月、シリコンバレー在住で「世界一小さなデジタル放送局」を運営する人物が来日する際、その話を聞こうと、インターネットに関心のある若者たちが、渋谷の居酒屋「うおや一丁」に集まった。2次会でなだれ込んだのが、松濤にあるネットエイジのオフィスだった。

「せっかくだからこれを続けようぜ」

こう言い出したのがネットエイジ創業メンバーの一人である西野伸一郎だった。西野はNTT社員ながらネットエイジの創業に関わり、週刊ネットエイジにも「才場英治」のペンネームで寄稿していた。

西野の提案で始まった「ビットな奴らの（アトムな）飲み会」は、ビットバレーの名を世間に知らしめていく。

記念すべき第1回が、4月22日に渋谷の東急文化村の地下にあるカフェ「ドゥ・マゴ」で開かれた。この日は雨だったが100人以上の若者が集まり、会場にはインターネット談議で盛り上がる熱気が充満していた。

スピーチに立ったのが西野と、電脳隊初代社長の田中祐介だった。西野は会場を見回しながら「インターネットで何かやりたいという人がこれだけいて、みんながつながっていく。これはとてつもないエネルギーになると思った」という。

この飲み会はビットフライデーやビットスタイルと名を変え、あるいは派生し、翌年まで続いた。熱狂がピークに達したのが翌2000年2月2日の夜だった。六本木のクラブ「ヴェルファーレ」に2000もの人が集まり、壇上には堀江貴文、南場智子、孫正義らが次々と登場していった。

ただ、この直後にインターネットバブルは崩壊し、渋谷から広がっていた熱狂の渦は急速にしぼんでいくことになるのだが……。

日本のインターネット史にその名を残すビットバレーだが、発端をたどるとグロービス創業者の堀義人が主宰していたMBAベンチャー研究会という集まりに行き着く。米国などでMBAを取得して帰国したビジネスマンの集まりだが、1995年にニューヨーク大学でMBAを取得した西野は、2期生として参加することになった。ここで出会ったのがAOL日本法人の西川潔だった。

西川は個人事業としてパソコンの学生教師を派遣する「ホライズン」を経営していた。西野と西川は互いの勤務先が近かったこともあって意気投合する。休日になるとホライズンがある吉祥寺のオフィスに入り浸るようになっていた。

もとより起業志向の強い西川。MBA留学から帰国した西野が共感したのは自然な流れだったのかもしれない。

「NTTに居ては、新しいことに挑戦できない」

そう痛感していたからだ。

1998年2月に西川がネットエイジを立ち上げると、西野も取締役として参画した。NTTは副業を禁じていたが「経営陣ならいいだろう」という理屈だ。結局会社にバレる前にさっさとNTTを後にしてしまったのだが。

当初は富士通総研が発行する「サイバービジネス調査レポート」に寄稿し、自社でも週刊ネットエイジを発行していたが、西川が考案していたホテルの宴会場などを照会する「スペース・ファインダー」が軌道に乗る。もう一方ではインターネットによる自動車販売仲介サイトの「ネットディーラーズ」は、立ち上げからわずか2週間後にソフトバンク社長の孫正義から買収を提案されてまとまった資金を得ることに成功した。

ここからネットエイジは、今で言うインキュベーターへと転身し、数々の起業家を世に送り込んでいくことになる。ビットバレーの熱狂も一時的な盛り上がりに終わったが、多くの若者の目を「インターネット」に、そして「起業」に向けさせた功績は大きいと言えるだろう。

ベゾスに送ったメール

このネットエイジの西川に、温め続けたオンライン書店のアイデアをぶつけたのが岡村勝弘だった。岡村は異色のキャリアの持ち主だ。京都大学農学部から「日本の農業政策を変えよう」と思い立って農林水産省に入るが、新人時代に上司が「君たちの仕事は財務省を騙してでも補助金を取って、先輩たちのために外郭団体を作ることだ」と訓示するのを聞いて、激しい怒りを覚える。この上司は冗談のつもりだったのかもしれないが、岡村はやはり霞が関の論理にはなじめず、リクルートに転じた。その後、35歳で独立し、アクセスというベンチャーでNTTドコモのiモード向けブラウザの開発などにも携わっていた。

「岡村さん、それ面白いね」

西川はすぐに食いついた。

「でも、それっていくらくらいお金がかかりそうなの？」

「少なくとも10億はかかるかなぁ」

サラリーマンの身としては、とてつもない大金である。ただ、資金さえ集めれば大きく伸びるビジネスになりそうだ。西川はリクルートやNTTを巻き込めば資金集めも可能ではないかと言う。

「でも、西川さん、そんなツテはあるの？」

「NTTならひとりいますよ」

こうやって歯科医院の上に入るネットエイジのオフィスに10人ほどの有志連合が集まることになった。西川はNTT社員でネットエイジの取締役を兼ねる西野を紹介し、残るメンバーは岡村が声をかけた者たちだ。1998年5月の連休のことだ。

とはいえ、西野がNTTから巨額の資金を持って来られるわけではない。何度か勉強会を重ねていたが、ある時、西川が岡村に重大情報をもたらした。

「誰にも言わないでほしいんだけど」と前置きして告げたのが「どうやらアマゾンのジェフ・ベゾスが日本法人の社長を探しているらしい」ということだった。

この時、まだアマゾンは日本に進出していない。岡村が商社筋をたどって確認すると、どうやら本当らしい。

そもそも、アマゾンがいずれ日本にやって来るだろうということは、以前から噂されていたことだった。前年の1997年10月28日には、世界で100万人目の購入者となった日本の男性の自宅に、創業者のジェフ・ベゾスが直々に書籍を届けるというパフォーマンスも行っている。

この様子はテレビでも報道されていた。それを見た西野は「アマゾンは次は日本進出を狙っているんだな」と解釈したという。100万人目を誰にするかは、アマゾン側でコントロールすることが可能だ。日本で話題を作って認知度を高める演出は、おおかた日本進出の足場作りの一環だろうと見たわけだ。

この時点でアマゾンはまだベンチャーの域を出ない。だが、書籍のネット販売という岡村のアイデアでは、米国でずっと先を走っている。ならば、自ら資金を集めてアマゾンに対抗するより、アマゾンの日本上陸を自分たちが手掛ければどうか──。

岡村は「本当は自分でやりたかったのだけど……」と振り返るが、現実的には資金が集まる見込みも立たない。勉強会のメンバーたちは「それならアマゾンとやればいいんじゃないか」と促してくる。確かに、日本にオンライン書店を広げるためなら、それも悪くはないアイデアに思えた。岡村はもう一度、アマゾンのことを調べ直して考え方を軌道修正したものの、アマゾンにはツテがなかった。

それなら直接メールしてみるかと、アマゾンの公式アドレスにメールを送った。するとすぐに返信が来た。「CVを送れ」と書いてある。CVとは履歴書のことだ。このままやりとりを進めてしまうと採用面談のようになってしまうかもしれない。

ここで岡村は思いきった策に出る。公式アドレスではなくジェフ・ベゾスに直接コンタクトを取ろうと考えたのだ。オンライン書店の実現に熱意を燃やす岡村は人脈をたどり、本当にベゾスのアドレスを見つけてしまった。早速、ベゾスにメールを送った。

「自分たちは日本でオンライン書店を始めようと思っているとの趣旨です。確か、10行ほどでしたが後で見直すと文法上のミスが3つありました」

それでも熱意が届いたのか、翌日に一枚のFAXが届いた。東京・五反田にある、いわゆるM&Aブティックのニック・ベネッシュという男と連絡を取れというのだ。

岡村がベネッシュに会いに行くと、しばらくしてから連絡が入った。

「ジェフが会いたいと言っている」

なんとジェフ・ベゾス本人が直々に会うと言っているのだという。

「本当にベゾスに会えるのか？　日本法人の仕事ができるのか？」

いぶかる西野に、西川は言った。

「ジェフ・ベゾスのサインをもらうだけでも行く価値があるじゃん」

この頃には、ネットエイジの勉強会は「信濃川プロジェクト」に名称を変更していた。世界最大のアマゾンに対して、日本一の信濃川。リーダー格は岡村だ。

当時の信濃川プロジェクトの資料には「1年の準備期間ののち、サービス開始。事業開始1年目の取扱高は10億円以上を目標とし、3年目は100億円以上を目標にする」とある。そして成功の条件として「Amazon.com との提携・資本参加は有力な武器」と書かれている。アマゾンを日本に進出させ、信濃川プロジェクトとの提携という形でオンライン書店を始めようという意図だ。

ただ、相手はすでに米国で名を上げているオンライン書店の雄、アマゾンである。そんなに簡単に事が運ぶかどうか……。

アマゾン誕生

ここでジェフ・ベゾスとアマゾンの船出について、簡単に説明したい。

アマゾンの伝説はニューヨークのウォール街から始まっている。1964年に米南部ニューメキシコ州アルバカーキでバイク店の店主と17歳の女子高生の間に生まれたジェフ・ベゾスは、名門プリンストン大学を出るとニューヨークへと移り住んだ。

それから5年。いくつかの会社を転々とした後に出会ったのが、金融業界で異彩を放つヘッジファンド、DEショーを創業したデビッド・ショーだった。金融ではなく物理学や数学の専門家ばかりを集めたDEショーは、雑誌『フォーチュン』に「ウォール街で最も興味深くミステリアスな力」と評されていた。ベゾスも大学での専攻は電子工学とコンピューターサイエンスで、かつては物理学者になることを夢見ていた。

ベゾスによると「左脳も右脳も完全に発達した人」であるデビッド・ショーとの間で毎週行っていたブレインストーミングで出てきたアイデアが、オンライン上での「エブリシング・ストア」だった。

このアイデアの実現に、ベゾスは人生を賭けることに決めた。DEショーを辞めてオンライン書店を立ち上げるとデビッド・ショーに告げたのだ。

なぜ「エブリシング・ストア」ではなく書店なのか——。

ベゾスは決して「エブリシング」のアイデアを捨てたわけではなかった。あくまで第一歩として、書店から始めたのだが、それにはちゃんとした理由があった。

まず当時、米国にはざっと300万点の本が存在したが、どれだけ大きな書店でも取り扱えるのはせいぜい15万点程度だった。300万点を取り揃えるオンライン書店があれば、人々は書店に足を運んで品切れにがっかりする心配がなくなる。リアル店舗で売れ行きが悪い商品でも、インターネットで品ぞろえを確保すれば採算が取れるという「ロングテール戦略」については、第5章で紹介した通りだ。さらに前述のように本は品番管理が行き届いているため、インターネットによる一括管理がしやすい。

ただし、起業するということはウォール街で保証された地位と高給を捨てることになる。起業するということは、言うまでもなく破滅的な結末を迎えるリスクも抱える。この点について、ベゾスは後に講演でこう語っている。

「頭ではなくハートで決めた。80歳や90歳になった時に後悔を最小化したいと考えたのです。そして後悔というのはほとんどの場合、挑戦しなかったことや歩かなかった道に対して生まれるものだ」

後に「後悔最小化理論（The Regret Minimization Framework）」と呼ばれるようになるベゾスの思考法のヒントは、この頃に読んだ英国人作家、カズオ・イシグロの『日の名残り』にあったことは有名な話だ。

こうしてベゾスは、ニューヨークを去った。

「行き先は後で知らせる。とにかく西に向かってくれ」

運送業者にこう言ったベゾスは、本当に行き先を決めないままマンハッタンを後にした。南部テキサス州の実家に戻ると、父親から借りた車で西海岸の最北に位置するシアトルにたどり着いた。これといった縁はなかったが、ボーイングやマイクロソフトが陣取るエンジニアの町を起業の地に選んだのだった。この時、ベゾスは31歳。妻のマッケンジーとの旅路の間にアマゾンの事業計画を考案したという。

シアトルに借りた自宅のガレージで、アマゾンは生まれた。1994年7月のことだ。

文字通りのゼロからのスタートだ。当初はベゾス自身も床に膝をついて商品をパッキングして送り出した。そのうち、膝が痛くなってニーパッドを買うと仕事が少しだけ楽になった。それなら梱包用テーブルを買えばいいじゃないかと思いつき、実際にガレージに置いて作業すると生産性が2倍になった――。

これもベゾスが講演でよく語る創業初期のエピソードだ。要するに、今や世界的な企業であるアマゾンは手作りで生まれたオンライン書店だったのだ。

ちなみにアマゾンの前に考案した社名がカダブラ。呪文の「アブラカダブラ」から採ったのだが、死体を意味する「カダバー（Cadaver）」と間違えられるという理由で却下された。もう一つの候補が「リレントレス（Relentless）」。こちらは「絶え間ない」という意味だが「容赦ない」というニュアンスで使われることもあってボツとなった。

こうして行き着いたのがアマゾンだ。AMAZONのロゴのAとZを矢印が結ぶ、つまり「A to Z」は2000年に採用されている。AからZまでは「すべて」を意味する。いよいよアマゾンをオンライン書店から「エブリシング・ストア」へと駆け上がらせようという決意を示したものだ。

その後の成功は誰もが知るところだ。

ただし、当初からeコマースの発想が世間から受け入れられたわけではない。ブラッド・ストーンの著書『ジェフ・ベゾス　果てなき野望』によると、ある時、地元シアトルの雄、スターバックスの実質的な創業者であるハワード・シュルツがベゾスにこうアドバイスしたという。

「アマゾンにはリアル店舗がない。いつかこの問題で伸び悩む日が来ると思う」

アマゾンは今、リアル店舗を拡充している。インターネットの画面から飛び出てネットとはつながらなかった「オフライン」のデータを手に入れるためだ。その意味で、シュルツの予言は的中したと言える。だが、若かりし頃のベゾスはこう返したという。

「いや、我々は（インターネットで）月まででも行けると思っている」

ベゾスを落とせ

日本のアマゾンこと信濃川プロジェクトを掲げる岡村勝弘が直談判しようとしたのは、こうした数々の伝説に彩られた男だった。

信濃川プロジェクトから、岡村と西川、西野の三人がシアトルに飛ぶことになった。9月3日、三人は現地に到着する。

当時のアマゾンはシアトル市内にオフィスが分散していたが、指定されたビルはピュージェット湾に臨むシアトルの中心街、パイクプレイス地区にあった。新鮮な魚介類が並ぶ市場と、その目の前にあるスターバックスの1号店は今もこの街の観光名所だ。その辺りを散策していると潮の匂いに混じって、この街に多いロシア料理店からはピロシキの香りが漂ってくる。

だが、三人に観光を楽しむ余裕はない。パイクプレイスに到着するなり翌日の資料のチェックに取りかかった。

「本当にベゾスが会って話を聞いてくれるのかな」

西野が不安を漏らすと、岡村は自分に言い聞かせるように断言した。

「5分で口説いてみせるよ」

なんとも勇ましいセリフだが、岡村に当時の心境を聞くと「相手はあのベゾスです。つまらないと思ったらその場でミーティングは打ち切られるでしょう。だから最初の5分で勝負するつもりじゃないとダメだと思った」と振り返る。確かに、その通りかもしれない。

こうして翌朝、ベゾスとの面談に臨んだ三人。だが、受付でコンタクト先だった財務担当幹部のランディー・ティンズレーを呼び出すと、勝手が違った。渡されたスケジュール表を見ると三人が別々にベゾスと5人の上級副社長の6人と面談することになっている。

採用面談でよくあるパターンだ。これに岡村は異を唱えた。

「我々はワンチームだ。会うのはベゾス一人でいい」

岡村はアマゾンに雇われるために来たのではない、ビジネスパートナーとして交渉を持ちかけに来たのだと言いたかったのだ。この意図は伝わったようで、ティンズレーは「すまないがジェフの時間は午後にならないと空かない。それと、時間は30分しかない。それでもいいかな」

「問題ない」

もとから5分の勝負だと思っていた岡村が即答した。

「分かった。それならまだ時間があるから、これからアマゾンの拠点を案内しよう」

そのままティンズレーが運転するクルマに揺られ、シアトル郊外の配送センターを見学することになった。巨大な倉庫に目を見張るが、3人はどこか気もそぞろだ。

午後になり、再び指定のビルに行くと、今度こそベゾスが待っていた。面談する予定だった5人の上級副社長も同席している。

リーダー格の岡村がプレゼンに立った。

「Why Amazon?（なぜアマゾンか？）」

「その答えは単純でアマゾンが好きだから。日本にはアマゾンのようなサービスがないのです」

ここから、いかに自分たちがアマゾンの文化を理解しているかといった基本的なことからプレゼンを始めた。「ジェフイズム」とも呼ばれる哲学への共感を示すことが第一歩だと考えたからだ。

(最初の5分で口説いてみせる)

そう勢い込んでプレゼンを始めた岡村。すると、その5分が過ぎた頃だろうか、突然、ベゾスが無言で席を立った。

(ダメだったか……)

意気消沈しそうになるが、そこで話を終えるわけにはいかない。岡村は残された5人の上級副社長に話し続けた。すると数分してからベゾスが部屋に戻ってきた。

「この後の予定は変更した。好きなだけ時間を使っていいよ」

そこから英語が堪能な西野や西川も交えた対談が始まった。話は盛り上がり、ベゾスは愛読書の『日の名残り』やトヨタ自動車の名を挙げ、日本の文化やカイゼンに関心があることも喜々として話し始めた。

ベゾスの笑い声は有名だ。

前掲書でストーンは「頭をそらして目をつぶり、さかりのついたゾウアザラシか電動工具かと思うほどけたたましい声で笑う」と表現しているが、まさにその言葉の通り、時に「ガハハハハ」と独特の口調で高笑いする。

何より驚かされたのが、ベゾスが再販制度など日本の商慣行をよく調べていることだった。これには予兆があって、この面談に先立ちティンズレーの執務室を案内された時に、日本関連の資料が束になっていたのだった。それだけ真剣に日本進出を考えているということだ。

当初は30分の予定だった面談は、ベゾス自身が予定を変えたことで2時間ほどにも及んでいた。

(これは、もしかして、もしかするんじゃ……)

この時、西野は妙な感覚に陥ったという。心のどこかで「どうせベゾスが俺たちちみたいな得体の知れない奴らに、まともに取り合うわけがない」と思っていたからだ。実は、そういう事態に備えてNTTとアマゾンとの提携提案書も、チームリーダーの岡村には内緒で用意していたのだが、それをかばんから取り出すことはなかった。

ただし、ベゾスや上級副社長からは、信濃川プロジェクトの三人とアマゾンジャパンの計画を進めるという、明確な言葉が出てくるわけでもない。会談はこの上なくなごやかな雰囲気で進んでいき、そのまま終わりになった。

（これって、どういう意味なんだろう……）

終わり際に、西野がベゾスにストレートに聞いた。

「これからどう進めますか？」

この時、ベゾスが口にしたセリフを、西野はハッキリと覚えている。

「なにを言ってるんだ。もう、昨日から始まっているようなもんじゃないか」

こうして、アマゾンの日本上陸作戦は「ビットバレー」を生んだネットエイジに集まった信濃川プロジェクトを軸に進み始めた……、かに見えた。

この後、緊張と興奮の時間から解放された三人は観光客でにぎわう魚介市場に繰り出し、名物のクラムチャウダーを肴にビールで乾杯した。

「大成功だったね。あのベゾスがあそこまで前向きに言うんだから」

興奮する西野と西川を横目に、岡村は不安が拭えなかったという。そして、その不安は的中するのだった。

最後通告

　岡村の自宅のFAXが一通のメッセージを受信してカタカタと動き始めたのは、それから3カ月近くが過ぎた11月25日のことだった。差出人は、岡村たちとベゾスの面談を設定してくれたアマゾン財務担当のランディー・ティンズレーだ。そこに書かれていたのは、衝撃の事実だった。

　つい2週間ほど前までは日本進出の準備をフルスピードで進めており、岡村をリーダーとする信濃川プロジェクトに中心的な役割を担ってもらおうと考えていた。しかし、約1週間前の11月19日に開かれた取締役会で、当面は米国事業に専念する方針が決定されたのだという。

「現在、日本で新しい冒険を始めようとすることは、我々にとってはバカげたことになってしまった。当面は日本に関するあらゆる取り組みを停止する」

　つまり、日本進出はいったん白紙となったのだ。同じ文面のFAXは、西野と西川のもとにも届いていた。ネットエイジ社長という肩書を持つ西川に対して、岡村と西野はそれぞれの会社を辞めてアマゾンに転じる覚悟だった。実際、採用のオファーレターも届いていた。西野はすでに10年間勤めたNTTを退社しており、岡村もこの11月でアクセスを辞めることになっていた。

それが、たった一枚のFAXで白紙撤回である。

岡村と西野は早速、対応を練った。FAXにも記載されている通り、日本進出の撤回は取締役会の決議事項である。その決定を覆すのは不可能に近い。ただ、他ならぬベゾスが日本進出に意欲を見せていることは、自分たちの耳目をもって確認している。いったんはその手を止めても、いずれ日本に進出してくることは間違いないだろう――。ただ、いつまでもただ待っているだけではらちがあかない。

「最後通告しかないか」

岡村は最初に仲介してくれた東京・五反田のM&Aブティックのニック・ベネッシュに連絡を入れ、アマゾン側に2つの選択肢を提案するよう依頼した。

「第1に、トレーニーの立場でいいから岡村と西野をシアトルで雇い、日本進出の機をうかがう。第2に、もしこの提案を受け入れないのであれば、信濃川プロジェクトとして日本でのオンライン書店展開をバーンズ・アンド・ノーブルに持ち込む」

バーンズ・アンド・ノーブルは米国最大の書店チェーンである。要するに、アマゾンが二人の提案を受けないのであれば、アマゾンにとってのライバル企業と手を組むと通告したわけだ。

アマゾンはどう出るか――。

再びティンズレーからのFAXが届いたのは12月4日のことだった。そこにはこう記されていた。

「日本進出が延期となってしまったことが、非常に困難な決断だったことをご理解いただきたい。しかし、米国に来てアマゾンで働くというのは良いアイデアだと思う。できるだけ早くシアトルに来てもらいたい。ジェフもこのアプローチに大きなポテンシャルを感じている」

年が明け、岡村と西野は再びシアトルに飛んだ。この時点で西川はネットエイジの経営に専念することになり、アマゾン計画からは離脱している。

岡村は再び対峙したジェフ・ベゾスに、7枚の資料を差し出した。市場環境などのレビューに含めて「潜在的な競争相手」として、リクルートとソフトバンクの名を挙げている。

その上でアマゾンは日本でどう戦うべきか――。そんなことを7枚のペーパーにまとめていたのだ。

話を聞きながらベゾスはじっと資料に目を落としている。すると同席した部下に「すぐにコピーを取ってきてくれ」と告げた。資料を作った岡村はベゾスと話すつもりだったので、何人同席するか分からない他の幹部たちの分を用意していなかった。結局、10人ほどがその資料を手に、岡村の話に耳を傾けた。

ただし、前回のようにまた白紙撤回されてはたまったものではない。会議が終わるなり岡村はこう告げた。

「今日中にオファーレターが出ない限り、私はアマゾンにジョインしない」

するとベゾスが岡村と西野に「ちょっと待っていてくれ」と言って部下に何かを促した。少ししてから渡されたのが、正式な採用オファーレターだった。

こうして岡村と西野はアマゾンに入社することになる。ベゾスに送った一通のメールが彼らの運命を変え、ひいては日本の流通を変えたのだ。その後も曲折を経ることになるが、アマゾンの日本上陸の裏には、巨大な相手の懐に臆せず飛び込んだ二人の日本人の存在があったことは歴史にとどめておきたい。

孫正義の後悔

無名の二人が橋渡し役を演じたアマゾンの日本上陸――。

時期は少し後になるが、インターネット産業のビッグネームもアマゾンの日本進出を手引きしようと動いていた。ソフトバンクを率いる孫正義だ。孫はアマゾンの日本進出をソフトバンクとの合弁にしないかと、ジェフ・ベゾスに持ちかけたのだ。

孫の狙いは日本事業だけではない。アマゾン本体への出資も打診していた。アマゾンはすでに上場していたが、30%ほどの出資を検討していたようだ。

これは、この時から5年ほど前にヤフーで実現したのとほぼ同じ形だ。当時はまだシリコンバレーで生まれたばかりのヤフーを発見し、創業者であるジェリー・ヤンとデビッド・ファイロを口説いた。そうして、ヤフー本体に出資した上で合弁形式でヤフー・ジャパンをスタートさせたのだ。

これがソフトバンクの成長を支えることになり、2000年にインターネットバブルが崩壊してからもヤフー・ジャパンがソフトバンクの事業基盤を支え続けることになった。

当時の孫が掲げていたのが「タイムマシン経営」だ。米国の方が一歩進んでいるインターネット・ビジネスを未成熟な日本市場に持ち込んで育てる。両国の「時差」を利用するからタイムマシンと言う。

この「勝利の方程式」をアマゾンにも適用しようとしたわけだ。岡村たちが目を付けたように、オンライン書店がまだ未整備の日本でならアマゾンにとってチャンスは大きいと見たのだ。

西野はネットエイジを通じて、孫とは接点があった。立ち上げてわずか2週間のネットディーラーズという事業を、孫に売却したからだ。西野が仲介する形で、ベゾスと孫の電話会談が執り行われた。

孫は書籍を手始めに「エブリシング・ストア」へと続くベゾスの壮大な野望を絶賛するが、合弁の話になるとベゾスの歯切れが悪い。電話会談は何度も繰り返されたが、らちがあかず、ベゾスが来日して孫と直接会談することになった。

「起業家として志をともにしよう」

「俺たちはベストフレンドだ」

孫とベゾスは互いをたたえ合ったが、やはり合弁話に乗る様子はなかった。当時のソフトバンク幹部によると、アマゾン本体への出資交渉も、孫とベゾスの「言い値」には30％ほどの開きがあり、結局溝は埋まらなかったのだという。米国でいち早く始まったネットバブル崩壊の波が日本にも及ぶと、アマゾン・ソフトバンク連合の構想も立ち消えとなってしまったのだ。

「結局、単独で進出しようというベゾスの意志は揺らがなかったということです」

交渉に立ち会った西野は、こう振り返る。

孫も筆者の取材に対して、この交渉については認めている。そして、後々の経営戦略に大きく影響しているとも語った。

それは筆者が孫に「事業家人生で何か後悔していることがありますか」と聞いた時のことだった。孫は通常、こう聞かれると「まだ何も成し遂げていないことだ」と答える。それを承知の上で聞いた。すると、孫はしばらく黙考した上でこう言った。

「あのバブルの直後かな。本当は（ネット企業への）投資を続けるべきだったんだ。僕はやりたいと言ったけど、やりきれなかったんだ。バブル崩壊でお金がない時だったからね。実は、一番悔やんでいるのはそこなんですよ」

ここは少し説明が必要になるだろう。

孫は1994年にソフトバンクの株式を店頭公開すると、市場から調達した資金を次々とインターネット企業への投資に使った。ヤフーもそのうちの一つだ。孫は当時、その狙いを先述の「タイムマシン経営」という言葉を多用して説明していたが、実はそこにはより重要なソフトバンク式グループ経営の根幹と言っていい哲学があった。

それが「群戦略」である。

「時代の流れに合わせて自己進化させる組織をどう作ればいいのか。300年間拡大して繁栄する組織をどう作ればいいのか、僕は19歳の頃からずっと考え続けてきた。もちろん、300年も続くテクノロジーやビジネスモデルなど存在しない。だから融通無碍（ゆうずうむげ）に形を変え続ける組織でなければならない。創業者として一番重要なのはそのDNAを作ることなんだ」

つまり、時代の変遷に合わせて「群れ」の形を変え続ける企業グループを作ろうという考えだ。そのために必要なのが投資だというのだ。ただ、通常の企業戦略と異なるのは、いずれ投資先の企業が時代遅れになることも見据えておく必要があるため、基本的には50％以上の買収などはしない（もちろん例外もある）。

2000年前後のこの時期、インターネットの巨星たちが続々と生まれ、孫は方々に網を張っていた。だが、ヤフーの後に成功したと言えるのは中国で生まれたばかりのアリババ集団への投資くらいだろう。アリババは2000年に投資した時点で、まだなんの実績も上げていなかった。

これに対して孫が「最大の後悔」というのが、アマゾンへの投資失敗である。もし実現していれば米中のeコマースの巨人を「群」に取り込んでいたことになる。

この後、孫はうって変わって日本で通信事業に参入した。「ヤフーBB」の名でブロードバンドのインフラ事業に参入し、続いて携帯電話に進出したのだ。

「そのこと自体には後悔はない」と言う。ただ、インターネットバブルが崩壊してソフトバンクの株価も100分の1に下落するなか、群戦略を推し進めるための投資の手を止めてしまった。

それが、事業家人生の中で最大の後悔なのだと言う。

「あの時、僕はクレイジーになりきれなかった」

孫は2017年にサウジアラビア政府などと組んで10兆円規模の「ビジョン・ファンド」を結成すると、猛烈にAIスタートアップへの投資を進めている。唐突に「ソフトバンクグループは投資会社になった」と宣言したように見えるが、実は20年近く前の後悔を取り戻すべく時機を見計らっていたのだ。

ビジョン・ファンドは当初は順調に見えたが、シェアオフィスのウィーワークへの投資失敗あたりから逆風が吹き始め、2020年にはわずか3カ月で1兆円という、日本企業としては過去最大規模の損失を計上した。

それでも孫が投資に執念を見せるのは、未完の群戦略を成就させるためだ。そういえば、こんなことも語っていた。

「目の前の2~3年の小銭を稼ぐことに、僕は興味がない。10年後や20年後に花を咲かせるようなものをタネの段階でかぎ分ける能力と、それに対してリスクを取りに行く覚悟が、僕は人より強いのだと思う。今こそ船のマストに自分自身を鎖で縛り付けてでも勝負する」

鬼才ジェフ・ベゾスとのすれ違いが、この思いを強くさせていったのだ。

「日本にアマゾンはいらない」

アマゾンに入社することになった岡村と西野は、就労ビザの取得が完了すると東京とシアトルを行き来するようになる。シアトルでは「ヒロとシンはセットだ」と言われ、同じ部屋があてがわれたが、二人の置かれた立場は微妙にすれ違っていった。

岡村はインターナショナル・ディレクターで、一方の西野はシニア・マネージャー。西野はその後、岡村の推薦でディレクターに昇格されたが、西野が託されたのは日本でのオークションの立ち上げだった。

日本は当初、オークションによる参入が検討されていたのだが、1999年9月にヤフー・ジャパンが「ヤフー・オークション」、通称ヤフオクを展開し始めたことで風向きが変わる。結局、書籍から始めようと軌道修正された。

このちょっとした迷走の間、岡村は自らの立ち位置が微妙に変化していることに気づいていた。アマゾン上層部の人事のあおりという側面も強かったのだが、インターナショナル・ディレクターながら、肝心の日本進出計画については情報が共有されずに事後報告を受けることが増えていた。

さらに日本法人の社長に別の人物が起用されたことも決定打となった。ちょうど同じ時期に日本の会社から誘いを受けたことで、アマゾン日本上陸を仕掛けた岡村は静かにシアトルを去った。

アマゾンの日本進出に立ちはだかったのが、書籍の流れを牛耳るトライアングルだった。出版社と取次会社、書店が強固なタッグを組んでいることは、米国本社でも理解されていた。ただ、アマゾンを脅威と捉えた日本の出版業界からの反発は予想以上にすさまじかった。

「日本にアマゾンはいらない」

日本進出に際しての担当ゼネラル・マネージャーとなった西野は、ある取次大手の役員から、こう断言されたことを鮮明に覚えている。別の取次大手は、ネットで注文した顧客が書店で本を受け取るようにするよう、要求してきた。書店に配慮したわけだが、それではとてもｅコマースとは言えない。

ある出版社からは一枚のＦＡＸが届いた。そこには達筆な縦書きでこう記されていた。

「あなたたちのような会社とは決して取引しない」

極めつきは来日したベゾスがある取次大手の首脳と会談した時のことだった。協力を求めるベゾスに対して、その首脳は諭すような口調で言い放った。

「ベゾスさん、日本には『石の上にも三年』という言葉があるんですよ」

どう通訳しようかと困惑した西野は、ベゾスに告げた。

「彼らに我々と一緒にやる気はない。要するに『来るな』と言っています」

西野は出版業界の反発を痛感し、シアトルの本社に報告を入れた。

「最悪の場合、日本では古本しか扱えないかもしれない」

ベゾスの回答は「それでもやる」だった。

日本にアマゾンは受け入れられないのか――。そう考え始めた西野の携帯に、ある週刊誌の記者から電話が入った。

「アマゾンが大阪屋と提携すると聞きました」

アマゾンが取次会社の大阪屋と組んで日本に進出するという情報をつかんだというのだ。ニュースを打ち込むための裏取りを兼ねた最後通告だった。全く身に覚えがなく完全否定したが、西野は電話を切ってから考え直したという。

「大阪屋か……。なるほど、その手があるかもしれない」

大阪屋ではシステム会社から転じた幹部が在庫管理にITを取り入れ始めていた。アマゾンのeコマースとは相性がいいかもしれない。日本出版販売、トーハンの取次2強を追う立場でもあり、新しいチャネルを求めているかもしれない。

西野の読みは当たった。アマゾンジャパンは大阪屋と提携し、新刊本の突破口を得た。

こうして2000年11月1日、アマゾンは日本上陸を果たした。渋谷・松濤のビルの2階にあるネットエイジで有志連合の勉強会が立ち上がってから2年以上が過ぎていた。

ちなみに西野はこの後、アマゾンから独立して雑誌のオンライン書店、富士山マガジンサービスを起業している。

ベゾスの「復讐」

ちょうどその頃——。
米国ではアマゾンへの逆風が一気に強まっていた。短期的な利益を求めるウォール街では、赤字を覚悟で先行投資するベゾスの経営が受け入れられなかったのだ。

「アマゾンはあまりに愚かだ」

「シルクハットからウサギを取り出す魔法でもなければキャッシュが底をつく」

こんなアナリスト・レポートが出回り、アマゾンの株価はみるみる下がった。ベゾスはこのアナリストのファーストネームであるラビとミリオネア（億万長者）をもじって「ミリラビ」と呼んだ。目先の利益ばかり求める姿勢を皮肉ったのだが、次第に追い込まれていった。こうした批判を寄せるのは、このアナリストだけではない。

2001年1月、ついにアマゾンは従業員の15％削減を発表した。社内では「Flat rate increase」、つまり昇給停止も告げられていた。

この日、曇天のシアトルには朝から雨が降り続けていた。モービル石油（現エクソンモービル）から米国留学中にアマゾンに転職した酒井孝典は、その日の出来事を克明に覚えている。

人員削減の対象について、会社側からの発表は一切ない。その代わり、社員一人ずつにあてがわれているメールボックスがどんどんなくなっていく。ボックスがなくなった者が削減の対象というわけだ。オフィスからは即刻退去が求められ、ろくにあいさつもできなかった。米国企業ではよくある風景と言ってしまえば、それまでなのかもしれない。

この頃、アマゾン本社は、シアトルの市街地を見下ろす小高い丘の上にあった病院を改装した建物に入っていた。通称「パックメッド」の窓からは、入り組んだ湾の向こう側にレーニア山の威容がよく見える。市中からの交通は不便だが、ベゾスが「いつも遠くを見るように」と社員に促すために選んだ場所だったという。

だが、この日ばかりは、美しい風景を楽しむ余裕は、誰にもなかったはずだ。

しばらくして開いた「オールハンズ」と呼ばれる社内集会。通常は四半期に一度、ベゾスら経営陣が業績を説明するが、この時は社員からの質問がリストラに集中した。社員から昇給停止への反発の声が出た時だった。ベゾスはこう言い放った。

「いいか、アマゾンは米国内にすでに1000万人のお客さんを抱えているんだ。彼らはアマゾンを愛してくれている。彼らの満足度を2倍にしよう。そしてもっと多く、そう、今より6倍の商品を買ってもらうにはどうすればいいか。まずはそれを考えてほしい」

ベゾスは危機の時ほど高い目標を掲げよと言う。酒井は「そんなことできるのかと半信半疑になりましたが、ベゾスはいつもの高笑い。すると、ついついその熱に浮かされていってしまうものです」と言う。アマゾンはその年の10～12月期に創業以来、初めて黒字を計上した。

そして2003年4月。業績回復を宣言するアマゾンの四半期決算の報告には、こんなタイトルが付けられていた。

「Meaningful Innovation Leads, Launches, Inspires Relentless Amazon Visitor Improvements」

直訳すれば「意味あるイノベーションがアマゾンへの絶え間ない来訪者増をもたらした」となるだろうか。決算のリリース文にしては、ちょっと不思議な文言だ。

ちなみにRelentlessは、ベゾスが創業時に「アマゾン」と最後まで悩んだ社名候補であることはすでに触れた通りだ。思い入れの強い言葉を、あえてこの業績レポートのタイトルに紛れ込ませている。

この不思議なリリースの謎は、9つある単語の頭文字を並べれば解ける。

MILLI RAVI――。そう、ミリラビだ。

それはアマゾンの崩壊を予言したアナリストへのあてつけだった。ベゾスの高笑いが聞こえてきそうだ。

第7章

ギークとスーツ――堀江貴文と仲間たち

第7・8章の主な登場人物

堀江貴文 東大在学中にオン・ザ・エッヂを起業。「ホリエモン」として有名人となる一方、経営者としては数字にうるさい側面も

ファイナンス部門

宮内亮治	税理士出身のナンバー2。ファイナンス部門を統括
熊谷史人	証券会社出身。 株式100分割やMSCBによる資金調達を主導
山田司朗	サイバーエージェント出身。ライブドア買収を担当。 後にクラフトビールのファーイーストブルーイングを創業
丹澤みゆき	税理士出身の経理担当。のちにキックボクシングジムを経営

管理・営業など

伊地知晋一	ライブドア買収時の経営を託される。 のちに共同通信デジタル専務に
出澤剛	朝日生命から「社外留学」でやってくる。 事件後にライブドア社長を経てLINE社長に
園田崇	電通と証券会社を経てライブドアに。 堀江の選対本部長を務める。後にウフルを起業

エンジニア

山崎徳之	技術陣のリーダー的存在。 事件後に代表取締役となるが、その後に独立
池邉智洋	ライブドアの看板となったブログを立ち上げたエンジニア。 CTOも経てLINEに
嶋田健作	縁の下の力持ち的な存在であるインフラ系を担ったエンジニア。 データホテル社長も歴任

ライブドアは4つのステージを経験した

黎明期 受託がメインで手堅い経営に徹する	1996年 4月	東大生の堀江貴文が仲間2人とともに「オン・ザ・エッヂ」を設立。この頃、会社設立のため税理士の宮内亮治と出会う。当初はホームページの制作など受託業が主な仕事だった
	1998年 夏	サイバーエージェントを創業したばかりの藤田晋と出会い、クリック保証型広告で協業 ▶「オン・ザ・エッヂが作りサイバーエージェントが売る」のタッグを結成
拡大期 M&Aラッシュや堀江の露出で一躍「時代の寵児」に	2000年 4月	東証マザーズに上場。直後にインターネット・バブルが崩壊する。宮内が投資ファンドのキャピタリスタを発足。ファイナンス部門がもうひとつの柱に ▶ 次々とM&Aを仕掛ける。後のライブドア事件の引き金に
	2002年 11月	経営破綻していたインターネット接続事業者、ライブドアを買収 ▶ ポータルサイトの会社に転換。ヤフー超えを目指す
	2004年 2月	ライブドアに社名を変更
	6月	近鉄バファローズの買収に名乗りをあげる ▶ 堀江が「ホリエモン」と呼ばれ頻繁にテレビに露出するように
	2005年 2月	電撃的にニッポン放送株を取得。フジテレビ買収を画策する
	8月	堀江が衆院選への出馬を表明。広島6区で亀井静香に敗れる ▶ この後、ソニー買収を画策し始める
再建期 「ホリエモン後のライブドア」の苦闘	2006年1月16日	東京地検特捜部がライブドアを強制捜査
	23日	堀江と宮内を含む4人が逮捕される ▶ 後継社長に当時60歳の平松庚三が就任。「ライブドア唯一の大人」と呼ばれる
	4月	ライブドアの株式が上場廃止
	2007年 4月	訴訟問題などを扱う「ライブドアホールディングス」から「ライブドア」が分離。新社長の出澤剛のもと、再建に着手
	2008年 9月	通期決算で営業黒字化を達成
LINEへ	2010年 5月	韓国ネイバー日本法人（NHNジャパン）がライブドアを買収
	2011年 6月	ネイバージャパンがLINEを公開 ▶ ライブドアの「残党」たちがLINEの成長戦略に不可欠な存在に ▶ 2015年に出澤剛がLINE社長に

出所

2013年3月27日、朝7時半。堀江貴文は2年近くを過ごした長野刑務所を後にした。ライブドア社長という世間によく知られていた肩書は、もはや過去のものだ。そもそもライブドア自体がすでにLINEに買収されていた。

この日までの10年間、堀江は誰も経験したことがないような栄光と屈辱の日々を経験してきた。

東京大学在学中に仲間3人とオン・ザ・エッヂを創業したのが1996年のことだ。この後に買収したライブドアに社名を変更した2004年ごろから、堀江は一躍時の人となり、連日のようにメディアに追われる存在となった。近鉄球団の買収宣言、電撃的に仕掛けたフジテレビ買収、衆院選への出馬、そして2006年1月の逮捕――。

若くして誰もがうらやむような成功を手にした「IT長者」の転落に、世間の大人たちは冷ややかな視線を送った。容疑は複雑なM&Aに伴う不正な会計操作だった。堀江は一貫して無罪を主張し続けたが、約5年に及んだ裁判の末、実刑判決を突きつけられた。

かつての時代の寵児は、再出発の日に何を語るのか――。詰めかけた報道陣に、堀江は思いのほか穏やかな表情で語りかけた。

「ライブドア事件のことでご迷惑をおかけしてしまったことについては深く反省して、それを償うべく刑務所の中で受刑生活を送ってまいりました。その上でこの日を迎えたことは万感の思いです」

当時はまだ保護観察下での仮出所という扱いだ。かつて財界の長老たちを老害とこき下ろした挑発的な発言は影を潜め、この日はすっかりアクが抜けた優等生的なセリフが続いた。

ただ、その中でわずかに起業家の顔を見せた瞬間があった。時間を持て余した服役期間を「申し訳ないですが長い休養生活」と言い、その間に「構想していた事業がある」と続けたのだ。

そう、獄中にありながら、堀江には構想を練り続けてきたライブドアの次の夢があったのだ。堀江が向かったのは、北の大地だった。

出所翌日の3月28日、堀江は北海道・十勝平野の南に位置する大樹町を訪れていた。

延々と地平線まで続く畑と針葉樹が広がる大地を車で走ると、広々としたコンクリートの地面と格納庫が見えてくる。ロケットが収容された格納庫に堀江が姿を見せると、そこに居合わせた一同は作業の手を止めて出迎えた。

「おつとめご苦労さまでした！」

ヤクザ映画の出所シーンのようなセリフで迎える仲間たちに、堀江は「いやいや、そういうの、いらねーし」と苦笑いで応える。それは獄中でも連絡を取り合っていた仲間たちとの、久々の再会だった。

格納庫に集まっていたのは、堀江が立ち上げた民間ロケットのインターステラテクノロジズの面々だった。ライブドアが世間の注目を集めていた絶頂期の2005年、堀江が中心となってつくった「なつのロケット団」というサークル的なロケット愛好家の集まりを会社化したもので、この日はちょうど、超小型ロケット「ひなまつり」の打ち上げを翌日に控えていた。

なつのロケット団の時代から数えれば5度目となる打ち上げ試験。著者が堀江に感慨ひとしおではないかと聞くと、「僕が打ち上げそのものを見ることにはあまり意味はない。大切なのは事業が前に進むことでしょ」と、素っ気ない言葉が返ってきた。だが、期するものがなかったと言えば嘘になるだろう。

本来なら収監中の3月3日に予定されていた打ち上げは大雪のために延期され、堀江の出所に合わせるかのようなタイミングで巡ってきたのだった。

少年時代の疑問

知識欲が旺盛だった少年時代。福岡県八女市の田舎町に育った堀江少年の知識欲を満たしてくれるのは、実家の本棚に置かれた百科事典だけだった。その中の一冊をひもとき、宇宙と出会った。堀江は自著『我が闘争』でこんなふうに回想している。

「これが情報ジャンキーへの第一歩となった。（中略）僕は頭を使う楽しさに目覚めたのだ」

だが、現実は紙の上に書かれていた世界や、テレビの中とは、何かが違うことが、大きくなるにつれて分かってきた——。アニメの「機動戦士ガンダム」や「宇宙戦艦ヤマト」のように人類が当たり前に宇宙で暮らす時代は、なぜ来ないのだろうか。

筆者の取材にはこう答えている。

「うちは田舎の普通のサラリーマンの家庭で情報弱者だった。周りの大人は何も教えてくれない。だから、ガンダムだってヤマトだってそうだけど、僕が20代か30代になる頃には宇宙には普通に旅行に行くような感覚の時代になっているだろうと思っていたんですよ。太陽系の外にだって人類は行っているはずだと。でもその時代が来ない。いったい、なぜなんだと。その疑問が始まりですね」

後の異端児ホリエモンの原点も、やはり小さな違和感だったのだ。

疑問を持ち始めた堀江少年は航空宇宙を学ぼうと思っていたが、大学は東京大学の文系学部に進学した。そこでインターネットと出会い、衝撃を受けた。

「もう、世界が変わっちゃうなと。どう変わるかと考えただけで、これは大変なことだと思いましたね」

大学の授業はそっちのけで朝から晩までパソコンと向き合う日々が続き、23歳でインターネットの世界で起業家として名乗りを上げる。

初めての事業計画書に記した社名は「リビング・オン・ジ・エッヂ」。文字通り崖っぷちのedgeに生き、時代の最先端を意味するedgeを切り取る気概をそのまま社名にしたものだ。当時付き合っていた彼女の父親の協力も得て、六本木3丁目の雑居ビルに家賃

7万円の部屋を借りた堀江は瞬く間に、インターネット時代の起業家として世間の注目を集めることになる。

ただ、宇宙への関心をなくしていたわけではない。互いに無名時代に手を組んだサイバーエージェントの藤田晋は、「堀江さんは昔から仕事のミーティングでもすぐに宇宙の話を始めていました」と振り返る。

「宇宙がビッグビジネスになるのは、もう目に見えてんだからさぁ」

そう言って目を輝かせる堀江に「いや、それはちょっと置いといて……」と諭す藤田。そんなやりとりを繰り返しながら、二人は黎明期のインターネット産業で名を上げていったのだ。

そんな堀江の宇宙熱に火を付ける出会いが、2004年11月にやってきた。ちょうど社名をオン・ザ・エッヂからライブドアに変え、近鉄球団の買収騒動などで堀江が一躍有名人の仲間入りを果たしていた時期にあたる。

アニメ制作会社の仲介で、堀江のもとをSF作家の笹本祐一と漫画家のあさりよしとおたちが訪れた。1人乗りの小型宇宙船を一緒に作らないかというのだ。専門家も仲間に引き入れ、ここから「ホリエモン・ロケット」の構想が始まった。

当初はロシア企業からエンジンを購入しようとしたが、交渉は難航した。

「それなら俺らで作ればいいか」

手探りでロケットエンジンの開発が始まった。

転落

この間もライブドアは世間の耳目を集め続けていた。ロケット構想のことは一部の幹部は聞かされていたが、あくまで堀江の趣味の一つと捉えられていたようだ。それもそのはずで、この時期の堀江とライブドアは世間をあっと言わせるニュースを連発していた。

近鉄バファローズの買収に名乗り出て一躍名を上げた2004年が終わると、翌年2月にライブドアは突然、フジテレビの買収を表明した。結局、失敗するが今度は堀江が個人で衆議院選に出馬する。こちらも結果は落選となったが、めまぐるしく打ち手を変えながら連日のようにメディアをにぎわし続け、世間ではすっかりホリエモンの呼び名が定着していった。

ホリエモンと聞いて連想するイメージは人によってそれぞれだろう。平成不況のまっただ中に現れた破壊者あるいは改革者と前向きに受け止める人がいる一方で、アウトローやヒール、不作法者、あるいは傍若無人といった印象が強い人も多いだろう。

いずれにせよ、日本のインターネットの歩みを語る上で、絶対に外せない人物である。「インターネットで世界一」の目標をなし遂げるまでが、堀江にとってのライブドア経営の総仕上げだった。その後は宇宙事業に軸足を移す——。そんな青写真を描いていた。

その坂道を駆け上ろうとしていた矢先に「ライブドア事件」が起き、堀江は逮捕された。東京・小菅の東京拘置所に勾留され、釈然としないまま取り調べを受ける堀江。堀江は当時、極度に情緒不安定になっていたことを自著『徹底抗戦』で赤裸々に語っている。以下に引用する。

「なんでこんなところにいなきゃなんねーんだよ！」（私）

キレまくった。

「もう、なんでもいいからさっさと有罪にして刑務所に放り込んでくださいよ！」（私）

「いや、それはできない」(検事)

「じゃあ、いつまでこんな意味のないことを続けるんですか！」(私)

本当に、何を話せばいいのかわからないのだ。なんで逮捕されているのかもわからない。検事も、どういう嫌疑なのかを具体的に教えてくれない。イライラだけが募った。もう、どうでもいいと思うこともよくあった。

同書では、ライブドア社員からの応援メッセージが書き込まれた2枚の色紙を差し入れられたことも明かしている。

「いつも以上に精神的に追い込まれ、孤独で感傷的になっていたのかもしれない。生まれて初めてか、あるいは少年時代まで遡らないと思い出せないほど、号泣した。嗚咽した」

そんな生活のなかで次第に精神安定剤と睡眠薬を手放せなくなっていった。

3カ月以上に及ぶ勾留が終わったことは、上空から独房に聞こえてくるヘリの爆音で知った。テレビ局などの主要メディアが空から堀江の保釈の瞬間をカメラで捉えようと狙っていたのだ。

「堀江被告の保釈が決まりました！」

独房のラジオからも保釈を告げる速報が聞こえてきた。メディアの車やバイクに追われながら久々に六本木ヒルズレジデンスの自室に戻ると、段ボール箱に一杯のアダルトDVDが届けられていた。同じマンションに住む盟友の藤田晋が気を利かせて置いたものだった。

その翌日には藤田が堀江を自宅に迎え入れた。同じマンション内の移動だから、エントランスの前で大挙して待ち構える報道陣の前を通らずに済む。藤田が行きつけの高級寿司店で握ってもらった寿司を黙々と口に運ぶ堀江。その姿を見て藤田は、初めて堀江と出会った日のことを思い出したという。

六本木3丁目の怪しい雰囲気が漂う雑居ビルで会った堀江は、目を合わさず話し続け、藤田には挙動不審に見えた。拘置所から戻った堀江には、当時のようなちょっと異様な雰囲気が漂っていたと、藤田は振り返る。3カ月以上に及んだ独房での生活がそうさせたことは、堀江に聞かなくても分かる。目の前で寿司をつまむ堀江が、次第に表情を和らげていった。

この時から5年前、藤田もまた買収騒動に巻き込まれて自信を失った時期があった。藤田はこの時の堀江を、自分自身の絶望の日々に重ね合わせていたと言う。第1章で触れた、村上ファンドやGMOインターネットとの買収騒動の頃のことだ。

「僕もあの頃は勾留された堀江さんみたいな感じだったんだな、と思いました。僕も堀江さんも、互いにメンタルはかなり強い方だと思います。でも、あそこまで追い込まれると、ちょっと……。言葉では説明しづらいですけど」

同じ起業家として、ライバルとして、そして友人として、堀江と顔を合わせることが多かった藤田は、「ホリエモン」となった堀江に複雑な感情を持っていた。

「堀江さんは同世代で初めて焦りと嫉妬を感じた相手でした」と告白する一方で、オン・ザ・エッヂ時代の手堅い経営から一転して勝負師然とした雰囲気を醸し出すようになった堀江に対して、ある時から言い様のない危うさを感じるようになっていたという。

藤田はそのシーンを今もはっきりと覚えている。それは後述する。

獄中に届いた設計図

94日間に及ぶ勾留生活を終えた堀江は、その後に続いた裁判では一貫して無罪を主張し続けた。証券取引法違反の罪に問われたのは、虚偽の報告（偽計）と風説の流布、そして有価証券報告書への虚偽記載だった。ライブドアの支配下にある複数のファンドを使った極めて複雑な取引によって不正に利益を計上したり、架空の売上高を計上したりした、との疑いを受けたのだ。

堀江はファイナンス部門が管轄したこのような複雑な取引の実態を把握していなかったと主張して起訴事実を否認し続けたが、最終的には実刑判決を受けた。

不正会計の結果、ライブドアが壊滅的なダメージを受けただけでなく、日本全体でベンチャー企業への不信感が広がるなどライブドア事件は、日本の産業界に多大なる後遺症を残したと言えるだろう。

そんな一連のライブドア事件に世間が騒然とし、堀江がまだ長野刑務所ではなく東京・小菅の東京拘置所に勾留されて連日の取り調べを受けていた頃のことだ。

堀江の独房に仲間たちが差し入れたのが、ロケットとエンジンの設計図だった。

「ここを出たらこれを作ろう」

獄中でこの図面を手に取り、堀江は何を思ったか——。筆者の問いには「設計図を見る前からずっと希望はありました。ずっと希望が見えていたから」とだけ答えたが、精神安定剤と睡眠薬に頼る独房の日々のなかで、この図面が希望の灯をつなぎ、再び起業家の魂を揺すぶられたことは想像に難くない。

釈放された堀江は、もはやライブドアに一切関わることはできない。裁判はこの後、5年間かけて続くが、堀江は法廷で無罪を主張する傍らでロケットの開発に没頭し始めた。

チームの悩みの種はエンジンの燃焼実験で起きる爆音だった。

当初は千葉・房総半島の閑静な別荘地で開発を進めていた。初めてエンジンに火を入れた日のことはよく覚えている。2008年5月17日のことだ。燃焼時間はたったの3秒間。轟音とともに勢いよく火を吐き出したと思ったら、すぐに終わり。それでも記念すべき第一歩は、感無量だった。

その後、「北の町工場ロケット」として知る人ぞ知る北海道赤平市の植松電機の協力も得て実験施設を確保した。2011年から翌年にかけて超小型のロケットを4度打ち上げると2013年1月、北海道の十勝平野の外れにある大樹町でインターステラテクノロジズを結成した。

この間、長く続いた裁判が終わり、堀江には実刑判決が下されていた。長野刑務所で服役することになったが、なつのロケット団時代からの仲間たちの手で開発は着々と進められていた。

大樹町で使われなくなっていた建物を買い取ってロケット工房に改装。牧場以外にはこれと言って何もない国道沿いにポツリと立つその工房は、外からはちょっとした町工場か何かにしか見えない。夏は緑に囲まれ、冬は雪景色に染まる。そんな大自然に囲まれたちっぽけな工房で、高度4000~5000メートルを狙うロケット「ひなまつり」の製作が着々と進んでいた。

長さは4メートルあまり。重さは100キロ弱。例えは悪いが、ちょうど戦闘機から発射されそうなミサイルくらいのサイズ感だ。打ち上げは大雪のため当初の3月3日から延期されて3月29日に。ロケットは工房の近くにある発射場の格納庫に移された。そこに、ギリギリのタイミングで塀の向こうから出てきたばかりの堀江も駆けつけたのだった。

打ち上げ失敗

29日早朝――。

「3、2、1……」

カウントダウンが終わってもひなまつりが宙に舞うことはなかった。しばらくすると発射台で炎を上げ、最後はドーンという音を立てて爆発した。なつのロケット団時代から数えて5度目で初の失敗だった。

「なんでこうなったんだろうね」

消火活動が終わると、その場で立ったままのミーティングが始まった。古参メンバーからは人員や設備が整っていないとの指摘が出た。

「人？　そこにいるじゃん」

ふいに堀江が視線を向けたのは、メンバーの輪の端で聞き耳を立てていた一人の大学院生だった。

「君、ロケット好きなんでしょ。だったら、うちでやればいいじゃん」

堀江からこう言って誘われた稲川貴大の人生が、この瞬間から急展開し始めた。稲川は半信半疑、というより「いや、このタイミングでそう言われたって……」と言うのが正直なところだった。3日後の4月1日には就職が決まっていたニコンの入社式に出ることになっていたからだ。

だが、その日の夜、焼き肉を食べながらの反省会で、堀江が何度も「俺は本気だから」

と言ってロケット事業への思いを語ってきた。そして3日後、稲川は内定辞退届をかばんに忍ばせて東京のニコン本社に向かっていた。会う前は「良いイメージはなかった」という堀江の熱意に感化されて、ロケット事業に賭けてみたくなったのだ。

そして翌2014年、稲川はインターステラの社長に抜擢(ばってき)される。

堀江が見込んだ稲川には、秘めた思いがあった。

人力飛行機の「鳥人間コンテスト」に没頭していた学部生時代。設計主任として挑んだ大学3年の夏、琵琶湖に出したボートからスタート台を見上げた稲川は、その日の悪天候を恨んでいた。ついさっきまで無風だったのに、稲川らの離陸時間が近づくにつれてどんどん風が強くなってくる。しかも飛行機の針路の真横から吹く悪条件。横風5メートルにあらがうように飛び出した愛機は、わずか1・5キロで湖面に着水した。あっけない結末。稲川は人目もはばからずに号泣した。

ぽっかりと穴が空いたような気持ちを埋めてくれたのが、その直後に出会った「学生ロケット」だった。

「ロケットや宇宙と言えば天才の世界と思っていたけど、自分と同じような学生が実際に飛ばしていました」

打ち上げやエンジンの燃焼試験を見学するため全国を飛び回っていた稲川は当時、堀江らが立ち上げていた「なつのロケット団」のツイートに書き込んだことをきっかけに、燃焼試験を見学することになった。

「この部品の型番って何ですか」

興味津々に聞き、遠慮無く写真を撮りまくる稲川をチームは温かく迎え、学生ボランティアとして開発チームに加えた。そして迎えた「ひなまつり」の打ち上げ。ちょうど修士論文も書き終えていた稲川は、ボランティアとして参加していたのだった。

堀江は初対面のボランティア学生を事故現場でスカウトしたわけだが、服役中もメンバーとはメールで連絡を取り合っていた。妙に熱心な学生ボランティアが電気系統に参加していることも把握していたのだ。

堀江はひなまつりの打ち上げ失敗の後に開いた記者会見で、事故は「想定内です」とかつての流行語を披露して説明し、「目標は高度100キロ」と豪語した。高度100キロは空気がほぼなくなり、一般にそこより先が宇宙空間とされる。世界中の民間ロケットが目指す高さだ。それよりずっと低い高度5000メートルを目指しながら地上で爆発したひなまつりから見れば、果てしなく遠い所に位置する。

「ホリエモン・ロケット」はその高みを目指し、その後も2度失敗した。一度は上空で信号が消え、もう一度は地上10メートルほどで大爆発を起こした。もっとも、現場を指揮するようになった稲川は「失敗ではなく部分的成功です。得られるものは大きいので」と豪語していた。稲川はいつもは柔和なキャラクターで口調も穏やかながら、この時の言葉はすっかり「ホリエ節」そのものだった。

そして2019年5月、「MOMO3号機」がついに高度100キロを突破した。それは、日本企業が単独で開発したロケットが初めて宇宙空間に届いた瞬間だった。

日本の大企業がかつての勢いを失った21世紀の初めごろ。堀江貴文とライブドアは、インターネットという新しいうねりを象徴する存在として我々の前に登場した。そして、自ら招いた失態で舞台から姿を消した彼らに、世間は冷たい視線をぶつけた。

日本のインターネットの歩みを語る時、その歴史の一ページに良くも悪くも大きく名を残したライブドア。その興亡の記録については、やはり本書でも紙幅を割いていきたい。

地味な受託会社でしかなかった学生ベンチャーが株式上場を機に世間の注目を集めるよう

になり、堀江貴文は「ホリエモン」と呼ばれ、時代の寵児ともてはやされた。絶頂だったまさにその時、破滅の足音はそっと忍び寄っていたのだった。

ただ、ライブドアに集まった多くの社員は、インターネットというテクノロジーに魅せられた若者たちだ。あまり過去を振り返らない堀江が今も「あのチームがいたらなんでもできた」とまで言うインターネットの申し子たち。

彼らの物語は、今も続いている。

ある者は堀江のように舞台を変え、また、ある者は世間のバッシングを浴びるライブドアにとどまり再起を誓った。

自殺未遂事件

その夜——。

暗闇の中で目が覚めると、天井がどんどん迫ってくるような不思議な錯覚を覚えた。胸を締め付ける、言いようのない圧迫感。動悸が高まってどうしようもないのが、自分でも分かる。

「なんで？」と自らに問いかける余裕さえなかった。宮内亮治はその時、なぜか「俺は死ななきゃいけないんだ」と思い込んだのだという。

気がつけばベッドを飛び出して刃物を探していた。先がとんがったナイフはないか——。

幸いにも、ホテルの部屋に、それらしきものは見当たらなかった。すると宮内は、おもむろに部屋の窓をこじ開けた。その部屋は7階にある。衝動的な行動だが、自分が何をしようとしているのかは、はっきりと自覚できる。

開け放った窓の向こうに広がっていたのは闇夜ではなく、白い玉砂利だった。

「え、なんで……」

混乱に拍車がかかる。そういえば、その部屋はホテルの中庭に面していたのだった。もし、宿泊したのがあの部屋でなければ……。いや、そもそもこんな事態になることも想定して弁護団はこの部屋を用意したのかもしれない。

（そうだ。新穂先生に電話しないと……）

真夜中の電話にもかかわらず駆けつけてくれたのが、担当弁護士を務める新穂均と南栄一だった。

「宮内さん、ほら、これでも」

そう言って南が差し出したタバコに火をつけ、「ふぅ」と一息吹かすと、宮内はようやく落ち着きを取り戻した。自分は何をやろうとしていたのか――。そう考えると今でも背筋に冷たいものが走る。

「なぜだか死ななきゃいけないんだと思い込んだんです。自殺する人はたぶん、みんなそうなんでしょうね……」

あれから10年以上たっても、その夜に感じた奇妙な感覚は忘れられないと言う。もしあの時、本当にナイフが手の中にあったら。もしあの時、窓の下に暗闇が広がっていたら。もしあの時、2人の弁護士が駆けつけてくれなかったら……。

2006年3月18日。その夜、宮内は大量の睡眠薬を飲んで眠りについていた。証取法違反の疑いで、堀江貴文とともに逮捕されてから53日間に及ぶ勾留生活から保釈されて東京拘置所から出てきたのが、つい3日前のことだった。ホッと一息ついたものの、夜になると眠れず、ついつい睡眠薬に頼ってしまっていたのだった。

逮捕

誰もが認める堀江の右腕、つまりライブドアのナンバー2として辣腕を振るい、ライブドアを切り盛りしてきたのがこの宮内亮治という男であることは、ライブドアに関わる全ての者が認めるところだった。特に堀江が総選挙に出馬した2005年夏以降は、実質的にライブドアのかじ取りを担ってきた。

横浜の貧しい家庭から抜け出し、今も天才と認める堀江とともにインターネットという時代のうねりの中を駆け上がっていたのが、つい2カ月ほど前のことだ。いったい、どこで歯車が狂ったのだろうか――。

「3841番」

それが逮捕後に収監された東京拘置所で与えられた宮内の「名前」だった。全裸での身体検査を済ますと連れていかれたのがA棟6階の57号室という独房だった。この無機質な建物の中で検事から毎日、取り調べを受けることになる。

独房に入ったのは逮捕当日の夜10時ごろ。

（なんで俺がこんなところに……）

3畳ほどの部屋にはトイレと洗面台があるだけ。ドアはあるが内側にドアノブはない。部屋への出入りを認める権利はこの部屋の住人ではなく看守にあるからであり、ドアノブにシャツやタオルを巻き付けて首を吊って自殺するのを防ぐためだ。目線より低い高さに窓はあるが、鉄のブラインドがかかっていて外は見えない。

宮内が収監されたのは1月23日。真冬だった。逮捕は突然、告げられる。ジーパンとダウンジャケットだけを持って搬送された宮内は、東京拘置所の寒さを実感することになった。廊下には暖房があるのに、独房にはない。夜が更けるにつれ、寒気が押し寄せてくる。

東京地検特捜部が突然、六本木ヒルズのライブドア本社に家宅捜索に押し入ってきたのが、つい1週間前のことだった。

その日、宮内は中国・大連のライブドアチャイナに出張中だった。1月16日午後4時ごろ、NHKが特ダネとして「東京地検特捜部がライブドアを家宅捜索した」と報じていた。

六本木ヒルズ38階のライブドア本社。メディア事業部のほかに広報も統括していた副社長の伊地知晋一は困惑しながら、隣に座る社長の堀江に視線を向けた。堀江は「なんも悪いことしてないし、知らねーよ」と言うばかりだ。

実際、地検やNHKに直接連絡しても要領を得ない。確かに、NHKが「家宅捜索した」と過去形で報じているにもかかわらず、この時点では地検はライブドアに踏み込んでいなかった。宮内がヒルズにいる部下から連絡を受けたのは、この時間帯だった。

「それで、なんで特捜が?」

「いや、それがよく分からないんです。そもそも特捜なんてウチには来てないですし」

だが、それから2時間余りで報道は現実のものとなった。東京地検特捜部が強制捜査に乗り込んできたのだ。

大半の社員がぼうぜんとするオフィスで、なぜかカメラのシャッター音が響いた。自社サイトの「ライブドア・ニュース」を配信する社内記者たちが捜査の様子を実況していたのだ。

「やめろ!　全員、そのまま!」

係官の怒号が響き、現場は騒然となった。容疑は過去のM&Aに絡む証券取引法違反だった。

「いったい、どうなってんだ」

宮内が部下の携帯を呼び出しても反応はない。強制捜査で押収されていたのだ。

「何が目的だ。というか、いったいなんの罪で?」

強制捜査の一報を聞いた時は、堀江がなにかしでかしたのかと思ったという。大連からでは情報が入らずラチがあかない。そのまま現地の日本人スタッフと連れ立って夕食へと繰り出してしまった。

検察の狙いが、どうやら過去のM&Aに関わるものだと判明したのは翌日になってからだった。「風説の流布」や「偽計取引」といった聞き慣れない言葉が、日本のマスコミを賑わせていた。

事件の概要については後述する。ただ、この時点で渦中のファイナンス部門を預かる宮内も、正直なところピンと来ていなかったという。逮捕に先立つ検事による事情聴取でもいまいち会話がかみ合わない。この時点では検事は手の内を明かさない。ただ、宮内が立ち上げたファンドが不正に関与したというシナリオを描いているということは容易に推察できた。

「でも、ファンドを使って何が悪いんですか。実態のない取引って……、キャピにはちゃんと実態があるじゃないですか」

キャピというのは、ライブドアのファンドであるキャピタリスタの略称だ。こんなやりとりが1週間続いて迎えた1月23日、宮内は堀江とともに逮捕された。担当検事が逮捕を告げた後に取ってくれたコロッケ弁当を平らげているうちはまだ、現実味がわいてこなかった。

拘置所に現れた「サトカン」

その日を境に、世の中の全員が敵に回ったかに思えた。堀江とともに作り上げたライブドアを「私の作品」と言う宮内にとって、それは聞くに堪えない誹謗中傷に思えた。

「ライブドアがやっていることは実態なんてなにもない虚業だ」

「マネーゲームに狂ったカネの亡者」

「成金のIT長者たち」

連日の報道では、こんな言葉が繰り返し使われていた。

堀江が作ったオン・ザ・エッヂという受託会社から脱皮し、インターネットの巨人、ヤフーに挑戦状をたたきつけるようにしてポータルサイトに進出した。そこから次々とM&

Aを繰り出してインターネットの総合サイトのような存在にライブドアを押し上げる道のりが、なぜ「虚業」なのか。反論したくとも独房に追いやられた宮内には、そのすべがない。

当初は接見禁止で二人の担当弁護士以外に外部の人間と会うことが許されなかったが、2月13日に起訴されると起訴後勾留の間は一日3人までの面会が認められるようになった。面会は朝から始まり、一人当たりの時間はたったの15分。それでも家族のほかにかつての仲間も駆けつけた。

その中に、思いがけない人物がいた。ヤフー経営戦略室長で「サトカン」と呼ばれる佐藤完だった。第4章ですでに紹介した知る人ぞ知るインターネット業界の「オヤジ」である。

実は、佐藤はライブドアの誕生に深く関わっていた。そのことは本章で後述する。

宮内とは互いの会社が六本木ヒルズに転居してから付き合いが深くなったという。もともと会社の垣根など一切気にせず、特に自分より年少の者たちには損得勘定なく接する佐藤と、宮内はすぐに打ち解けるようになったという。互いに高卒で佐藤は会計、宮内は税務と手に職を付けてインターネット産業という新しい世界に飛び込んだ歩みも似ている。

余談だが、筆者は2018年に日経電子版に「ネット興亡記」を連載するにあたって、かつてライブドアの最高幹部だった宮内に取材を申し入れた際、「佐藤完さんの紹介です」と告げた。筆者は宮内とは面識がなかった。ライブドア時代に記者会見の壇上に登る姿を一人の取材記者として会見場の席から見たことがあるだけだ。

茶髪だった宮内は、公の場では堀江に負けないほどの強気な発言が目立った。コワモテだが理路整然とした話し方からは隙をうかがわせない。安易な批判をはねつけようとする殺気のようなものまで感じさせる――。筆者が記者会見の席で垣間見ていたライブドアの実力者、宮内亮治はこんなイメージの人物だった。

そんな宮内に会うために佐藤の名を使ったのは、佐藤本人が2018年5月に亡くなる直前に「宮内に会いたいなら俺の名前を使っていいよ」と言っていたからだ。宮内はライブドア事件の裁判が終わり刑務所に収監された後はメディアには出ていない。どうすれば会って話を聞けるかと思案したのだが、生前に多くの若者を育てた「サトカン」の名を使わせてもらえば脈があるのではないかと考えたのだ。

もっとも、これは佐藤の自室で二人だけで話していた際に言われたことであり、佐藤が亡くなった後のことなので筆者が「サトカン」の名を勝手に使っていないとも限らない（念のため、無断使用ではなく、このやりとりは事実である）。それでも宮内からは二つ返事だった。

「完さんのご紹介でしたら最優先いたします」

こうして会った宮内は、最初から「サトカン」との思い出話に表情を緩ませていた。「完さんは本当に一冊の本にするくらいの価値がある人だと思いますよ」。その宮内が明かしたのが、東京拘置所での逸話だった。その場面に話を戻そう。

収監された宮内を訪れた佐藤は、こんなことを語りかけた。

「何があったか、俺は知らねえけどさ。もし思うところがあるんだったら、これを読んで改心しなよ」

そう言って佐藤が差し入れたのが、親交があるという鎌倉の建長寺の関係者からもらったという般若心経の書だった。小難しそうなことが達筆でしたためられている。独房暮らしですっかり気が滅入っていた宮内は、とても目を落とす気になれない。

「いや、そんなことより俺、一応、容疑者なんですけど……。完さん、こんなとこに来て本当に大丈夫なんですか」

ライブドア事件は毎日のようにテレビがワイドショーなどで延々と放送し、新聞や雑誌でも堀江や宮内の逮捕後の続報が連日伝えられていた。そんな渦中の宮内に、ライバル企業であるヤフーの幹部が会いに来たと知られれば、どんな噂が流れるか分かったものではない。だが、佐藤には全く気にするそぶりがない。六本木ヒルズ51階の会員制クラブ「六本木ヒルズクラブ」でいつも顔を合わせていた時のままだった。

「なんだよ、お前。俺が来てなんか問題あんのかよ！」

頭に白いものが目立つようになっていた佐藤はこう言う。

「お前、まだ若いんだからさ。いくらでもやり直しが利くだろ」

結局、宮内は佐藤が持参した般若心経には目を通す気になれなかったが、佐藤の心遣いは胸に響いたという。宮内は後に裁判を終えて懲役刑を言い渡され、刑務所を出所すると再起を期してFXや仮想通貨の会社を立ち上げた。この際、ちょうどヤフーで復権を果たした川邊健太郎との間でM&A戦略を巡るちょっとした見解の相違が原因で溝ができ、「幕賓」の肩書を返上していた佐藤に、顧問への就任を依頼したのだった。

パソコン好きの税理士

そもそも宮内の歩みは浮き沈みの繰り返しだった。

幼少期を過ごしたのは横浜市金沢区の線路脇にある2階建てアパートの2階の部屋。エアコンもなければ、風呂もない。物心がついた頃には離婚した両親はおらず、3歳上の姉と一緒に祖母の手ひとつで育てられた。小学校に通うようになった頃には祖母はすでに60代。収入は年金とたこ焼きの屋台、それに細々とした和裁の内職で得ていた。宮内にとって子供の頃、縁日の祭りは遊びに行く場所ではなく、祖母の隣でたこ焼き屋台を手伝わなければならない日だった。

「それもあって、今でもたこ焼きは食べないし、お祭りも大嫌いなんですよ」

ただ、自分の境遇が貧しいと感じたことはなかった。気づいたのは小学生の時に友達が私立中学を受験すると聞き、「俺も行きたい」と言うと、祖母から「そんなお金ないでしょ」と返された時だった。

それなら仕方がないかと思い、地元の公立中学に進むと、野球にのめり込んだ。強打の外野手として活躍した宮内は、野球をするために地元の市立横浜商業高校に進んだ。「Y校」の名で知られる高校野球の強豪校だ。水色に大きく「Y」の一文字が浮かぶユニフォームに憧れたのだ。

当時は横浜商の全盛期だった。宮内が入学した1983年には後に中日ドラゴンズに進んだ3年生のエース、三浦将明を擁して春夏と甲子園に出場した。

衝撃的だったのが夏の大会だ。決勝まで駒を進めた横浜商の前に立ちはだかったのが大阪代表のPL学園だった。1年生エースの桑田真澄と1年生の4番打者、清原和博の「KKコンビ」がスターダムを駆け上がった大会だ。

この試合で清原は三浦からホームランを放った。現在も破られていない甲子園通算13本という大記録の記念すべき第1号だ。清原が鋭く振り抜いた金属バットが捉えたボールは甲子園の浜風に逆らってぐんぐんと伸び、ライトの頭上を越えてラッキーゾーンに吸い込まれた。後に清原の代名詞ともなる逆方向への強烈な一発に、同級生の宮内は度肝を抜かれた。

そんな強豪校にあって、宮内が自慢の強打を披露するチャンスは皆無だった。同学年に160人いた男子生徒のうちの実に120人が野球部に入部。そこで見たのは、気が遠くなるほどの壮絶な競争だった。

外野を守っていると、レギュラー陣が打つ打球は質が違った。センターライナーと思った当たりが軽々と頭上を越えていく。少しでも実力が劣ると見なされるとグラウンドにさえ立てなくなる。そうなるともうなすすべがない。グラウンドでノックを受ける1軍の選手とは力の差が開く一方だった。

「こりゃ、どうにもならないとすぐに気づきました」

そんな高校時代に関心を持ったのがコンピューターだった。選択科目で情報処理を履修すると、その面白さに気づいたという。ただ、当時はまだコンピューターで食べていくのは難しい。趣味として続けたが生きていくために手に職を付けようと目指したのが税理士だった。

高校を卒業すると横浜の税理士事務所で働きながら専門学校に通い、23歳から受験を始めた。5年目で合格した時には27歳になっていた。

晴れて税理士となったものの、宮内は早くもその仕事に疑問を感じるようになっていた。他の税理士とやっていることに差はないのではないか。他の税理士とは差別化ができず、このままでは埋没してしまうのではないか——。

そんな悩みの中にあった税理士2年目の1996年春、宮内は堀江貴文と運命的な出会いを果たす。5歳年下の堀江は当時、まだ東大に在学中の学生だった。

出会いは趣味で続けていたメーリングリストだった。まぐまぐ創業者の大川弘一とあるフォーラムで出会った宮内は、大川が運営していた「スパイダーメーリングリスト」に登録することになった。まだ草創期のインターネットの未来を語り合う有志の集まりだった。そこに、堀江も登録していたのだ。

当時、オン・ザ・エッヂを設立しようと準備に取りかかっていた時期だった堀江が大川に相談すると、紹介された税理士が宮内だったのだ。

出会い

1996年春、宮内が指定した待ち合わせ場所は、プロ野球のシーズン開幕を直前に控えた人けのない横浜スタジアムの前だった。近くにあるオフィスから宮内が待ち合わせの時間に行くと、まだ肌寒いこの時期、冷たい雨が降る中で奇妙な風体の若者が立っていた。

いかにも着せられた感がする似合わないスーツ姿。足元はなぜか純白のスニーカーだ。長髪のその男を「小太りの武田鉄矢風」と、宮内は回想する。ぽっちゃりとした体型とセンター分けの長髪が、1979年から放送されて一世を風靡した初期の金八先生を思い起こさせる。それが堀江だった。

二人は中華街にある宮内の行きつけの店に場所を移して話すことになった。宮内は初対面の堀江の印象を著書『虚構　堀江と私とライブドア』で、こんなふうに綴っている。

「堀江には、生意気さと人見知りが同居していた。胸を張って目を見ながら話すタイプではない。下から覗き込んでくる印象で、目が合えば逸らす。それでいて図々しい。（中略）嫌な印象は持たなかった。とにかく話が大きくて、自信満々にしゃべる」

人見知りなのか、うぬぼれ屋なのか、それとも本当にコンピューターを熟知しているのか――。とらえどころのないオタク風の大学生は、何を聞いても「簡単ですよ。そんなの5分で作れますよ」と断言するのだ。その間、中華料理をつまむ箸の動きは止まらない。

これは、この時から2年後に藤田晋が堀江と初めて会った時のイメージとピタリと一致する。宮内にとって一番印象に残っているのが、堀江の大言壮語だった。

「僕はいずれインターネットで世界ナンバー1になりますよ」

聞けば堀江が設立しようとしているオン・ザ・エッヂという会社のメンバーは堀江を含めて3人だけ。一人は堀江の彼女で、もう一人は東大・駒場寮時代の先輩でプログラミングができるのだという。まだなんの実績もないサークルとも言えないような面々。「世界一になる」と平然と言ってのける堀江の表情を、宮内は今も鮮明に覚えている。

「実力を秘めていて今にも爆発しそうでギラギラとしている、おかしな奴。まだ若くてふつふつとしていました。まさに僕が好きなタイプの人間でしたね」

一方の堀江も宮内の第一印象をこんなふうに語っている。

「やっぱりパソコンやインターネットに明るい人で、僕がオン・ザ・エッヂでやろうとしていることを瞬時に理解してくれた。この人だったら任せられる」

堀江は中華料理店で食べられるだけ食べると「僕、これから銀行に行かないといけないので、それじゃ」と言って立ち去ってしまった。

この若き変人に、宮内は惚れ込んだ。

オン・ザ・エッヂの顧問税理士となり、次第に横浜・関内の税理士事務所より六本木の雑居ビルにあったオン・ザ・エッヂに通い詰めるようになっていた。顧問料は毎月1万5000円。横浜から六本木に移動する費用や時間を考えれば極めて割の悪い仕事だったが、そんなことは気にならない。

「他人の帳簿を付ける仕事なんかより、ずっと面白くなっちゃったんですよ」

こうしてオン・ザ・エッヂという生きがいを見つけた宮内は堀江にオン・ザ・エッヂを株式会社化することを提案すると、その次には株式上場を勧めた。時はインターネットバブルのまっただ中である。先に上場に動き始めていた盟友・藤田晋に触発されて、堀江も上場を目指した。堀江自身が後に藤田の存在がなければ上場など考えていなかったかもしれないと回想している。「負けず嫌いの僕は間違いなく感化されていた」と言う。

当初は税理士事務所との二足のわらじだった宮内も、1999年夏にはオン・ザ・エッヂの取締役兼CFO（最高財務責任者）に就任し、いよいよ堀江とのタッグに専念していくことになった。

上場は2000年4月6日。サイバーエージェントに遅れること2週間だった。順番に与えられる証券コードは2番違いだ。

この時、後のライブドアという会社の形を決定づける動きがあった。上場を果たすために宮内はある人物を招き入れた。国際証券でベンチャー企業の新規上場を手掛けていた野口英昭だ。野口はオン・ザ・エッヂに入社するにあたって宮内に条件を出した。上場で得た資金を使ってベンチャー投資をやりたいと言うのだ。

これを聞き入れた宮内は直轄のファンドであるキャピタリスタを設立し、自らが陣頭指揮を執るファイナンス部門を立ち上げた。もともとエンジニア集団だったオン・ザ・エッヂにM&A部隊ができたのだ。

ただ、キャピタリスタ設立には一悶着があった。堀江は、宮内と野口の約束を聞かされておらず、上場後に承認を求められた。堀江は最後まで反対したという。

「僕はそんな約束は一つも聞いていない。宮内氏はそんな感じで事後承認で物事を進めることを得意としていたのだ」

「上場して資本を本業に投資せず、他社への投資に充てるのは意味がない。取締役会で設立中止を提案したのだが、最終的には宮内氏の多数派工作に押し切られる形で承認せざるを得なかった」

これはライブドアの事件後に堀江が書いた『我が闘争』の一文である。裁判では堀江は一貫して罪状を否認し、宮内は認めていた。堀江は罪に問われたM&Aに関する不正はすべて宮内一派の手によるもので、自分は関知していないと主張した。一方の宮内は、少なくとも罪に問われた2004年9月期までは堀江が経営者としてライブドアの重要な意思決定は承知していたはずだという立場だ。

いずれにせよ、2000年の上場を機に設立された投資ファンド、キャピタリスタがそれから6年後に表面化するライブドア事件の舞台となる。堀江と宮内のそれぞれの主張についてては裁判も終わっており、ここではあえて深入りしない。重要なのは、世間から注目を集め始めたこの時期にはすでに、横浜スタジアムで出会った二人の若者の間に、微妙な亀裂が生じ始めていたということだ。

それは、堀江をはじめとするITオタクたちの楽園だったはずのオン・ザ・エッヂが、二つの顔を持つことになる転機でもあった。

ギークとスーツ

「ギークとスーツ」

後のライブドアでは、社内でこんな言葉が生まれることになった。ジーンズにTシャツ、サンダルも珍しくないエンジニアの「ギーク（オタク）」たちは、オン・ザ・エッヂ時代から会社の屋台骨を支えてきた。もともと堀江が築いたオン・ザ・エッヂはギークによるギークのための会社だったと言えるだろう。

そこに上場を機に出現したのが「スーツ」の一団だった。主に宮内が率いるファイナンス部門や営業部門、管理部門を指す言葉だった。その中でも宮内をトップとするファイナンス部門は、ギーク発祥の会社にあって異質の集団と言えた。

ファイナンス部門ではスーツにネクタイの着用が義務付けられ、出社は朝8時。時間にルーズなギークたちとは一線を画している。強豪校の野球部出身で体育会系気質の宮内の方針で「あいさつは大声で」が徹底されていた。

この頃にはオン・ザ・エッヂは六本木の怪しげな雑居ビルから渋谷にオフィスを移転していた。渋谷3丁目にあるモリモビル4階の受付をくぐると向かって右側にギークたちが陣取り、左側にはスーツたちと、きれいに分かれていた。服装や雰囲気から全く違う会社のような印象だったという。

スーツを着たファイナンス部門では、若くて優秀な人材を集めるために報酬面での実力主義が徹底されていた。M&Aが成功すれば経費を差し引いた利益の10%が成功報酬として支払われる。一度のディールで5000万円程度はザラだ。ディールがまとまる度に担当者のおごりで祝勝会が開かれたが、報酬の額を考えれば微々たるものだ。

ファイナンス部門は多い時でも40人程度の精鋭部隊。採用の基準は「頭脳明晰で明るいこと、一緒に仕事をしていて楽しいこと」。さらに堀江は「迷ったら東大卒」という方針を採っていたという。確率的に優秀な人材が多いからだというが、現場を預かる宮内も「それほど間違っていないように思う」と振り返る。

一方のギークたちはどうか。もともと手堅い経営を徹底していた堀江は、社内では「ケチ」で通っていた。クリアファイル一つ、鉛筆一つを買うにしても堀江の決裁を受けることが徹底されていた。それどころか「道ばたや銀行に行けばタダで配っているんだから、もらってこい」とまで命じられる始末だった。

交際費という概念すらない。唯一の手当が住宅補助だが、これは「通勤の時間が無駄」という堀江の考えに基づくものだ。言葉を換えれば、通勤にあてる時間があるなら、その分、働いて会社に貢献せよということだ。

今ならブラック企業と言われそうだが、2000年前後のITベンチャーでは当たり前の光景と言っていいだろう。当時からインターネットの世界ではガリバーだったヤフー・ジャパンでも、寝袋を持ち込んでの昼夜問わずの作業は珍しくなかった。

オン・ザ・エッヂでも、ハードワークを求められるのはギークもスーツも同じ。だが、同じ会社にいながらそのカルチャーは真逆。そこに生まれた溝が、日本の産業界を揺るがすライブドア事件へとつながっていくのだった。

1996年に東大生の堀江貴文が仲間2人と起業したオン・ザ・エッヂは大きく分けて4度の転機を迎えている。

1度目は2000年4月の上場だ。インターネットバブルの崩壊とほぼ同時に東証マザーズへの上場を迎えたため、調達できた金額はわずか60億円。ただ、ここから宮内が率いる「スーツ」のファイナンス部門が資本市場のダイナミズムを駆使して次々とM&Aを打ち出していく。ただし、そこに落とし穴があったのだが……。この時点までオン・ザ・エッヂは他社のサービス開発を受託する地味な会社だった。

2度目の転機は2002年11月。経営破綻していたインターネット接続事業者のライブドアを買収した時だ。堀江たちはここで業態を一転させる。ライブドアが持つ知名度や既存ユーザーの数を生かしてインターネットの「玄関」であるポータルサイトへと進出したのだ。

そうなると必然的に巨大なライバルに挑むことになる。日本のインターネットの巨人として君臨していたヤフー・ジャパンだ。オン・ザ・エッヂによるM&Aはこの後も続くが、この頃からヤフーに対抗すべく、ポータルサイトの周辺を固めるサービスに照準を合わせることになった。2004年にはオン・ザ・エッヂという社名を捨ててライブドアに変更した。この年には近鉄球団の買収にも名乗りを上げ、「ホリエモン」と呼ばれるようになった堀江が頻繁にメディアに登場するようになり、ライブドアの知名度も飛躍的に高まっていくのだった。

3度目の転機が2006年1月16日の電撃的な強制捜査に始まるライブドア事件であることは、言うまでもない。堀江や宮内は逮捕され、ライブドアを去った。

残る社員は奈落の底に落とされた。キャッシュが豊富にあったとはいえ、ポータルサイトの広告主が一斉に退いてしまい、広告収入が事件前の1割という水準にまで落ち込んだのだ。ただ、優秀なエンジニアの多くが残ったこともあり、「残党」たちはどん底から急速にV字回復を果たしていく。

そして4度目の転機は、堀江らが去って4年が過ぎた2010年4月にやって来る。黒字回復を果たしたライブドアは、韓国ネイバーの日本法人に買収されたのだ。「残党」たちの物語はここで終わらない。ネイバーが生み出したチャットツールを瞬く間に国民的なアプリの座へと押し上げるのだ。そのチャットツールこそがＬＩＮＥだ。

第7章と第8章では3度目の転機までを追い、ＬＩＮＥの誕生にいたる経緯は第10章に譲る。

最初の転機を迎える頃、まだ無名のオン・ザ・エッヂに続々と後のライブドアを支える面々がやってきた。即戦力を求めるオン・ザ・エッヂでは新卒の定期採用は行われず、実力を見込んでの中途採用だった。そこに至るキャリアもまちまちだ。

「この会社は3倍速だから」

オン・ザ・エッヂにとっては提携先であり、上場を競うライバルでもあったサイバーエージェントのちょっとした異変に気づいたのが宮内だった。株主総会の招集通知に新任取締役候補として名前が挙がっていた山田司朗の名が突然、消えていたのだ。山田は藤田晋に見込まれてベンチャーキャピタルからサイバーエージェントに転じ、上場準備室長を任されていたはずだ。上場を直前に控えた１９９９年12月に姿を消していたのだ。

山田は当時24歳。「やっぱり山田君を取締役にするのはまだ早いと思う。白紙に戻してもらえないか」と藤田に告げられていた。山田は「納得できません」と食い下がったが、藤田に押し切られた。実は翌年1月に野村証券から経験豊富な2人が入社することになり、年少で経験も劣る山田が取締役に就任するのではバランスが崩れると思ったという。

山田からこの話を聞かされた宮内はすかさずオン・ザ・エッヂに誘った。

「そういう状況だと居づらいよね。うちならそんなことにはならないよ」

当時はサイバーエージェントと上場の時期を競っていたこともあり、サイバーエージェントで上場準備の実務を任されていた山田なら即戦力になると見込んだのだ。

上場を直前に控えた２０００年2月にオン・ザ・エッヂに移ると、同じ日に入社してきたのが丹澤みゆきだった。丹澤は高校を出ると税理士となり、外資系監査法人で6年半勤めていた。経理・財務の担当となるため採用面接も宮内をはじめとするファイナンス部門の幹部たちだった。

高校を出て税理士になり監査法人で経験を積んだ丹澤のキャリアは、宮内とほぼ同じ。山田の時とは違い、相手を挑発するような「圧迫面接」で臨んだ。

「税理士と言っても、どうせまだ何もできないんでしょ」

これにはカチンときたが、全く同じような経歴を持つ宮内にハッキリと指摘されると「確かにまだ何もできないか」と思い直し、腕を磨くつもりでこの名もなきITベンチャーに入社することにした。この時、丹澤は28歳。後に経理担当役員として東京地検特捜部の聴取を受けることになり、その後は趣味で始めたキックボクシングのジム経営者兼トレーナーに転じることになろうとは、この時点で想像もできなかった。

山田と丹澤が配属されたのは、渋谷モリモビル4階の入り口から向かって左側に陣取る「スーツ」たちの一帯だった。社長の堀江貴文にあいさつに行った時の印象は二人とも全く同じだった。目を合わさず「ああ、じゃ、よろしく」のひと言だけ。

堀江は会社のトップではあるが、どちらかと言えば元からオン・ザ・エッヂにいた「ギークの長」という感がある。宮内が「ゴリ押し」で作った投資ファンドのキャピタリスタを抱えるファイナンス部門に興味がないのか、ひっきりなしに入社してくる者をいちいち覚えきれないのか、それとも単に人に興味がないだけなのか……。

ただ、ドライに見えたオン・ザ・エッヂは、思いのほか刺激に満ちた職場だった。ある日、丹澤は堀江から「この会社は3倍のスピードで動いているから成長できると思うよ」

と声をかけられたが、それが誇張でもなんでもないことがすぐに実感できたのだという。

ファイナンス部門が次々と持ち込むM&Aのたびに同じ「スーツ」の連中が思いもよらないようなスキームを提案してくる。絶え間なく新規事業が生まれ続け、地味な受託会社だったオン・ザ・エッヂがどんどん姿を変えていく。そのたびに新しい若き才能が門をたたいてくる。仕事が終われば終電ギリギリまで会社の仲間たちと渋谷の街へと飲みに繰り出すことも度々だった。そんな生活を、丹澤はこう振り返る。

「常識に全くとらわれない刺激的な集団で、毎日、胃がキリキリするくらい楽しかった。気づけば、ずっとここにいたいなと思うようになっていました」

もっとも、そんな毎日の「終わり」は突然訪れることになるのだが……。

少数精鋭主義を貫いたファイナンス部門にやってきた若者の中で、ひときわ異彩を放ったのが証券会社出身の熊谷史人だった。市場関係者をあっと言わせた株式100分割や、フジテレビ買収を画策した際のMSCBと呼ばれる、株価によって条件が変わる転換社債の発行などの奇策を考案した男だ。

熊谷には、ファイナンス部門を率いる宮内がひときわ目をかけ、全幅の信頼を置くようになった。「奇策」を受ける側にあたる経理を担当する丹澤も「熊ちゃんの発想には『え、そんなことできるの』という驚きの連続でした」と振り返る。

話はまたライブドア事件の頃に戻るが、堀江とともに逮捕された宮内は東京拘置所で検事による取り調べを受けていた際に「熊谷だけは逮捕しないでほしい」と懇願していたという。堀江と宮内というツートップが抜けた後のライブドアを託せるのは熊谷しかいないと考えていたからだ。それだけに、自らが逮捕された1カ月後に熊谷も逮捕されたことを知った時には、ショックのあまり夜の早い独房の中で眠れなかったという。

その熊谷を直接スカウトしたのが、一足先にオン・ザ・エッヂに来ていた山田司朗だった。まだ24歳でみらい証券の若手営業マンだった熊谷は「ＹＡＢＵＭＩ」というインスタントメッセージツールをオン・ザ・エッヂに売り込みに来た。その際の手際の良さに感銘を受けた山田が誘ったという。

「見た目はボーッとした印象で、どうにも『おっさんくさい』。でも負けず嫌いで、生意気で、図太い。それでいて経営者としての資質も備えている」

これが宮内の熊谷評だ。２００4年に26歳の若さで取締役に就任した頃には、すでに市場関係者の間では知られた存在。堀江からの信頼も厚く、瞬く間に「スーツ」の若きエースと目されるようになっていった。年齢や勤続年数に関係なく使える人材はどんどん引き上げていくライブドア流人事の象徴のような人物と言えるだろう。

社外留学でやって来た男

同じ「スーツ」でも、営業部門にやってきた出澤剛は完全に腰掛け程度のつもりだった。それもそのはずで出澤は朝日生命保険から「社外留学生」として派遣されていたからだ。朝日生命では入社してから八王子支社で生保レディーの世話役を続けて丸5年。ちょうど就職氷河期に差しかかり、新人の配属がないため人事が凍結されていたのだ。

どんどん新しい仕事を覚えていきたい20代も終わりに近づくのに、やっていることは新入社員時代から変わらない。ある日の仕事終わりに満月を見ていると、なぜか涙があふれてきた。

（俺の人生、このままでいいのか……）

閉塞感にさいなまれていた出澤に、人事部にいた同期が教えてくれたのが社外留学という変わった制度だった。30ほどの候補の中で目がとまったのが、オン・ザ・エッヂだった。

条件の欄に「独身で体力があること」とだけ書かれていたからだ。

これが後にライブドア社長となりLINE社長ともなる男の人生の転機だった。

仕事は正直、きつかった。出澤は当時のオン・ザ・エッヂをこう振り返る。

「色々な案件を受注してくるのはいいけど納品が追いつかず、常にトラブルをかかえている状態で走っていました。エンジニアとかデザイナーは静かで落ち着いた雰囲気でパソコンに向かっている。一方の営業部門では普通に怒号が飛び交っていました」

「スーツ」たちを追い詰めたのが堀江だった。当時のオン・ザ・エッヂでは月に2回の「戦略会議」が開かれる。それ以外の会議はまとめて「営業会議」と呼ばれていた。いずれの会議でも、堀江が数字をもとに徹底的に詰めてくるのがお決まりだった。

堀江の口癖が「なんで、なんで、なんで……」だ。

ノルマが達成できない、受注ができない、赤字が続く――。そんな報告に対しては、「なんで、なんで」を繰り返して徹底的に部下を追い詰めていくのだ。

「そりゃあもう、めっちゃ怖かったですよ。堀江さんは『なんで、なんで』と言って逃げ道を作らないんです。ロジカルに詰めてくる。みんな恐れていました。最後の最後まで執拗に、それもぶっきらぼうにきついトーンで……」

そのせいか、営業部門の平均在職期間はわずか3カ月ほどだったという。ただ、本来は生保マンである出澤の受けとめ方は少し違っていた。

「よく考えてみると堀江さんの『なんで』は根源的な問いかけなんですよ。予定調和がない。『世間はこうだから』という思考停止がない。それと比べて生命保険は100年以上の社歴がある分、色々な決まり事があって（無条件に）当たり前だと思われていることが多い。堀江さんはまさにそういうところを問いかけてくるので、鍛えられましたね」

社外留学の期間は1年。その期限が迫ると、堀江から「オン・ザ・エッヂに来ないか」と誘われた。

「行くも地獄、戻るも地獄。迷いました。最後は同期の女性から『そんな浮ついた二股みたいな気持ちだったら（朝日生命に）戻ってくるな』と言われて、決めました」

こうして2002年に正式にオン・ザ・エッヂに転職した出澤に、堀江は「せっかくなら何か新しいことを自分で始めてみたら？」と問いかけた。出澤が選んだのが「モバイル」だった。これが後のキャリアを決定付ける選択となる。

「技術のない奴は死ね」

一方の「ギーク」たち——。

もともとエンジニアの間で、オン・ザ・エッヂの名はよく知られていたのだが、こちらの採用基準は「スーツ」とはかなり違ったようだ。

ユミルリンクというウェブ制作会社から転じてきた池邉智洋は「面談に行くと、明らかに『さっきまで昼寝してましたよね』という感じのボサボサの金髪の人が出てきて、とってもゆるい雰囲気でした」と振り返る。

池邉は後にオン・ザ・エッヂが買収したライブドアをインターネット接続事業者からポータルサイトに生まれ変わらせる仕事を引き受け、看板サービスとなったブログの立ち上げも主導したエース級のエンジニアだ。堀江も後にＮｅｗｓＰｉｃｋｓによるインタビューで、かつての部下の中でとりわけ優秀だと思った人材として「やっぱり池邉くんですよね。ライブドアブログを作ったのは全て彼ですものね」と真っ先に名を挙げている。

その池邉が大学を出るとユミルリンクを就職先に選んだ理由は、「（自分の実力では）オン・ザ・エッヂはまだ早いと思ったから」だという。それほど当時のエンジニアたちの間では評価が高かったのだ。

その分、求められる水準も高かった。

半導体エンジニアから転じた嶋田健作が配属されたのが、受託開発と並ぶ主力事業だったデータセンターの運営部門だった。渋谷のオフィスから離れた下町・西大井にある窓のない部屋。長いすが並ぶ「たこ部屋」のような場所に3シフト制で詰める。

そこでオン・ザ・エッヂの技術陣を束ねていた山崎徳之から何度も言われたのが「現象面だけを見て理解した気になるな」だった。なんらかの問題が生じる時には必ず原因がある。その因果関係を正確に理解することが仕事の鉄則だという。当然と言えば当然だが、目の回るような忙しさのなかでついついおろそかになってしまいそうなことを、愚直に実行することを求められたと言う。

「例えば『雨が降ったので傘を差します』みたいな、その場しのぎの対処ではダメだということです。なぜ雨が降ることを予測できなかったのか。目の前で起きた現象だけを見るなと言われる。私のエンジニアとしてのベースはほとんど山崎さんから教わりました」

硬派なエンジニアが仕切る、世間から隔離されたような場所が、嶋田にとっては居心地が良かった。前職でまかり通っていた年功序列という概念もほとんどない。求められるのはITエンジニアとしての確かな腕のみ。

「当時は僕も『技術のない奴は死ね』なんて、よく言っていましたね」

少なくとも仕事で認められる限り言いたい放題というカルチャーは、トップの堀江から現場の社員まで一貫していたという。

ポータルサイトに進出

一般にはまだまだ無名と言ってよかったオン・ザ・エッヂに転機が訪れたのは2002年のことだった。経営破綻していたインターネット接続事業者のライブドアを買収したのである。

オン・ザ・エッヂは2000年に上場してファンドを設立して以来2年余り、M&Aによる規模拡大に邁進していたが、その多くは当時手掛けていた法人向けの受託事業やサーバー運営を補完するものだった。

ちなみに投資ファンド、キャピタリスタの設立に反対していた堀江もこの頃にはすでに

M&Aに対する考え方を改めていた。次のように回想している。

「当初はキャピタリスタに対してネガティブな気持ちを抱いていた僕だったが、株式売買に関する様々な仕組みを勉強し、投資や買収先の候補を物色しているうちに、これが非常に現実的かつ効率的なビジネスであるとの認識を強くしていた」

次々とM&Aを仕掛けるなかで舞い込んできたのがライブドアへの入札だった。ライブドアは無料のインターネット接続サービスで一時は人気を集めていたが、当時は「プロバイダー」と呼ばれる接続サービス事業者は完全な過当競争にさらされていた。

これにはソフトバンクの孫正義が「我々にとっての桶狭間の戦い。事業家人生を賭けた戦いだった」というヤフーBBの登場が大きく関わっている。2001年9月にブロードバンドの価格破壊を仕掛けると一気にシェアを拡大し、既存のプロバイダーは淘汰されていったのだ。当時の日経産業新聞によると、わずか1年半ほどで50社ほどが再編の波に飲み込まれるか廃業に追い込まれたというから、荒波のすさまじさが分かる。

1999年に設立されたばかりの新興勢力であるライブドアは初期費用と月額基本料を無料とし、実際に使った通信料の一部を受け取るという格安サービスを売りとしていたが、ヤフーBBの前に太刀打ちできなくなり、資金繰りが悪化していた。結局、民事再生法の適用を申請して負債を切り離すことを前提に、事業継続のためのスポンサーを募るいわゆる「プリパッケージ型」の事業譲渡の形で入札が行われることになった。

ここにライブドアが手を挙げたのには理由があった。堀江はライブドア買収を機にポータルサイトの会社に生まれ変わろうとしていたのだ。

ホームページなどの受託の事業は、それを作る頭数に比例して事業が大きくなる。基本的には、それ以上にスケールする、つまり事業規模が広がることはない。堀江は上場を機に採り入れたM&Aという手法で、指数関数的な伸びを期待できる事業の種を探っていた。それがポータルサイトだったのだ。

これは当時、インターネットで起業した者たちの多くが直面する課題だった。下請け的な受託の仕事ではいつまでたっても大きな成長は望めない。

堀江の盟友でありライバルである藤田晋も、他ならぬ堀江とのタッグでクリック保証型広告システムに進出したのを機に念願のメディア事業へと業容を拡大させて、営業代行という受託業から脱却した。第4章で登場した電脳隊も、当初はオン・ザ・エッヂと同じような仕事をしていたが、シリコンバレーでたまたま出会ったモバイル・インターネットに魅入られて業態を転換したことがヤフーでの活躍につながった。

インターネット業界では老舗の部類に入る堀江のオン・ザ・エッヂもまた、そのチャンスを虎視眈々と狙っていたのだ。


堀江がポータルサイトへの転身を図るため、ライブドアに目を付けた大きな理由が知名度だった。当時のインターネット利用者の半数がライブドアの社名を認識していたという。これは資金繰りが悪化した理由の一つでもあるのだが、その規模の割に大々的なテレビCMを流していたことが大きい。年間売上高17億円に対して、広告費には実に60億円を投じていた。

「オン・ザ・エッヂの事業をすべてこのライブドアブランドに統一していけば、短期間で世の中に認知される存在になることができる。狙いは見事に当たった」

後に堀江は著書でこう振り返っている。

ただし、ポータルサイトはインターネット産業にあって、王道の中の王道と呼べるサービスである。そこには強力なライバルが存在する。インターネットの巨人であるヤフーだ。

当時のライブドアのユーザーは155万人。だが、実際に定期的に使うアクティブユーザーはせいぜい50万人から60万人程度。それに対してヤフーはすでに5000万人を超えていた。

その差は100倍――。社内でさえ「もはや到底、追いつけない」というのが大半の見方だったのだが、この後、堀江とライブドアは猛烈な勢いでヤフーを追走していった。

ライブドアの急成長と、堀江が「ホリエモン」となったことは無関係ではない。堀江自身が歯に衣着せぬ言動で頻繁にメディアに登場し、ライブドアの知名度を高めていく。2004年2月には社名までライブドアに変更してしまった。

この直後から堀江の広告戦略は凄みを増していく。この年の夏には近鉄球団の買収に名乗りを上げ、翌年には電撃的にフジテレビ買収に乗り出した。いずれも失敗に終わったが、ライブドアの名は日本中の誰もが知るところとなった。

そもそも堀江がフジテレビの買収をもくろんだのは、放送する番組の片隅にライブドアのURLを入れることが目的だった。つまり、ライブドアの知名度向上が狙いだったのだ。買収工作は失敗したが、目的は十分に果たしたと言っていいだろう。堀江の言動によって相当数のアンチも生んだが、この間、ライブドアへの訪問者数は激増していった。

この戦略転換の原点にあたる破綻企業、ライブドアの買収。そこには実は強力なライバルが存在していた。他ならぬヤフーである。

ここでヤフーにライブドアを取り込まれてしまうと次のチャンスがいつになるか分からない。そもそも、知名度という点で今回のような千載一遇のチャンスはもう、やってこないかもしれない。世間的には「終わったビジネス、終わった会社」のプロバイダーだが、ポータルサイトへの転換を目指す堀江たちにとって、その価値は全く異なる。なにせ民事再生法の適用で重荷となる負債はなくなり、買収額は1億円余り。それで60億円分の広告効果がついてくるのだから、これほどお買い得な案件はない。

ただ、資金力に勝るヤフーに、どう競り勝つか――。ここに知られざるライブドア誕生のエピソードがあった。

「ライブドアをください」

ライブドアから入札への参加を持ちかけられたのが2002年10月のこと。買収交渉に動いたのが、サイバーエージェントから宮内に誘われてオン・ザ・エッヂの「スーツ」の一員となっていた山田司朗だった。ヤフーが入札に参加する意向だという情報を得ると、山田は旧知のヤフー幹部に接触した。

「我々にはどうしてもライブドアが必要なんです。ヤフーはこのビッドから降りてもらえないでしょうか」

山田がこう持ちかけたのが、ヤフー経営戦略部長の佐藤完、通称「サトカン」だった。当時のヤフーは表参道にオフィスを構えていた。山田がサイバーエージェントにいた1999年は、原宿から渋谷へと移る間のわずかな期間、サイバーエージェントも表参道に本社を移転させていたのだが、その時に佐藤はまだ社会人になって2年目の山田と知り合い、近くのカフェに誘ってはインターネット談議に花を咲かせていた。

もとより、会社の垣根など気にしないインターネット産業の知られざる「オヤジ」のことである。

「これからはお前たちの時代だからな」

多くの若者たちに語りかけていたことを、サイバーエージェントでくすぶっていた山田にも語って鼓舞していた。

そんな後輩に懇願された佐藤は、この無茶な要求を受け入れた。オン・ザ・エッヂにとってはポータルへの進出という秘めたる野望への懸け橋だが、すでにブランドを確立しているヤフーにとっては数多いプロバイダーを傘下に組み込んでヤフーBBの足しにする程度の意義しかない。

ただし、互いに上場企業だ。義理人情だけで済ませるわけにはいかない。

「その代わり広告を頼むな」

オン・ザ・エッヂがヤフーに一定の広告を出稿することを条件に、佐藤はライブドアをオン・ザ・エッヂに譲った。

この時、山田と佐藤の「密約」がなければ、資金力に勝るヤフーがライブドアを傘下に収め、我々が知るところとなる「ホリエモンとライブドア」の物語は違った展開になっていただろう。

「協力しません」

「今度、伊地知さんがライブドアの責任者になったから、表参道まで行ってきてください」

買収手続きが完了した翌月の2002年12月のある日、山田からこう告げられたのがコンシューマー事業担当の伊地知晋一だった。

受託とサーバー運営という法人向けビジネスを手掛けるオン・ザ・エッヂという会社にあって、伊地知は数少ないコンシューマー・ビジネスの経験者だったからだ。

とはいえ、伊地知は3カ月前にオン・ザ・エッヂにやってきたばかりの新顔だった。

伊地知はもともと政治家を目指し、大前研一が立ち上げた平成維新の会に出入りしていたが、そこで知り合った仲間たちと「これからはインターネットの時代だ」と意気投合し、新宿・歌舞伎町のマンションでシノックスという会社を立ち上げた。当時は1996年。急速に普及し始めた電子メールを使ったマーケティングツールの販売が軌道に乗ったが、投資家との対立などが原因で、ソフトウエア販売のプロジーグループに移った。そのプロジーをオン・ザ・エッヂが買収していた。

ただ、コンシューマー・ビジネスを経験してきたと言っても、消費者に直接ソフトを売ってきたわけではない。プロジー時代にソフトを売る先は家電量販店だったが、間に仲介業者としてソフトバンクが入っていた。それでも受託とレンタルサーバーを2本柱とするエンジニア集団のオン・ザ・エッヂでは貴重な経験者と言えた。

その伊地知が、オン・ザ・エッヂに買収されたばかりのライブドアのオフィスに出向いた時のことは、今も鮮明に記憶していると言う。当時のライブドア本社は表参道・骨董通りにあるマックスマーラが入るビルに入居していた。ドアを開けて部屋に入ると両脇にずらっと机が並んでいる。そこに座る者たちの顔が一斉に伊地知の方を向いた。皆が一様に険しい表情をしている。

「そこに居た40人ほどの社員たちが、それこそ鬼のような形相でにらみつけてきました」

オン・ザ・エッヂは破綻企業であるライブドアのスポンサーとしてやってきた、いわば救世主である。それなのに歓迎ムードはゼロだった。いぶかしがる伊地知の前に、社員の代表という者がにじり寄ってきて理由を説明した。

「新聞で読みました。堀江さんはうちの社員はもう要らないと考えているそうですね。そういうお考えなら私たちは協力できません。引き継ぎも、するつもりはありませんから」

状況が飲み込めたのは、その記事を見せられた時だった。2002年11月5日付の日経MJに、ライブドア買収について「堀江社長に聞く」というインタビュー記事が掲載されていた。専門紙の第5面に掲載された小ぶりな記事だが、その中で堀江が「社員は原則として引き継がないが、数人程度は採用するつもりだ」と発言していたのだ。経営破綻から買収と不安な日々が続いていたライブドアの社員を刺激するなという方が無理な話だろう。

これからポータルサイトの会社に作り替えるとはいえ、いくらなんでも今いる社員たちの協力なしでは物事は前に進まない。驚いた伊地知はその場で山田に電話して「この記事、撤回してください」と迫り、なんとか事なきを得た。

波乱含みでスタートしたオン・ザ・エッヂからライブドアへの「移住計画」。堀江発言による出だしのいざこざを除けば、当初はすんなりと軌道に乗ったかに見えた。コスト高の原因だったアクセスポイントなどインフラの運営を他社への外注に切り替え、一度は単月での黒字化を達成した。だが、ここまではとりあえずの応急処置にすぎない。ポータルサイトへの転換の過程で、再び赤字を垂れ流すようになっていた。

ここで暗躍したのが「スーツ」たちだった。そのトップである宮内自身が事件後に刊行した著書『虚構　堀江と私とライブドア』の中で「粉飾の第一歩」と題して、次のようなやりとりがあったことを明かしている。

重い「上納金」

買収から1年がたった2003年10～12月期の決算でも、ライブドアは赤字が続いていた。責任者の伊地知は連日のように堀江から「いつになったら黒字になるんだ」と詰め寄られていたという。

打開策は見つからないが、ポータルサイトは社運を賭けた事業である。いつまでも赤字のままではまずいと考えた宮内が管掌する投資ファンド、キャピタリスタ（当時はエッヂファイナンスコンサルティングと改名。本書では原則、キャピタリスタと表記する）から売り上げを計上して、形だけでもライブドアを黒字にしようと言い出した。宮内は管理担当の熊谷史人にこう告げたと述べている。

「ポータルやばいよ。これじゃ、ポータルやってる意味がないと思われるから、とりあえずウチから数字つけとくわ」

その額は月7000万円。四半期ベースで2億円余りになる。キャピタリスタがライブドアにポータルサイトの使用料を支払うという名目だ。ライブドアにとっては、そのまま利益となる。実際、キャピタリスタに関する情報はライブドアのポータルに掲載されていた。従って「粉飾の第一歩」とはいうものの、グループ内取引であり、後のライブドア事件で違法性を問われたわけではない。

キャピタリスタはオン・ザ・エッヂが上場する際に宮内がスカウトした野口英昭が入社の条件とし、堀江の反対をゴリ押しして設立したことはすでに触れた。ただ、野口は堀江とソリが合わずにすでにライブドアを去り、当時は銀行から転職してきた羽田寛がファンドの責任者を務めていた。羽田としては不要な支出であり当然、不満である。

宮内は「看板事業が赤字じゃまずいだろう」と押し切った。この時、羽田がこうつぶやいたという。

「上納金にしても重いなあ……」

こうして新生ライブドアには、傘下のキャピタリスタから毎月7000万円の「上納金」が支払われることになったのだ。

繰り返しになるが、このグループ内取引は事件で違法性を問われたわけではない。ただ、安易なグループ間での利益の付け替えや、ファンドを活用した利益の先食い的な取引によって右肩上がりの成長を演出していく手法が、この直後から常態化していった。宮内は次のように結論付けている。

「ファイナンス部門の頑張りが逆に堀江を増長させ、検察が認定する『粉飾』にライブドアを踏み込ませていったのである。すなわち、公判で私が言ったように『私が、ライブドアにいなければ、このようなことにはならなかったはずだ』というのが正確なところではないか」

ライブドア事件で検察が違法と断罪したのは、2004年9月期決算における粉飾である。多くの人々の記憶に残る「ホリエモンとライブドア」の大暴れは、2004年夏の近鉄球団買収宣言から始まる。その後のフジテレビ買収計画や衆院選への出馬で、堀江はすっかりお茶の間でも有名人となった。

「ライブドア事件とはなんだったのか？」

そう聞かれた時、多くの人が2005年2月に始まったフジテレビ買収計画に関わる取引で不正があったのではないかと思っているようだ。だが、そうではない。不正に手を染めていたのは、実はそれ以前のこと。堀江が「ホリエモン」として日本中から知られるようになる、少し前のことだった。

ポータルサイトに本業を移す堀江とその仲間たちが迎えた2度目の転機は、爆弾を抱えながらの船出だったのだ。導火線に火が付いていることを認識していた者が、その時点でどれほどいただろうか。

- 細野祐二『粉飾決算VS会計基準』2017年、日経BP
- 堀江貴文『僕は死なない』2005年、ライブドアパブリッシング
- 堀江貴文『徹底抗戦』2009年、集英社
- 堀江貴文『ホリエモンの宇宙論』2011年、講談社
- 堀江貴文『我が闘争』2015年、幻冬舎
- 堀江貴文『これからを稼ごう　仮想通貨と未来のお金の話』2018年、徳間書店
- 宮内亮治『虚構ー堀江と私とライブドア』2007年、講談社
- 村上世彰『生涯投資家』2017年、文藝春秋
- 北海道新聞、十勝毎日新聞、日経MJ（流通新聞）、日経産業新聞、日本経済新聞、朝日新聞

- 杉本貴司『孫正義　300年王国への野望』2017年、日本経済新聞出版
- 滝田誠一郎『IT起業家10人の10年』2014年、講談社
- 田中祐介／電脳隊　監修『次世代ケータイネットワークがわかる本　仕事にどう活かすか』1999年、ソフトバンクパブリッシング
- 森功「なりもの　ヤフー・井上雅博伝」（週刊現代連載、2020年5月に講談社より単行本化）
- 日本経済新聞、朝日新聞、毎日新聞

第5章

- 井手直行『ぷしゅ　よなよなエールがお世話になります』2016年、東洋経済新報社
- 大西康之『ファースト・ペンギン　楽天・三木谷浩史の挑戦』2014年、日本経済新聞出版
- 児玉博『“教祖”降臨　楽天・三木谷浩史の真実』2005年、日経BP
- ポール・グラハム（川合史朗監訳）『ハッカーと画家　コンピュータ時代の創造者たち』2005年、オーム社
- 三木谷浩史『成功のコンセプト』2007年、幻冬舎
- 三木谷浩史／三木谷良一『競争力』2013年、講談社
- 三木谷浩史『楽天流』2014年、講談社
- 山口敦雄『楽天の研究　なぜ彼らは勝ち続けるのか』2004年、毎日新聞社
- ランダル・ストロス（滑川海彦／高橋信夫訳）『Yコンビネーター　シリコンバレー最強のスタートアップ養成スクール』2013年、日経BP
- AERA、週刊東洋経済、日経ビジネス、企業家倶楽部

第6章

- 岡本呻也『ネット起業!あのバカにやらせてみよう』2000年、文藝春秋
- スティーブ・アンダーソン／カレン・アンダーソン（加藤今日子訳）『ベゾス・レター　アマゾンに学ぶ14カ条の成長原則』2019年、すばる舎
- ブラッド・ストーン（井口耕二訳）『ジェフ・ベゾス　果てなき野望』2014年、日経BP
- COMPASS、日経産業新聞

第7章・第8章

- 大鹿靖明『ヒルズ黙示録　検証・ライブドア（朝日文庫）』2008年、朝日新聞出版
- 田中慎一『ライブドア監査人の告白』2006年、ダイヤモンド社
- NewsPicks取材班『韓流経営LINE』2016年、扶桑社
- 平松庚三『ボクがライブドア社長になった理由』2007年、ソフトバンククリエイティブ
- 藤田晋『起業家』2013年、幻冬舎

参考文献

文中で直接引用したものに加え、取材の事前準備のために参照したものも含めました。

第1章

- 芥川龍之介『侏儒の言葉』1927年、文藝春秋
- 藤田晋『ジャパニーズ・ドリーム　26歳上場企業社長のe革命宣言!』2000年、ダイヤモンド社
- 藤田晋『渋谷ではたらく社長の告白〈新装版〉』2013年、幻冬舎
- 藤田晋『起業家』2013年、幻冬舎
- 堀江貴文『我が闘争』2015年、幻冬舎
- 松島庸『追われ者　こうしてボクは上場企業社長の座を追い落とされた』2002年、東洋経済新報社
- 村上世彰『生涯投資家』2017年、文藝春秋
- 経済企画庁「昭和54年度国民生活白書」1979年
- 藤田晋「渋谷ではたらく社長のアメブロ」https://ameblo.jp/shibuya
- 日本経済新聞

第2章

- 鈴木幸一『日本インターネット書記　この国のインターネットは、解体寸前のビルに間借りした小さな会社からはじまった』2015年、講談社
- 村井純『インターネット』1995年、岩波書店
- 「TIME」1994年7月発刊号

第3章

- 板倉雄一郎『社長失格　ぼくの会社がつぶれた理由』1998年、日経BP
- 榎啓一『iモードの猛獣使い　会社に20兆円稼がせたスーパー・サラリーマン』2015年、講談社
- 夏野剛『1兆円を稼いだ男の仕事術』2009年、講談社
- 夏野剛『ア・ラ・iモード　iモード流ネット生態系戦略』2002年、日経BP
- 松永真理『iモード事件』2000年、角川書店
- 総務省「通信利用動向調査」

第4章

- 岡本呻也『ネット起業!あのバカにやらせてみよう』2000年、文藝春秋
- 奥村倫弘『ネコがメディアを支配する　ネットニュースに未来はあるのか』2017年、中央公論新社
- クレイトン・クリステンセン（玉田俊平太　監修／伊豆原弓　訳）『イノベーションのジレンマ　増補改訂版』2001年、翔泳社
- 下山進『2050年のメディア』2019年、文藝春秋

本書は、2020年8月に日本経済新聞出版から発行した
『ネット興亡記』を文庫化にあたって2分冊としたものです。

nbb
日経ビジネス人文庫

ネット興亡記（こうぼうき）
①開拓者（かいたくしゃ）たち

2022年12月1日 第1刷発行

著者
杉本貴司
すぎもと・たかし

発行者
國分正哉

発行
株式会社日経BP
日本経済新聞出版

発売
株式会社日経BPマーケティング
〒105-8308 東京都港区虎ノ門4-3-12

ブックデザイン
新井大輔

本文DTP
マーリンクレイン

印刷・製本
中央精版印刷

Printed in Japan ISBN978-4-296-11613-3

nbb 好評既刊

ホンダジェット誕生物語
杉本貴司

ホンダはなぜ空を目指し、高い壁をどう乗り越えたのか。ホンダジェットを創り上げたエンジニアの苦闘を描いた傑作ノンフィクション！

経営参謀
稲田将人

戦略は「魔法の道具」ではない！　数多くの企業再生に携わってきた元マッキンゼーの改革請負人が贈る「戦略参謀シリーズ」第2弾。

戦略参謀
稲田将人

なぜ事業不振から抜け出せないのか、ＰＤＣＡを回すには──。数々の経営改革に携わってきた著者による超リアルな企業改革ノベル。

How Google Works
エリック・シュミット
ジョナサン・ローゼンバーグ
ラリー・ペイジ＝序文

すべてが加速化しているいま、企業が成功するためには考え方を全部変える必要がある。グーグル会長が、新時代のビジネス成功術を伝授。

LEAN IN
シェリル・サンドバーグ
川本裕子＝序文
村井章子＝訳

日米で大ベストセラー。フェイスブックＣＯＯが書いた話題作、ついに文庫化！　その「一歩」を踏み出せば、仕事と人生はこんなに楽しい。